A
MULHER
ENTRE
NÓS

GREER HENDRICKS e SARAH PEKKANEN

A MULHER ENTRE NÓS

ELA NÃO É QUEM VOCÊ PENSA

TRADUÇÃO
ALEXANDRE BOIDE

paralela

Copyright © 2018 by Greer Hendricks e Sarah Pekkanen

Publicado mediante acordo com St. Martin's Press, LLC.
Todos os diretos reservados.

A Editora Paralela é uma divisão da Editora Schwarcz S.A.

*Grafia atualizada segundo o Acordo Ortográfico da Língua Portuguesa de 1990,
que entrou em vigor no Brasil em 2009.*

TÍTULO ORIGINAL The Wife Between Us

CAPA Olga Grlic

FOTOS DE CAPA Oleg Gekman/ Shutterstock

PREPARAÇÃO Lígia Azevedo

REVISÃO Thaís Totino Richter e Clara Diament

Dados Internacionais de Catalogação na Publicação (CIP)
(Câmara Brasileira do Livro, SP, Brasil)
_____

Hendricks, Greer
    A mulher entre nós / Greer Hendricks, Sarah Pekkanen ;
tradução Alexandre Boide. — 1ª ed. — São Paulo : Paralela,
2018.

    Título original: The Wife Between Us.
    ISBN 978-85-8439-106-6

    1. Ficção norte-americana I. Pekkanen, Sarah. II. Título.

18-12190   CDD-813
_____
Índice para catálogo sistemático:
1. Ficção : Literatura norte-americana   813

[2018]
Todos os direitos desta edição reservados à
EDITORA SCHWARCZ S.A.
Rua Bandeira Paulista, 702, cj. 32
04532-002 — São Paulo — SP
Telefone: (11) 3707-3500
www.editoraparalela.com.br
atendimentoaoleitor@editoraparalela.com.br
facebook.com/editoraparalela
instagram.com/editoraparalela
twitter.com/editoraparalela

Para John, Paige e Alex,
com amor e gratidão,
Greer

Para todos aqueles que me
incentivaram a escrever este livro,
Sarah

PARTE UM

Prólogo

Ela caminha com passos apressados pela calçada, os cabelos loiros balançando sobre os ombros, o rosto vermelho e uma mala de ginástica pendurada no antebraço. Quando chega ao prédio onde mora, enfia a mão na bolsa e pega as chaves. A rua está movimentada, barulhenta, com táxis amarelos indo e vindo, trabalhadores voltando para casa e clientes saindo das lojas e se dirigindo à lanchonete da esquina. Meus olhos não se desviam dela.

Ela se detém na entrada do prédio e olha rapidamente por cima do ombro. Meu corpo parece ser percorrido por uma descarga elétrica. Fico me perguntando se ela sente que está sendo vigiada. Um sistema inteiro do cérebro humano é dedicado a essa herança genética, a capacidade de sentir que estamos sendo observados. Nossos ancestrais se valiam disso para escapar dos predadores. Cultivei essa forma de defesa, essa sensação de estática surgindo na superfície da pele, a cabeça se erguendo por instinto à procura de um par de olhos. Aprendi que ignorar esse alerta pode ser perigoso.

Mas ela simplesmente vira na direção oposta, abre a porta e entra no prédio, sem olhar na minha direção.

Nem imagina o que fiz para ela.

Não tem noção do estrago que causei; da ruína que pus em curso.

Para essa linda jovem com rosto em formato de coração e corpo sensual — a mulher por quem meu marido Richard me trocou —, sou invisível como o pombo ciscando na calçada ao meu lado.

Ela não faz ideia do que vai acontecer se continuar agindo assim. Não faz a menor ideia.

1

Nellie não sabia dizer ao certo o que a tinha acordado. Quando abriu os olhos, havia uma mulher usando seu vestido de noiva de renda branca ao lado de sua cama, observando-a.

Ela sentiu a garganta fechar, impedindo que gritasse, então estendeu o braço para pegar o taco de beisebol encostado no criado-mudo. Aos poucos sua visão se ajustou à luminosidade reduzida do amanhecer, e os batimentos de seu coração desaceleraram.

Ela soltou uma risadinha tensa ao perceber que estava tudo bem. Era apenas seu vestido de casamento protegido por um plástico e pendurado no cabide. Ela o colocara ali no dia anterior, depois de apanhá-lo na loja. Havia papel amassado sob o espartilho e a saia rodada para manter a forma. Nellie desabou no travesseiro. Quando sua respiração se estabilizou, ela se voltou para os números luminosos do relógio digital no criado-mudo. Era cedo demais.

Esticou o braço e desligou o alarme antes que começasse a tocar. A aliança de noivado que Richard lhe dera, com um diamante, ainda parecia estranha e pesada em seu dedo.

Desde a infância, Nellie tinha dificuldade para dormir. Sua mãe não tinha paciência para os rituais da hora de ir para a cama, mas o pai massageava suas costas com movimentos suaves, desenhando mensagens como "Eu te amo" ou "Você é muito especial". Ela tentava adivinhar o que diziam. Em outras ocasiões, ele desenhava figuras: círculos, estrelas e triângulos. Isso antes de seus nove anos, quando ele foi embora de casa depois do divórcio. Então ela passou a se deitar sozinha, sob o edredom rosa com listras roxas, olhando para a mancha de umidade provocada por uma infiltração no teto.

Quando enfim pegava no sono, conseguia dormir umas boas sete ou oito horas — profundamente e sem a interrupção de sonhos, de modo que sua mãe precisava sacudi-la com força para acordá-la.

Mas, depois de certa noite de outubro, no último ano de faculdade, aquilo de repente mudou.

Sua insônia piorou sensivelmente, e seu sono se tornou permeado por sonhos vívidos e despertares abruptos. Uma vez, quando desceu para o café da manhã na república onde morava, uma companheira da irmandade Chi Ômega lhe contou que tinha gritado coisas ininteligíveis durante a noite. Nellie tentou minimizar: "Estou estressada com as provas finais. Dizem que a de estatística aplicada vai ser dificílima". Então se levantou da mesa para pegar outro café.

Depois disso, ela marcou uma consulta com a psicóloga do campus. Apesar da abordagem delicada da especialista, Nellie não conseguiu conversar sobre a noite quente de início de outono que começou com garrafas de vodca e risos e terminou com sirenes de polícia e desespero. Ela foi à terapeuta mais uma vez, então cancelou a terceira consulta e nunca mais voltou.

Nellie contara a Richard alguns detalhes de um de seus pesadelos recorrentes e sentira os braços dele e uma voz grave murmurando em seu ouvido: "Estou aqui, amor. Você está segura comigo". Agarrada a ele, sentia a segurança pela qual ansiara a vida toda, mesmo antes do incidente que havia mudado tudo. Com Richard ao seu lado, ela conseguia ceder ao sono profundo e vulnerável. Era como se o chão instável tivesse se solidificado sob seus pés.

Na noite anterior, porém, Nellie estava sozinha em seu apartamento no andar térreo de um velho predinho de tijolos. Richard estava em Chicago a trabalho, e Samantha, a melhor amiga de Nellie e com quem dividia a casa, tinha ido dormir fora com algum cara. Os ruídos de Nova York entravam pelas paredes: buzinas, gritos, latidos... Embora os índices de criminalidade do Upper East Side estivessem entre os mais baixos de Manhattan, havia grades de metal nas janelas e três trancas na porta, inclusive uma enorme que Nellie tinha mandado instalar logo que se mudara. Mesmo assim, ela precisara de uma tacinha extra de chardonnay para pegar no sono.

Nellie esfregou os olhos vermelhos e se levantou da cama com gestos lentos. Vestiu o roupão, olhou para o vestido de novo e se perguntou se não era melhor tentar abrir um espaço para ele no closet apertado. Mas a saia era volumosa demais. Na loja, cheia de peças extravagantes com bordados, pareceu simples e elegante, como um vestidinho de chita perto de outro bufante. Mas, entre suas roupas e a frágil prateleira com seus livros no espaço exíguo do quarto, parecia muito próximo do que uma princesa da Disney escolheria.

Mas era tarde demais para mudar. O casamento estava chegando e todos os detalhes estavam acertados, até o enfeite do bolo: a noiva loira e o noivo bonitão, capturados no momento perfeito.

"Olha só vocês dois", dissera Samantha ao ver a foto dos bonequinhos de porcelana que Richard mandara a Nellie por e-mail. A peça havia sido dos pais dele, e Richard tinha ido procurá-la no depósito que mantinha no porão de seu prédio depois de pedi-la em casamento. Sam franziu o nariz. "Já parou para pensar que parece bom demais para ser verdade?"

Richard tinha trinta e seis anos, nove a mais que Nellie, e era um bem-sucedido administrador de fundos de investimentos. Tinha o corpo magro e esguio como o de um corredor, e seu sorriso fácil amenizava a intensidade dos olhos azul-escuros.

No primeiro encontro, ele a levara a um restaurante francês e conversara com a maior familiaridade com o sommelier sobre vinhos brancos da Borgonha. No segundo, em um sábado de neve, recomendara que Nellie usasse roupas quentes e aparecera com dois trenós verdes de plástico. "Conheço a melhor rampa do Central Park", ele dissera.

Usava uma jaqueta jeans desbotada que caía tão bem quanto seus ternos feitos sob medida.

Nellie não estava brincando quando respondera a Sam: "Penso nisso todos os dias".

Ela suprimiu outro bocejo enquanto descia os sete degraus até a minúscula cozinha, sentindo o linóleo frio sob os pés descalços. Acendeu a luz e percebeu que, mais uma vez, Sam tinha feito a maior sujeira com o pote de mel ao adoçar o chá. O líquido viscoso escorria pela lateral do vidro, e uma barata esperneava no meio de uma grudenta poça cor de âmbar. Mesmo depois de anos vivendo em Manhattan, a visão daquele bicho ainda a deixava enojada. Nellie prendeu a barata embaixo de uma caneca suja de Sam que estava na pia. *Ela que se vire com essa coisa*, pensou. Enquanto esperava o café ficar pronto, abriu o laptop para ler seus e-mails — um cupom da Gap; a mãe, que pelo jeito se tornara vegetariana, perguntando se haveria uma opção sem carne no cardápio do jantar no casamento; um aviso de que o pagamento da fatura do cartão de crédito estava atrasado.

Nellie serviu o café em uma caneca decorada com coraçõezinhos e as palavras MELHOR PROFESSORA DO MUNDO — ela e Samantha eram professoras de educação infantil na Learning Ladder e tinham dezenas daquelas canecas amontoadas no armário — e tomou um gole. Tinha dez reuniões agendadas com pais de seus alunos, crianças na faixa dos três anos. Sem cafeína, correria o risco de cochilar no "cantinho do silêncio", e precisava se manter ligada. Os primeiros seriam os Porter, que pouco tempo antes tinham reclamado da ausência de atividades criativas em sala de aula. Eles recomendaram a substituição da casa de bonecas por uma cabana indígena e insistiram na ideia mandando um link de uma que custava duzentos e vinte e nove dólares.

Nellie concluiu que não sentiria muito mais falta dos Porter do que das baratas quando fosse morar com Richard. Olhou para a caneca de Samantha, foi invadida uma pontada de culpa e usou um lenço de papel para apanhar às pressas a barata, jogá-la na privada e dar a descarga.

O celular tocou quando Nellie estava abrindo o chuveiro. Ela se enrolou em uma toalha e correu até sua bolsa. Mas não estava lá; ela o perdia o tempo todo. No fim, acabou encontrando-o no meio do edredom.

"Alô?"

Não houve resposta.

O identificador de chamadas não mostrava o número. Um instante depois veio o aviso de mensagem de voz. Ela acionou o botão para ouvir, mas só conseguiu escutar o som leve e ritmado da respiração de alguém.

Telemarketing, ela disse a si mesma ao largar o celular na cama. Nada de mais. Era só uma reação exagerada, como às vezes acontecia, por causa do excesso de coisas a fazer. Afinal de contas, em algumas semanas, juntaria tudo o que tinha e levaria para a casa de Richard, começando uma vida nova com um buquê de rosas na mão. Mudanças sempre causavam apreensão, e ela tinha que encarar um monte de uma só vez.

Mesmo assim, era a terceira ligação daquele tipo nas últimas semanas.

Nellie olhou para a porta da frente. Todas as travas estavam fechadas.

Foi para o banheiro, mas acabou voltando para o quarto e pegando o celular, que deixou na pia. Trancou a porta, pendurou a toalha no gancho e entrou no boxe. Deu um pulo para trás quando a água fria a atingiu, então ajustou a temperatura e esfregou os braços.

O vapor preencheu o pequeno espaço, e ela deixou a água aliviar os nós em seus ombros e suas costas. Ia mudar de sobrenome depois de casada. Talvez trocasse o número do celular também.

Ela tinha colocado um vestido de linho e estava passando rímel — só usava maquiagem e roupas bonitas no trabalho quando se reunia com pais ou na formatura — quando o celular vibrou, produzindo um ruído alto e retinido contra a porcelana da pia. Nellie fez uma careta, e o pincel subiu mais do que deveria, deixando uma mancha escura perto da sobrancelha.

Quando olhou, viu que era uma mensagem de texto de Richard.

Mal passo esperar para ver você, linda. Estou contando os minutos. Te amo.

As palavras do noivo aliviaram o aperto que sentia no peito. *Eu também*, ela respondeu.

Naquela noite, ia contar sobre as ligações. Richard serviria uma taça de vinho e colocaria seus pés sobre o colo enquanto conversavam. Talvez arrumasse um jeito de descobrir o número. Ela terminou de se arrumar, pegou a bolsa pesada e saiu para o sol fraco da manhã de primavera.

2

O apito da chaleira de tia Charlotte me desperta. Um sol fraco entra pelas frestas da persiana, criando listras desbotadas sobre meu corpo em posição fetal. Como é possível já ter amanhecido? Depois de meses dormindo em uma cama de solteira — e não na king size que dividia com Richard —, ainda me posiciono encolhida na esquerda. Os lençóis estão frios ao meu lado. Guardo lugar para um fantasma.

As manhãs são as piores, porque, por um breve instante, meus pensamentos ficam leves. É cruel demais. Eu me encolho sob a colcha, sentindo um peso tremendo me prendendo à cama.

Richard deve estar com minha linda e jovem substituta, os olhos azul-escuros fixos nela, os dedos passeando por seu rosto. Às vezes sou quase capaz de ouvi-lo dizer as coisas que sussurrava para mim.

Te amo. Vou te fazer muito feliz. Você é tudo pra mim.

Meu coração dispara, e cada batida firme dói. *Respire fundo*, lembro a mim mesma. Não adianta nada. Nunca funciona.

Quando vejo a mulher por quem Richard me deixou, sempre fico impressionada com sua aparência meiga e inocente. É parecidíssima comigo, ou pelo menos com como eu era na época em que conheci Richard — ele segurava meu rosto entre as mãos com toda a delicadeza, como se eu fosse uma flor que pudesse se desfazer ao toque.

Mesmo naqueles primeiros meses inebriantes, era como se tudo — como se *ele* — parecesse um tanto coreografado. Richard era atencioso, carismático e bem-sucedido. Eu me apaixonei quase de imediato. Nunca duvidei de que me amasse também.

Agora ele não tem mais nada a ver comigo. Mudei da casa em estilo colonial com quatro quartos, portas arqueadas e gramado verdejante.

Três deles permaneceram vazios durante o tempo em que ficamos casados, mas a faxineira os limpava toda semana. Eu sempre arrumava uma desculpa para sair assim que ela chegava.

A sirene de uma ambulância lá embaixo enfim me arranca da cama. Tomo um banho e, enquanto seco os cabelos, percebo que a raiz escura está aparecendo. Pego a tinta debaixo da pia para me lembrar de retocar à noite. Os dias em que eu pagava — não, em que Richard pagava — cem dólares por corte e tintura ficaram no passado.

Abro o armário de cerejeira antigo que tia Charlotte comprou no mercado de pulgas e restaurou sozinha. Houve um tempo em que eu tinha um closet maior do que o quarto em que durmo hoje. Araras com vestidos organizados por cor e estação. Pilhas de jeans de grife com lavagens diferentes. Um arco-íris de malhas.

Essas coisas nunca significaram muito para mim, que em geral usava legging e moletom. Ao contrário das mulheres que trabalhavam fora, eu só colocava minhas melhores roupas para receber Richard. Não me arrependo de ter pegado minhas roupas mais chiques quando Richard me pediu para deixar nossa casa em Westchester. Trabalho como vendedora na Saks, no setor de roupas de grife. Como dependo de comissões, é fundamental projetar uma imagem de sucesso. Olho para os vestidos pendurados no armário com uma precisão quase militar e escolho um Chanel de um azul esverdeado. Um dos botões está lascado e ele está meio largo. Não preciso de uma balança para saber que perdi peso. Tenho um metro e sessenta e cinco e meus vestidos tamanho trinta e oito estão largos.

Entro na cozinha, onde tia Charlotte está comendo iogurte grego com mirtilos. Dou um beijo nela, sentindo a pele de seu rosto macia como talco.

"Bom dia, Vanessa. Dormiu bem?"

"Sim", minto.

Ela está de pé junto ao balcão, descalça e vestindo suas roupas largas de tai chi, espiando-me por cima dos óculos enquanto rabisca uma lista de compras no verso de um envelope, entre uma colherada e outra. Para tia Charlotte, a quebra da inércia é fundamental para a saúde emocional. Ela sempre me convida para caminhar pelo SoHo, para palestras sobre arte na galeria Y, ou para ver um filme no Lincoln Center... mas aprendi que me manter ativa não me ajuda muito. Os pensamentos obsessivos podem surgir em qualquer lugar.

Mordo um pedaço de torrada integral e ponho uma maçã e uma barrinha de cereais na bolsa para depois. Dá para notar que tia Charlotte está aliviada por eu ter arrumado um emprego. Estou atrapalhando sua rotina; em geral ela passa as manhãs em um quarto que usa como ateliê, pintando telas com tinta a óleo, criando mundos oníricos muito mais bonitos do que este que habitamos. Mas ela nunca reclama. Quando eu era menina e achava que minha mãe precisava de um de seus "dias de luzes apagadas", ligava para tia Charlotte, irmã mais velha dela. Era só chamar e minha tia aparecia, com uma muda de roupa a tiracolo, estendendo as mãos manchadas de tinta para me acolher em um abraço com cheiro de óleo de linhaça e lavanda. Ela não tinha filhos, e seus horários eram bem flexíveis. Eu tinha muita sorte de poder me colocar no centro de suas atenções quando mais precisava.

"Brie... pera...", tia Charlotte murmura enquanto acrescenta itens à lista, com sua caligrafia cheia de volteios. Seus cabelos grisalhos estão presos em um coque, e os objetos aleatórios colocados diante dela — uma tigela de vidro azul-cobalto, uma caneca rústica de cerâmica roxa e uma colher de prata — parecem inspiração para um quadro de natureza-morta. O apartamento de três quartos vale uma fortuna. Ela e meu tio Beau, que morreu anos atrás, o compraram antes que os preços dos imóveis no bairro disparassem. Ainda assim, parece uma velha casa de campo. As tábuas do piso envergam e rangem, e cada cômodo é pintado de uma cor — amarelo-canário, safira, verde-menta.

"Tem reunião hoje?", pergunto, e ela assente com a cabeça.

Sempre encontro um grupo de calouros da NYU, críticos de arte do *New York Times* e um ou outro galerista reunidos na sala de estar. "Pode deixar que compro vinho na volta para casa", digo. É importante que tia Charlotte não me veja como um fardo. Ela é tudo que me resta.

Enquanto mexo meu café, imagino se Richard está preparando uma bandeja para levar na cama para seu novo amor, sonolenta e aquecida sob o edredom fofinho que compartilhávamos. Vejo os lábios dela se curvarem em um sorriso quando afasta a coberta para ele entrar. Costumávamos fazer amor pela manhã. "Não importa o que aconteça durante o resto do dia, pelo menos tivemos esse momento", ele dizia. Sinto meu estômago embrulhar e largo a torrada. Olho para meu relógio Cartier, um presente de Richard no nosso quinto aniversário de casamento, e passo a ponta do dedo pela superfície lisa de ouro.

Ainda consigo sentir seu toque quando ergueu meu braço para colocá-lo no pulso. Às vezes tenho certeza de que as minhas roupas — mesmo depois de lavadas — ainda cheiram ao sabonete L'Occitane que ele usava. Richard parece estar sempre por perto, apesar de fugidio, como uma sombra.

"Acho que seria bom para você se juntar a nós esta noite."

Demoro um tempo para me localizar. "Vamos ver", respondo, mesmo sabendo que não vai acontecer. Os olhos de tia Charlotte se suavizam; deve ter percebido que estou pensando em Richard. Mas ela não conhece a verdadeira história do nosso casamento. Acha que ele gosta de jovenzinhas e me deixou de lado por uma, seguindo o padrão de tantos outros homens. Pensa que sou a vítima, mais uma mulher descartada ao chegar à meia-idade.

A compaixão desapareceria de seu rosto se soubesse do meu papel na nossa derrocada.

"Preciso correr", digo. "Manda uma mensagem se quiser alguma coisa do mercado."

Consegui o emprego de vendedora um mês atrás, e já recebi duas advertências por atraso. Tenho que conseguir pegar no sono mais cedo; os remédios que o médico receitou me deixam letárgica de manhã. Eu estava havia quase uma década sem trabalhar. Se perder o emprego, quem vai querer me contratar?

Ponho a bolsa pesada no ombro, com meus sapatos Jimmy Choo dentro, amarro os cadarços dos tênis Nike velhos de guerra e coloco os fones nos ouvidos. Fico escutando podcasts de psicologia na longa caminhada até a Saks; ouvir a respeito dos padrões compulsivos de outras pessoas faz com que eu consiga me manter afastada por um tempo dos meus.

O sol fraco que vi ao acordar me fez pensar que seria um dia quente. Eu me encolho toda ao sentir o impacto do vento frio de fim de primavera e começo o trajeto a pé do Upper East Side até a Midtown.

Minha primeira cliente é uma executiva chamada Nancy. Seu trabalho em um banco de investimentos consome muito tempo, ela explica, mas a reunião que tinha pela manhã foi cancelada de última hora. É uma mulher baixa, com olhos bem separados e cabelos curtinhos. Sua silhueta de menino torna o caimento das roupas um desafio. Fico feliz pela distração.

"Preciso me vestir como uma mulher poderosa, caso contrário não sou levada a sério", ela diz. "Olha só para mim. Ainda pedem minha identidade quando saio à noite!"

Enquanto a ajudo a tirar o terninho cinza, percebo que suas unhas estão roídas. Ela nota meu olhar e esconde as mãos. Fico me perguntando quanto tempo ainda vai durar no emprego. Talvez arrume outro — algo no setor de serviços, talvez, ligado a causas ambientais ou direitos infantis — antes que o mercado financeiro acabe com ela.

Pego uma saia risca de giz e uma camisa de seda estampada. "Que tal alguma coisa mais viva?", sugiro.

Enquanto andamos pela loja em busca de roupas, ela fala sobre uma corrida de bicicleta pelos cinco distritos da cidade da qual quer participar no mês que vem, apesar de não estar treinada para isso, e sobre o encontro às cegas que um colega quer marcar com um amigo. Pego mais peças, olhando para ela para ter uma ideia melhor de seu tamanho e tom de pele.

Então vejo um deslumbrante Alexander McQueen florido, em preto e branco, e detenho o passo. Passo a mão de leve no tecido, sentindo meu coração disparar.

"É bonito", comenta Nancy.

Fecho os olhos e me lembro da noite em que usei um vestido quase igual a esse.

Richard chegou em casa com uma caixa branca grande, decorada com uma fita vermelha. "Use hoje à noite", ele disse quando experimentei. "Você está linda." Bebemos champanhe no evento de gala da companhia de dança Alvin Ailey e rimos e conversamos com seus colegas. Ele pôs a mão na parte inferior das minhas costas. "Esqueça o jantar", murmurou no meu ouvido. "Vamos para casa."

"Está tudo bem?", Nancy me pergunta, trazendo-me de volta.

"Tudo ótimo", respondo, com um nó na garganta. "Mas esse não é o vestido certo para você."

Nancy parece surpresa, então percebo que fui brusca demais.

"Este aqui." Escolho um modelo mais justinho, vermelho-tomate.

Vamos para o provador, com as roupas pesando nos meus braços. "Acho que já dá para começar."

Penduro as roupas, tentando me concentrar na ordem em que quero que as experimente, começando com uma jaqueta lilás que vai combinar com sua pele bronzeada. Jaquetas são as melhores peças para começar, porque as clientes não precisam tirar a roupa para provar.

Encontro meias finas e sapatos de salto alto que combinam com as saias e os vestidos, e em seguida incluo algumas peças de que sei que não vai gostar. No fim, Nancy decide ficar com a jaqueta, dois vestidos — inclusive o vermelho — e um terninho azul-marinho. Chamo uma costureira para marcar a barra e peço licença a Nancy para faturar suas compras.

Em vez disso, volto para o vestido preto e branco. Há três deles na arara. Pego todos e levo para o estoque, escondo-os em meio a um lote de peças danificadas.

Entrego o cartão de crédito de Nancy e o recibo no momento em que ela termina de vestir a roupa com que chegou.

"Obrigada", agradece Nancy. "Eu jamais teria escolhido essas roupas, mas elas me deixaram empolgada."

Essa é a parte do meu trabalho de que gosto — fazer as clientes se sentirem bem. Experimentar roupas e gastar dinheiro sempre faz as mulheres pensarem: *Será que estou gorda? Será que mereço isso? Esta sou mesmo eu?* Conheço bem essas dúvidas porque já estive dentro do provador muitas vezes, tentando entender quem sou.

Coloco as roupas novas de Nancy em uma sacola e entrego a ela, pensando por um instante que tia Charlotte pode estar certa. Se eu continuar seguindo em frente, talvez minha mente acabe se deixando levar.

Depois que Nancy vai embora, atendo algumas clientes e recoloco nas araras as peças que não foram compradas. Enquanto arrumo as roupas nos cabides, ouço duas mulheres conversando em cabines vizinhas.

"Argh, este Alaïa ficou horrível. Estou toda inchada. Eu sabia que era mentira da garçonete quando ela falou que era molho de soja light."

Reconheço o sotaque sulista imediatamente: Hillary Searles, esposa de George Searles, colega de trabalho de Richard. Hillary e eu nos encontramos em inúmeros jantares e eventos quando eu era casada. Ouvi sua opinião sobre as diferenças entre escolas públicas e particulares, entre a dieta Atkins e a Dukan, sobre a ilha de São Bartolomeu e a costa amalfitana. Agora sua voz me soa insuportável.

"Alô? Tem alguma vendedora aqui? Precisamos de outros tamanhos", uma voz chama.

A porta de um provador se abre e uma mulher aparece. É tão parecida com Hillary, com os mesmos cabelos ruivos cacheados, que só pode ser sua irmã. "Pode nos ajudar? Nossa vendedora desapareceu."

Antes que eu responda, um borrão laranja surge no meu campo de visão, quando o Alaïa é arremessado por cima da porta do provador. "Vocês têm esse no quarenta e dois?"

Se Hillary estiver mesmo disposta a gastar três mil e cem dólares em um vestido, a comissão vai compensar o interrogatório a que vou ter que me submeter.

"Vou verificar", respondo. "Mas a modelagem da Alaïa não é das mais fáceis, não importa o que você tenha comido no almoço... Posso trazer um quarenta e quatro, caso ainda fique pequeno."

"Sua voz não me é estranha." Hillary dá uma espiada para fora, escondendo o corpo inchado de sódio atrás da porta. Ela dá um gritinho e precisa fazer força para não sair de lá sem roupa. "O que está fazendo aqui?"

Sua irmã entra na conversa de dentro do provador. "Com quem você está falando, Hill?"

"Vanessa é uma velha amiga. Ela é casada... hã, era... com um dos sócios do George. Espera um pouquinho, vou pôr uma roupa." Quando reaparece, ela me dá um abraço sufocante, envolvendo-me com seu perfume floral.

"Como você está diferente! O que foi que mudou?" Ela põe as mãos na cintura e me escrutina com o olhar. "Para começo de conversa, emagreceu. Caberia nesse Alaïa sem o menor problema. Então agora você trabalha aqui?"

"Trabalho. Que bom ver você..."

Nunca me senti tão grata por ter uma conversa interrompida pelo toque de um celular. "Alô?", atende Hillary, com a voz aguda. "O quê? Com febre? Tem certeza? Lembra a última vez que você me falou que...

Tudo bem, tudo bem. Já estou indo." Ela vira para a irmã. "Era da escola. Dizem que Madison está doente. Sinceramente, eles mandam as crianças para casa por qualquer espirro."

Ela se aproxima para me dar mais um abraço, e o diamante de sua aliança roça no meu rosto. "Vamos almoçar um dia desses e conversar direitinho. Me liga!"

Enquanto Hillary e a irmã batem os saltos na direção do elevador, vejo uma pulseira de platina caída na cadeira do provador. Apanho a joia e vou correndo atrás dela. Estou prestes a chamá-la quando sua voz chega até mim. "Coitadinha", ela comenta com a irmã, e percebo o tom de pena em sua voz. "Ele ficou com a casa, com os carros, com tudo..."

"Sério? Ela não conseguiu um advogado decente?"

"Ela foi para o fundo do poço", Hillary diz, encolhendo os ombros.

Sinto como se tivesse batido em uma parede invisível.

Fico observando Hillary se afastar. Quando aperta o botão do elevador, volto para recolher as peças de seda e linho largadas no chão do provador. E coloco o bracelete de platina no pulso.

Pouco antes do fim do nosso casamento, Richard e eu fizemos um coquetel em casa. Foi a última vez que vi Hillary. A noite começou com um bocado de estresse, porque o pessoal do bufê chegou atrasado. Richard estava irritadíssimo — com a empresa, comigo (por não ter marcado com eles mais cedo), com toda a situação —, mas engoliu a raiva e se colocou atrás do balcão do bar improvisado na sala de estar para fazer martínis e gins-tônicas, rindo toda vez que um de seus sócios lhe jogava uma nota de vinte dólares de gorjeta. Tratei de circular entre os convidados, murmurando desculpas pelo brie e o cheddar que tive que servir de última hora, prometendo que a comida de verdade chegaria em breve.

"Amor? Você pode pegar algumas garrafas do Raveneau 2009 na adega?", Richard me pediu do outro lado da sala. "Comprei uma caixa na semana passada. Estão na prateleira do meio."

Senti meu corpo gelar e os olhos de todos se voltando para mim. Hillary tinha passado pelo bar. Provavelmente fora ela quem pedira o vinho; era seu favorito.

Lembro-me de descer para a adega em câmera lenta, adiando o momento em que precisaria dizer a Richard, na frente de todos os seus amigos e parceiros de negócios, aquilo que eu já sabia: não tínhamos Raveneau nenhum.

Passo a hora seguinte atendendo uma senhora que vai ser madrinha de batizado e montando um guarda-roupa para uma mulher que vai fazer um cruzeiro no Alasca. Meu corpo parece afundar em areia movediça — a fagulha de esperança que senti depois de ajudar Nancy já se extinguiu.

Então vejo Hillary antes mesmo de ouvir sua voz.

Ela vem até mim quando estou pendurando uma saia na arara.

"Vanessa!", ela grita. "Por favor me diga que encontrou..."

Ela se interrompe quando seus olhos pousam sobre meu pulso.

Tiro a pulseira em um gesto apressado. "Eu... fiquei preocupada de deixar uma coisa assim no achados e perdidos... Imaginei que fosse voltar para buscar, senão ligaria."

A desconfiança desaparece dos olhos de Hillary. Ela acredita em mim. Ou pelo menos se esforça para isso.

"Sua filha está bem?"

Hillary faz que sim com a cabeça. "Acho que só queria matar a aula de matemática." Ela dá uma risadinha e coloca o pesado bracelete de platina no pulso. "Você salvou a minha vida. Faz uma semana que George me deu, no meu aniversário. Imagina só o que ia acontecer se eu dissesse que perdi? Ele ia pedir o divór..."

Ela fica toda vermelha e desvia os olhos. Hillary tem horror a indelicadezas. No começo, isso até me fazia rir.

"Como vai George?"

"Ocupado, sempre ocupado! Você sabe como ele é."

Mais uma breve pausa.

"Tem visto Richard?" Tento manter um tom de voz casual, mas não consigo. Minha sede de notícias é mais do que evidente.

"Ah, de vez em quando."

Fico à espera de mais informações, mas ela claramente não está disposta a revelar nada.

"Bom, quer experimentar aquele Alaïa?"

"Eu preciso ir. Volto outra hora, querida." Mas sinto que não é verdade. Hillary deve estar torcendo para que o que vê diante de si — o botão lascado de um Chanel de dois anos atrás, um penteado claramente feito em casa — não seja contagioso.

Com um abraço brevíssimo, ela se vira para ir embora. Então detém o passo.

"Se fosse comigo..." Ela franze a testa; está refletindo sobre alguma coisa, tomando uma decisão. "Bom, acho que eu ia querer saber."

Eu me sinto dentro de um túnel, com um trem vindo na minha direção.

"Richard ficou noivo." A voz dela parece pairar a uma distância enorme de mim. "Desculpa... Me pareceu o tipo de coisa que..."

O rugido dentro da minha cabeça sufoca o restante da frase. Balanço afirmativamente a cabeça e me afasto.

Richard está noivo. Meu marido vai casar com aquela mulher.

Vou até um provador, encosto na parede e deslizo até o chão, sentindo o carpete queimar minhas coxas e meu vestido subir. Seguro a cabeça entre as mãos e começo a chorar.

3

Ao lado da velha capela com campanário que abrigava a Learning Ladder havia três lápides da virada do século, desgastadas pelo tempo e escondidas entre as árvores. Do outro lado ficava um pequeno parquinho com caixa de areia e um trepa-trepa amarelo e azul. Símbolos da vida e da morte cercavam a igreja, que já havia testemunhado inúmeras cerimônias em homenagem a ambos os eventos.

Uma das lápides tinha o nome de Elizabeth Knapp. Morta aos vinte e poucos anos, seu túmulo ficava um pouco mais distante dos demais. Nellie fez o caminho mais longo, como sempre, para evitar passar pelo pequeno cemitério. Mesmo assim, ficou pensando na jovem.

Sua vida pode ter sido interrompida por uma doença, um parto ou um acidente.

Tinha sido casada? Tivera filhos?

Nellie pôs a bolsa no chão para abrir o portão do parquinho, sentindo o vento que fazia as folhas das árvores farfalharem. Elizabeth devia ter vinte e seis ou vinte e sete anos; Nellie não lembrava direito. Aquele detalhe de repente passou a incomodá-la.

Ela fez menção de se dirigir ao cemitério para verificar, mas o sino da capela tocou oito vezes, e seus acordes graves e sombrios eram um lembrete de que as reuniões começariam em quinze minutos. Uma nuvem passou na frente do sol, e de repente ela sentiu frio.

Nellie se virou e passou pelo portão, fechando-o atrás de si. Removeu a lona que cobria a caixa de areia para que as crianças pudessem usá-la. Uma lufada mais forte ameaçou levá-la, mas ela fez força para segurar a lona, depois a prendeu sob um vaso pesado.

Entrou às pressas na escola e desceu correndo para o porão. O cheiro terroso e encorpado de café anunciava que Linda, a diretora, já tinha chegado. Nellie costumava deixar suas coisas na sala de aula antes de ir cumprimentá-la, mas naquele dia passou pela classe vazia e seguiu pelo corredor até a luz amarelada que saía do escritório da mulher, desejando ver um rosto familiar.

Ela entrou e deparou com uma bandeja de croissants. Linda estava dobrando guardanapos ao lado de uma pilha de copos de isopor, com os cabelos escuros presos e um terninho castanho e um cinto de couro de jacaré. Ela não se vestia daquele jeito só para os pais — mesmo em dias comuns, estava sempre pronta para brilhar.

"Não me diga que são de chocolate."

"Da Dean & DeLuca", Linda confirmou. "Pode pegar."

Nellie soltou um grunhido. Descobrira aquela manhã, ao subir na balança, que ainda tinha dois — ou melhor, quatro — quilos para perder antes do casamento.

"Sério", Linda incentivou. "Tem mais que o bastante para adoçar a boca dos pais."

"São pais do Upper East Side", brincou Nellie. "Eles não comem carboidratos." Ela olhou para a bandeja outra vez. "Só um pedacinho." E cortou um ao meio com uma faca de plástico.

Nellie deu uma mordida e se dirigiu à sala de aula. Não era um ambiente dos mais sofisticados, mas era acolhedor, e as janelas altas deixavam entrar bastante luz. Os alunos costumavam se sentar de pernas cruzadas no tapete macio com as letras do alfabeto espalhadas pelo trilho de trem. Havia suco de maçã para a hora da história. No cantinho dedicado à cozinha, vestiam chapeuzinhos de mestre-cuca e mexiam em panelas e frigideiras. Atrás do biombo no canto tinha de tudo, desde jalecos de médico a tutus de bailarina e capacetes de astronauta.

Sua mãe certa vez lhe perguntara por que não era uma professora "de verdade", sem perceber o quanto a pergunta poderia ser ofensiva para Nellie.

A sensação daquelas mãozinhas gordinhas confiadas às suas; o momento em que um aluno decifrava as letras e lia uma palavra pela primeira vez, a expressão deslumbrada em seu rosto; o jeito como as crian-

27

ças interpretavam tudo no mundo como uma novidade — como explicar aquela maravilha?

Ela sempre soubera que queria lecionar, assim como alguns se sentiam destinados a se tornar escritores ou artistas.

Nellie lambeu uma migalha de massa amanteigada do dedo e pegou a agenda de dentro da bolsa, junto com a pilha de "boletins" que distribuiria. Os pais pagavam trinta e dois mil dólares por ano para mandar os filhos para a escola por algumas horas; os Porter, com seus links de cabanas indígenas, não eram os únicos que queriam que as coisas por ali funcionassem do seu jeito. Toda semana, Nellie recebia e-mails como o dos Levine, pedindo listas de exercícios adicionais para o pequenino e inteligentíssimo Reese. Os números dos celulares dos professores ficavam disponíveis na diretoria para casos de emergência, mas alguns pais não levavam aquilo ao pé da letra. Uma vez Nellie recebeu um telefonema às cinco da manhã porque Bennett tinha vomitado durante a noite e a mãe queria saber o que ele comera na escola no dia anterior.

O toque estridente na escuridão fizera Nellie acender todas as luzes mesmo depois de saber que não se tratava de nada urgente. Para aproveitar a descarga de adrenalina, ela começou a reorganizar o closet e as gavetas da cômoda.

"Que sem noção", Sam comentara ao ouvir Nellie contar sobre a ligação. "Por que não deixa o celular desligado enquanto dorme?"

"Boa ideia", disse Nellie, ciente de que jamais seguiria o conselho. Ela tampouco ouvia música alta enquanto corria ou ia para o trabalho. E nunca andava na rua sozinha à noite.

Caso houvesse uma ameaça por perto, queria estar atenta aos sinais.

Nellie fazia suas últimas anotações quando ouviu uma batida na porta. Ergueu os olhos e viu que eram os Porter — ele com um terno risca de giz azul-marinho e ela com um vestido rosa. Pareciam prontos para ir à ópera.

"Sejam bem-vindos", Nellie falou quando se aproximaram para cumprimentá-la. "Por favor, sentem." Ela segurou o riso enquanto os dois tentavam se ajeitar nas cadeirinhas infantis em torno da mesa do lanche. Nellie se sentou em uma também, mas já estava acostumada.

"Como sabem, Jonah é um menino incrível", ela começou. Todas as suas reuniões com pais começavam naquele tom elogioso, mas no caso de Jonah era mesmo verdade. A parede do quarto de Nellie era decorada com desenhos de seus alunos favoritos, e incluía um em que Jonah a retratara como uma boneca feita de marshmallow.

"Você reparou no jeito como ele segura o lápis?", a sra. Porter perguntou, tirando um caderno e uma caneta da bolsa.

"Hã, eu não..."

"Fica inclinado", o sr. Porter interrompeu, fazendo uma demonstração com a caneta da esposa. "Ele entorta a mão assim, sabe? O que acha? Ele deve fazer terapia ocupacional?"

"Bem, ele só tem três anos e meio."

"Três anos e nove meses", corrigiu a sra. Porter.

"Verdade", Nellie concordou. "Muitas crianças ainda não desenvolveram a coordenação motora mais fina o suficiente para..."

"Você é da Flórida, não é?", o sr. Porter perguntou.

Nellie piscou algumas vezes, confusa. "Como é que... Desculpe, mas por que a pergunta?" Ela não ia falar com os Porter sobre de onde vinha. Sempre tomava o cuidado de não revelar muita coisa sobre seu passado.

Não era difícil se esquivar dos questionamentos depois de aprender certos truques. Quando alguém fazia perguntas relacionadas à infância, era só falar de uma casa na árvore construída pelo pai, ou de um gato preto que pensava que era um cachorro e sentava e levantava as patinhas obediente, à espera de um biscoito. Quando o assunto era faculdade, bastava mencionar a temporada invicta do time de futebol americano da universidade ou o refeitório do campus, que precisou ser evacuado por causa de um pequeno incêndio iniciado por uma torradeira. Histórias divertidas e atraentes serviam para desviar o foco. E não revelar detalhes era a melhor forma de não se destacar, mencionando de forma vaga a formatura. Mentiras deveriam ficar reservadas às ocasiões em que fossem estritamente necessárias.

"Bom, as coisas são diferentes aqui em Nova York", o sr. Porter continuou. Nellie o encarou com cautela. Era um homem no mínimo quinze anos mais velho, e seu sotaque deixava claro que era mesmo de Manhattan. Não havia outro motivo para eles se conhecerem fora da escola. Como ele sabia? "Não queremos que Jonah fique para trás", ele continuou, tomando todo o cuidado para não tombar a cadeira ao se recostar nela.

"O que meu marido está querendo dizer", interveio a sra. Porter, "é que vamos tentar uma vaga nas melhores escolas no próximo semestre."

"Entendo." Nellie recuperou a concentração. "Bem, a decisão cabe inteiramente a vocês, mas pode ser bom esperar mais um ano." Ela sabia que Jonah já fazia aulas de mandarim, caratê e música. Duas vezes naquela semana o vira bocejar e coçar os olhinhos sonolentos. Pelo menos tinha tempo de fazer castelos de areia e empilhar blocos de brinquedo enquanto estava na escola.

"Eu queria que vocês soubessem de uma coisa que aconteceu. Um dos meninos esqueceu o almoço em casa", começou Nellie, "e Jonah se ofereceu para dividir o dele. É uma demonstração de empatia e gentileza..."

Ela se interrompeu quando o celular do sr. Porter começou a tocar.

"Sim?", ele falou, sem tirar os olhos de Nellie.

Ela só o havia encontrado duas vezes, nas reuniões de pais do semestre anterior. Mas naquelas ocasiões ele não ficara encarando nem fizera nada de estranho.

O sr. Porter gesticulou rapidamente, incentivando-a a continuar. Com quem estaria falando ao celular?

"Você faz avaliações regulares das crianças?", a sra. Porter perguntou.

"Como?"

A mulher sorriu, e Nellie percebeu que seu batom era exatamente da mesma cor do vestido. "Na Smith eles fazem. Todo bimestre. Preparação acadêmica, rodas de pré-leitura em grupos formados com base nas habilidades de cada um, princípios de multiplicação..."

Multiplicação? "Eu avalio as crianças, sim", Nellie respondeu, endireitando as costas.

"Você só pode estar de brincadeira", o sr. Porter falou ao telefone. Nellie olhou para ele.

"Não em termos de multiplicação... mas, há... de habilidades mais elementares, como contar e reconhecer letras", ela explicou. "Se olhar o verso do boletim, vai encontrar a divisão em categorias."

Houve um momento de silêncio enquanto a sra. Porter examinava as anotações de Nellie.

"Diga para Sandy resolver isso. Não perca essa conta." O sr. Porter desligou o celular e sacudiu negativamente a cabeça. "Já encerramos por aqui?"

30

"Bem", a sra. Porter disse para Nellie. "Você deve ter muito o que fazer."

Nellie sorriu, mas sem mostrar os dentes. *Sim*, ela sentiu vontade de dizer. *Tenho muito o que fazer. Ontem tive que limpar aquele tapete porque uma criança derrubou achocolatado nele. Comprei um cobertor mais macio para o cantinho do silêncio para que seu garotinho atarefado demais para a idade possa descansar. Fiz três turnos extras como garçonete porque o salário que ganho aqui não cobre nem as contas básicas. E mesmo assim entrei em sala todos os dias às oito da manhã cheia de energia para me dedicar aos filhos de vocês.*

Ela estava prestes a voltar para a sala de Linda para pegar a outra metade do croissant quando ouviu a voz retumbante do sr. Porter: "Esqueci meu paletó". Ele pegou a peça de roupa do encosto da cadeirinha.

"Por que acha que sou da Flórida?", Nellie perguntou num impulso.

Ele encolheu os ombros. "Minha sobrinha estudou lá, na Grant. Acho que alguém comentou que foi onde você se formou."

Aquela informação não estava na biografia publicada no site da escola. Nellie não tinha nada com o brasão da universidade — nem um único moletom, chaveiro ou flâmula.

Linda deve ter dito para os Porter. Parecem ser o tipo de pais que querem saber de tudo, Nellie pensou.

Ainda assim, ela o observou com atenção, tentando imaginar as feições dele no rosto de uma jovem. Nellie não se lembrava de ninguém com aquele sobrenome. O que não significava que não poderia ser alguém que se sentava atrás dela nas aulas, ou que tentara fazer parte de sua irmandade.

"Bom, minha próxima reunião está para começar, então..."

Ele olhou para o corredor vazio e depois para ela. "Claro. Nos vemos na formatura." Ele saiu assobiando pelo corredor. Nellie o observou até que sumisse de vista.

Richard quase nunca falava da ex, então Nellie sabia pouco sobre ela. Ainda morava em Nova York. Tinha se separado dele pouco antes de Nellie conhecê-lo. Era bonita, tinha cabelos escuros e compridos e rosto fino — ela fizera uma busca no Google e encontrara uma foto pequena e desfocada dela em um evento beneficente.

E estava sempre atrasada, um hábito que Richard considerava irritante.

Nellie percorreu correndo o último quarteirão até o restaurante italiano, já arrependida das duas taças de pinot grigio que tomara com as outras professoras para comemorar o fato de terem sobrevivido às reuniões de pais. Elas compartilharam histórias da frente de batalha; Marnie, cuja sala ficava ao lado da sua, foi declarada vencedora porque um casal de pais mandou como representante a babá que mal falava inglês.

Tinha perdido a noção da hora, e só percebeu isso quando olhou o celular a caminho do banheiro. Ao abrir a porta da cabine, uma mulher quase esbarrou nela. "Desculpa!", Nellie falou por reflexo. Ela conseguiu desviar para o lado, mas derrubou a bolsa, espalhando tudo pelo chão. A mulher passou por cima das coisas sem dizer nada e entrou em uma cabine. ("Que falta de educação!", a professora em Nellie teve vontade de gritar, enquanto se ajoelhava para recolher a carteira e a maquiagem.)

Chegou ao restaurante onze minutos atrasada. O maître ergueu os olhos do livro de reservas com capa de couro quando ela abriu a pesada porta de vidro. "Vim encontrar meu noivo", Nellie disse, ofegante.

Percorreu o salão com os olhos e viu Richard se levantar de uma mesa no canto. Ao redor de seus olhos havia algumas marcas de expressão, e perto das têmporas os cabelos escuros começavam a ficar grisalhos. Ele a olhou de cima a baixo e deu uma piscadinha. Ela se perguntou se algum dia deixaria de sentir um frio na barriga quando o visse.

"Desculpa", Nellie falou ao chegar. Ele a beijou e puxou sua cadeira. Ela sentiu o frescor cítrico de seu cheiro.

"Está tudo bem?"

Qualquer pessoa consideraria a pergunta mera formalidade. Mas Richard tinha os olhos cravados nos seus; Nellie sabia que estava interessado de verdade na resposta.

"Foi um dia maluco." Nellie se sentou e soltou um suspiro. "Reunião de pais. Quando a gente for às reuniões dos nossos filhos, me lembre de ser gentil e agradecer aos professores."

Ela alisou a saia enquanto ele pegava a garrafa de Verdicchio do balde de gelo. Sobre a mesa, uma vela queimava, lançando um círculo dourado sobre a toalha creme.

"Só meia taça para mim. Bebi um pouco com as outras professoras depois da reunião. Linda pagou; disse que era para nos recompensar pela batalha."

Richard franziu a testa. "Podia ter me avisado. Não teria pedido uma garrafa inteira." Ele chamou o garçom com um sinal sutil e pediu uma água San Pellegrino. "Você fica com dor de cabeça quando bebe durante o dia."

Nellie sorriu. Tinha sido uma das primeiras coisas que contara a ele.

Estava sentada ao lado de um soldado no avião, voltando de uma visita à casa da mãe, no sul da Flórida. Havia mudado para Manhattan para recomeçar a vida depois de se formar na faculdade. Se sua mãe não morasse lá, jamais voltaria à sua cidade natal.

Antes da decolagem, a comissária apareceu. "Um cavalheiro da primeira classe está oferecendo o lugar dele a você", ela disse ao jovem soldado.

"Maravilha!", ele respondeu, já se levantando.

Então Richard apareceu no corredor, com o nó da gravata frouxo, como se fosse o fim de um dia cansativo. Segurava uma bebida e uma maleta de couro. Seus olhos encontraram os de Nellie, fazendo-a abrir um sorriso radiante.

"Foi muita gentileza sua."

"Não foi nada", Richard disse enquanto se acomodava ao seu lado.

As instruções sobre os procedimentos de segurança começaram. Instantes depois, o avião estava subindo.

Nellie agarrava com força o braço do assento.

A voz grave de Richard, bem perto de sua orelha, a surpreendeu. "É como passar de carro por cima de um buraco. Não tem perigo nenhum."

"Sei disso."

"Mas não ajuda em nada. Talvez isso ajude."

Richard ofereceu seu copo, e Nellie percebeu que ele não usava aliança. Ela hesitou. "Fico com dor de cabeça quando bebo durante o dia."

O avião tremeu, e ela tomou um belo gole.

"Pode ficar. Eu peço outra... ou prefere uma taça de vinho?" Ele ergueu as sobrancelhas, e ela pôde notar a cicatriz em formato de lua crescente em sua têmpora direita.

Nellie assentiu. "Obrigada." Nunca outro passageiro havia tentado confortá-la durante um voo; em geral as pessoas desviavam o olhar ou folheavam uma revista enquanto ela entrava em pânico.

"Eu entendo você, sabe?", ele disse. "Fico assim quando vejo sangue."

33

"É mesmo?" O avião estremeceu de leve, e as asas se inclinaram para a esquerda. Ela fechou os olhos e engoliu em seco.

"Você precisa me prometer que não vai perder o respeito por mim se eu contar."

Ela assentiu, porque queria continuar ouvindo aquela voz tranquilizadora.

"Uns anos atrás, um colega desmaiou e bateu a cabeça na quina da mesa no meio de uma reunião... Acho que sofria de pressão baixa. Ou então a reunião estava tão chata que ele entrou em coma."

Nellie abriu os olhos e deu uma risadinha. Nem se lembrava da última vez que tinha conseguido fazer aquilo em um avião.

"Pedi para todo mundo se afastar, peguei uma cadeira e ajudei o cara a sentar. Gritei para irem buscar água, mas aí vi todo aquele sangue. De repente comecei a ficar zonzo, como se fosse desmaiar também. Praticamente arranquei o cara da cadeira para poder sentar. Todo mundo teve que me ajudar, em vez de a ele."

O avião se alinhou no céu. Uma campainha discreta tocou, e uma comissária percorreu o corredor oferecendo fones de ouvido. Nellie soltou o braço da poltrona e olhou para Richard, que estava sorrindo para ela.

"Você sobreviveu. Estamos acima das nuvens. Vai ser bem tranquilo daqui para a frente."

"Obrigada. Pela bebida e pela história... E você não perdeu em nada meu respeito."

Duas horas depois, Richard já tinha contado a Nellie que trabalhava como administrador de um fundo de investimentos e que tinha uma quedinha por professoras desde que uma o ensinara a pronunciar bem o erre. "É por causa dela que não me apresentei para você dizendo que meu nome é Wichawd." Quando ela perguntou se tinha família em Nova York, ele fez que não com a cabeça. "Minha irmã mais velha mora em Boston. Meus pais morreram há muitos anos." Ele juntou as mãos e olhou para elas. "Acidente de carro."

"Meu pai também morreu." Richard voltou a olhá-la. "Tenho uma blusa velha que era dele... Ainda uso de vez em quando."

Os dois ficaram em silêncio por um instante, mas então a comissária instruiu os passageiros a recolher as bandejas e voltar os assentos para a vertical.

"Você prefere aterrissagens?"

"Acho que seria bom se me contasse outra história para passar o tempo", Nellie falou.

"Humm. Não me vem nenhuma à cabeça agora. Por que não me passa seu telefone, caso me lembre de alguma?"

Ele tirou uma caneta do bolso do paletó, e ela inclinou a cabeça para escrever em um guardanapo, os cabelos loiros compridos caindo sobre os ombros.

Richard estendeu a mão e passou os dedos de leve pelos fios antes de prendê-los atrás da orelha dela. "É lindo. Nunca corte."

4

Estou sentada no chão do provador, e o perfume de rosas no ar me remete a um casamento. Minha substituta vai ser uma noiva linda. Consigo até imaginá-la olhando para Richard, prometendo amá-lo e respeitá-lo, assim como eu fiz.

Quase posso ouvir sua voz.

Sei como é. Ligo para ela de vez em quando, de um celular pré-pago que não pode ser identificado.

"Oi", diz a mensagem da caixa postal, em um tom animado e despreocupado. "Que pena que não consegui atender!"

Será que ela lamenta mesmo? Ou é puro despeito? Seu relacionamento com Richard agora é público, apesar de ter começado quando ainda estávamos casados. Tínhamos nossos problemas. Qual casal não tem, depois que acaba a fase da lua de mel? Ainda assim, não esperava que ele fosse me expulsar de casa tão depressa, apagando todos os rastros do nosso relacionamento.

É como se quisesse fingir que nunca tínhamos sido casados. Como se eu nunca tivesse existido.

Será que ela pensa em mim e se sente culpada?

Essas perguntas me atormentam todas as noites. Às vezes, quando fico deitada acordada durante horas, revirando-me nos lençóis, o rosto dela surge na minha mente quando estou prestes a pegar no sono. Nesses momentos eu me sento no colchão, pego um comprimido no criado-mudo e mastigo, em vez de engolir direto, para fazer efeito mais rápido.

A mensagem da caixa postal não deixa dúvidas sobre como se sente.

Quando a vi uma noite com Richard, ela parecia radiante.

Eu estava indo ao nosso restaurante favorito no Upper East Side. Um livro de autoajuda recomendava visitar lugares dolorosos do passado para se libertar do poder que exerciam e possibilitar que a pessoa voltasse a se sentir à vontade no cotidiano. Caminhei pelas redondezas do café onde Richard e eu tomávamos cappuccinos e dividíamos a edição de domingo do *New York Times*, então passei perto do escritório dele, onde era sempre realizada uma generosa festa de fim de ano, e andei por entre as magnólias e os lilases do Central Park. A cada passo me sentia pior. Era uma ideia horrível, e talvez fosse aquele o motivo pelo qual o livro estava em promoção.

Mesmo assim fui em frente, pretendendo terminar meu passeio com um drinque no restaurante onde Richard e eu comemoramos nossos últimos aniversários de casamento. Então vi os dois.

Talvez ele estivesse tentando estabelecer uma nova relação com o lugar também.

Se eu tivesse sido um pouquinho mais rápida, teríamos entrado quase ao mesmo tempo. Eu me escondi sob a marquise de uma loja e fiquei espiando. Consegui ver as pernas bronzeadas dela, suas curvas sedutoras, seu sorriso fácil quando Richard abriu a porta para que entrasse.

Estava na cara que meu marido a desejava. Que homem não desejaria? Ela tinha o frescor de um pêssego maduro.

Cheguei mais perto e os observei pela janela que ia do chão ao teto. Richard pediu uma bebida para ela — que aparentemente gostava de champanhe. Quando chegou, ela deu um gole na taça estreita.

Não deixei que Richard me visse; ele não acreditaria que havia sido uma coincidência. Eu já o tinha seguido, claro. Ou melhor, seguido os dois.

Mesmo assim, meus pés se recusavam a se mover. Eu a devorei com os olhos quando cruzou as pernas e foi possível ver sua coxa pela abertura da saia.

Richard chegou mais perto, passando o braço por trás do encosto da cadeira. Os cabelos dele estavam mais compridos, roçando a parte de trás da gola do paletó. A expressão leonina era a mesma de quando fechava um negócio importante, que vinha perseguindo fazia meses.

Ela jogou a cabeça para trás e deu risada de alguma coisa que ele falou.

Cravei as unhas nas palmas das mãos; ele tinha sido meu único amor. "Vanessa?"

Agora, a voz do lado de fora do provador interrompe minhas lembranças. Ouço o sotaque britânico da minha chefe, Lucille, que não é conhecida por sua paciência.

Passo os dedos sob os olhos, ciente de que o rímel deve ter borrado. "Só estou dando uma ajeitadinha." Minha voz sai embargada.

"Tem uma cliente precisando de ajuda para escolher um Stella McCartney. Você pode continuar depois."

Ela fica esperando eu sair. Não vou ter tempo de retocar a maquiagem, nem mesmo de apagar os sinais do choro. Minha bolsa está na sala de descanso dos funcionários.

Quando saio da cabine, ela dá um passo para trás. "Está se sentindo mal?" Suas sobrancelhas se erguem em um arco perfeito.

Aproveito a brecha. "Sei lá. Acho que estou meio enjoada..."

"Consegue trabalhar o resto do dia?" O tom de voz de Lucille não demonstra nenhuma empatia, e fico me perguntando se aquela vai ser minha última mancada ali. Mas ela fala antes de mim. "Não, pode ser contagioso. Melhor ir embora."

Assinto e vou buscar minha bolsa. Não quero que tenha a chance de mudar de ideia.

Pego a escada rolante para o andar principal e vejo meu reflexo caótico nos espelhos pelo caminho.

Richard está noivo, minha mente repete.

Dirijo-me às pressas à saída dos funcionários, sem parar nem para que o segurança reviste minha bolsa, então me recosto na parede do lado de fora para calçar os tênis. Penso em pegar um táxi, mas o que Hillary falou é verdade. Richard ficou com a casa em Westchester e com o apartamento em Manhattan em que morava quando solteiro, onde dormia nas noites em que trabalhava até tarde. Onde os dois ficavam juntos. Ele ficou com os carros, com as ações, com as economias. Não lutei por nada. Entrei no casamento sem nada. Não deu certo. Não tive filhos. E o enganei.

Não fui uma boa esposa.

Mas agora fico me perguntando por que aceitei aquilo. Sua nova esposa vai pôr a mesa com os pratos que escolhi. Vai se aninhar junto a ele no sofá de camurça que encomendei. Vai se sentar ao lado dele, pôr a mão em sua perna e rir escandalosamente enquanto Richard engata a quarta na nossa Mercedes.

Um ônibus passa ao meu lado, soltando sua fumaça quente e cinza, que parece ficar impregnada em mim. Afasto-me do prédio e saio andando pela Quinta Avenida. Duas mulheres carregando sacolas de compras enormes quase me jogam para fora da calçada. Um engravatado passa apressado, com o celular no ouvido e uma expressão determinada. Atravesso a rua e um ciclista tira um fino de mim. Ele grita alguma coisa ao se afastar.

A cidade está me sufocando; preciso de espaço. Atravesso a rua 59 e entro no Central Park.

Uma garota de maria-chiquinha está maravilhada com um bichinho de bexiga amarrado em seu pulso, e fico olhando para ela. Deve ter uns nove anos. Se eu tivesse conseguido engravidar, talvez ainda estivesse com Richard. Ele poderia ter preferido não se separar. Poderíamos almoçar aqui com nosso filho.

Ofego. Tiro os braços da barriga e endireito as costas. Mantenho os olhos fixos à frente enquanto caminho. Concentro-me no ritmo estável dos tênis no asfalto, contando cada passo, estabelecendo pequenas metas. Cem. Agora mais cem.

Por fim saio do parque na rua 86 e me encaminho para o apartamento de tia Charlotte. O que mais quero é dormir, esquecer tudo. Só tenho mais seis comprimidos, e da última vez que pedi uma receita a médica hesitou.

"Não quero que você se torne dependente de medicamentos", ela falou. "Tente fazer exercícios e evite tomar café depois do meio-dia. Tome um banho quente antes de ir para a cama. Deve ajudar."

Mas essas medidas só funcionam em casos passageiros de insônia. Não têm nenhum efeito em mim.

Estou quase chegando ao apartamento quando me dou conta de que me esqueci do vinho. Sei que não vou querer sair de novo, então volto alguns quarteirões até a loja de bebidas. Quatro tintos e dois brancos, foi o que minha tia pediu. Pego uma cestinha e escolho variedades de merlot e chardonnay.

Minhas mãos se fecham em torno das garrafas lisas e pesadas. Não bebo vinho desde que Richard me pôs para fora de casa, mas sinto falta do sabor frutado e da textura sedosa despertando minha língua. Fico hesitante, mas no fim coloco a sétima e a oitava garrafa na cestinha. As alças pressionam com força meu antebraço quando me dirijo ao caixa.

O jovem do outro lado do balcão registra a compra sem fazer nenhum comentário. Deve estar acostumado a ver mulheres com roupas de grife e maquiagem borrada passando no meio do dia para renovar o estoque. Eu costumava receber tudo em casa quando morava com Richard, pelo menos até ele me pedir para parar de beber. Depois precisava ir a um mercado a meia hora de carro, para não encontrar ninguém que conhecêssemos. Nos dias da coleta de lixo reciclável, fazia uma caminhada matutina e colocava as garrafas vazias em latões distantes.

"Mais alguma coisa?", ele pergunta.

"Não." Pego o cartão de débito na bolsa, sabendo que se tivesse comprado vinhos caros em vez de garrafas de quinze dólares acabaria zerando minha conta-corrente.

Ele põe quatro garrafas em cada sacola, e eu abro a porta com o ombro para me dirigir ao apartamento de tia Charlotte com aquele peso todo nos braços. Entro no prédio e espero as portas barulhentas do velho elevador se abrirem. A subida até o décimo segundo andar demora uma eternidade; minha mente é consumida pela ideia do primeiro gole descendo pela garganta, aquecendo o estômago. Amenizando a dor.

Por sorte, minha tia não está em casa. Vou conferir o calendário pendurado na geladeira e vejo as palavras M: TRÊS DA TARDE. Provavelmente uma amiga com quem ia se encontrar para um chá. Meu tio Beau, que era jornalista, morreu de ataque cardíaco muitos anos atrás. Era o amor da vida dela. Até onde sei, tia Charlotte não teve mais ninguém desde então. Ponho as sacolas no balcão e abro o merlot. Procuro uma taça, mas acabo pegando uma caneca mesmo, que encho até a metade. Sem conseguir esperar nem mais um segundo, levo o vinho aos lábios e sinto o sabor forte com notas de cereja acariciar minha boca. Fecho os olhos, engulo e sinto o líquido descer pela garganta. Uma parte da tensão começa a deixar meu corpo. Não sei quanto tempo minha tia vai demorar, então encho a caneca e levo minhas garrafas para o quarto.

Tiro o vestido, deixando-o cair no chão, em seguida o recolho e penduro. Visto uma camiseta cinza e uma calça de moletom confortáveis e deito na cama. Tia Charlotte colocou um pequeno televisor no meu quarto quando mudei, mas quase nunca uso. No momento, porém, estou desesperada por companhia, mesmo que seja eletrônica. Pego o controle remoto e fico mudando de canal até encontrar um programa de auditório. Seguro a caneca com firmeza e dou um grande gole.

Tento me distrair com o que se desenrola na tela, mas o tema do dia é infidelidade.

"É uma situação que pode fortalecer o casamento", garante uma mulher de meia-idade de mãos dadas com o homem ao seu lado. Ele se remexe no assento e olha para o chão.

Mas também pode destruir, penso.

Fico olhando para o homem. *Quem era a outra?*, eu me pergunto. *Como ele a conheceu? Em uma viagem a trabalho, na fila para pegar um sanduíche? O que o atraiu nela, o que o fez cruzar essa linha tão perigosa?*

Seguro a caneca com tanta força que minha mão até dói. Sinto vontade de atirá-la contra a tela, mas só me sirvo de mais vinho.

O homem cruza as pernas e apoia o calcanhar na coxa, em seguida se ajeita no assento. Depois pigarreia e coça a cabeça. É bom que esteja sem jeito. É forte e tem pinta de durão; não faz meu tipo, mas entendo por que as mulheres se sentiriam atraídas por ele.

"Recuperar a confiança é um processo demorado, mas se as duas partes estiverem comprometidas é perfeitamente possível", diz uma mulher identificada na legenda como terapeuta de casais.

A tediosa esposa continua tagarelando, dizendo que a confiança foi restabelecida por completo, que seu casamento agora é sua prioridade, que eles tinham se afastado um do outro, mas se reencontraram. Suas frases parecem tiradas de um livro de autoajuda.

Então a terapeuta se volta para o marido. "Você concorda que a confiança foi restabelecida?"

Ele encolhe os ombros. *Babaca*, penso, imaginando como teria sido pego. "Estou me esforçando, mas é difícil. Não consigo deixar de imaginar minha mulher com aquele..." Um bipe corta sua última palavra.

Eu entendi tudo errado. Tinha pensado que o traidor era ele. As pistas estavam todas lá, mas não soube interpretá-las. Não é a primeira vez que isso acontece.

Bato a caneca nos dentes quando vou dar mais um gole. Afundo mais um pouco na cama, arrependida de ter ligado a televisão.

Como um casinho evolui para um pedido de casamento? Pensei que Richard estivesse só se divertindo. Esperava que o envolvimento dos dois fosse intenso, porém breve. Preferi não enxergar o que estava na minha cara. Aliás, como não entender os motivos dele? Eu não era mais a mulher com quem ele havia se casado, quase uma década antes. Tinha ganhado peso, quase não saía de casa e procurava segundas intenções em tudo o que Richard fazia, sinais de que estava se cansando de mim.

Ela é tudo o que Richard deseja. Tudo o que eu costumava ser.

Depois da cena breve e quase doentia que encerrou oficialmente nosso casamento de sete anos, Richard pôs nossa casa em Westchester à venda e se mudou para o apartamento em Manhattan. Mas ele adorava a vizinhança tranquila e a privacidade que a casa proporcionava. É provável que compre outra casa fora da cidade para a nova esposa. Fico me perguntando se ela pretende pedir demissão para se dedicar apenas a ele e tentar engravidar, como eu fiz.

Não é possível que ainda me restem lágrimas, mas sinto que estão escorrendo pelo meu rosto quando encho de novo a caneca. A garrafa está quase vazia, e derramo algumas gotas de vinho no lençol branco. Parecem manchas de sangue.

Uma sensação familiar se instala em mim, como o abraço de uma velha amiga. Parece que estou me dissolvendo no colchão. Talvez minha mãe se sentisse desse modo em seus dias de luzes apagadas. Seria bom se eu pudesse entender melhor na época; eu me sentia abandonada, mas agora sei como é experimentar um sofrimento pesado demais para suportar. Tudo o que você quer é se esconder em um lugar seguro e esperar a tempestade passar. Mas agora é tarde demais para dizer isso a ela. Meus pais estão mortos.

"Vanessa?" Ouço uma leve batida na porta, e tia Charlotte entra. Por trás das lentes grossas dos óculos, seus olhos castanhos parecem ainda maiores. "Ouvi a televisão ligada."

"Passei mal no trabalho. É melhor não chegar muito perto." As duas garrafas estão no criado-mudo. Espero que não as veja.

"Quer alguma coisa?"

"Um copo d'água cairia bem", digo, arrastando um pouco as palavras. Preciso que ela saia logo do meu quarto.

Minha tia deixa a porta entreaberta enquanto vai até a cozinha. Desço da cama e pego as garrafas, fazendo uma careta quando tilintam uma contra a outra. Vou correndo até o armário e as coloco lá, quase derrubando uma delas.

Estou na mesma posição de antes quando tia Charlotte volta com uma bandeja.

"Trouxe bolachinhas e um chá também." A gentileza no tom de voz dela faz um nó se formar na minha garganta. Minha tia põe a bandeja no pé da cama e se vira para sair.

Espero que não sinta o hálito de álcool na minha boca. "Deixei os vinhos na cozinha para você."

"Obrigada, querida. Se precisar de alguma coisa é só chamar."

Deito a cabeça no travesseiro quando a porta se fecha, sentindo a náusea me invadir. Ainda tenho seis comprimidos... se deixar um se dissolver na língua, provavelmente vou conseguir dormir a noite toda.

Mas de repente tenho uma ideia melhor. Um pensamento que se acende na névoa da minha mente: *Eles acabaram de ficar de noivos. Ainda não é tarde demais!*

Remexo na bolsa e pego o celular. Os números de Richard ainda estão armazenados nos meus contatos. O celular toca duas vezes, então escuto sua voz. Parece ser de um homem mais alto e corpulento, o que considero interessante. "Ligo assim que puder", a mensagem gravada promete. Richard sempre cumpre suas promessas.

"Richard", começo a falar. "Sou eu. Ouvi falar sobre o noivado e só queria conversar..."

A clareza que experimentei um instante antes começa a se debater como um peixe vivo entre meus dedos. Esforço-me para encontrar as palavras certas.

"Por favor, me liga... É importante, de verdade."

Minha voz falha no fim, e eu encerro a ligação.

Aperto o telefone junto ao peito e fecho os olhos. Talvez tivesse evitado o arrependimento que está me consumindo por dentro se houvesse procurado com mais atenção pelos sinais de alerta. Se tivesse tentado *consertar* as coisas. Não pode ser tarde demais. Não consigo aceitar a ideia de que Richard vai se casar de novo.

Devo ter cochilado, porque, uma hora depois, quando o celular vibra, levo um susto. Vejo a mensagem na tela:

Sinto muito, não temos mais o que conversar. Se cuida.

Nesse momento a ficha cai. Se Richard está seguindo em frente com outra mulher, também talvez consiga me reerguer. Posso ficar com tia Charlotte até conseguir dinheiro para alugar meu próprio apartamento. Ou posso mudar de cidade, para um lugar que não esteja cheio de lembranças. Posso adotar um animal de estimação. Talvez, com o tempo, quando cruzar na rua com um executivo de cabelos escuros e terno bem cortado, com o sol reluzindo nos óculos escuros estilo aviador, meu coração não dispare pensando que é ele.

Mas, enquanto ele estiver com ela — a mulher que assumiu alegremente o papel da nova sra. Richard Thompson enquanto eu me fazia de cega —, nunca vou ficar em paz.

5

Quando deu uma boa examinada em sua vida, Nellie se sentiu como se tivesse se dividido em várias mulheres ao longo de seus vinte e sete anos: a filha única que passava horas brincando sozinha no córrego no final da rua; a adolescente que trabalhava de babá e prometia que não havia nenhum monstro à espreita na escuridão quando colocava as crianças na cama; a diretora de eventos da irmandade Chi Ômega, que às vezes caía no sono sem se dar ao trabalho de trancar a porta do quarto. E havia a Nellie daquele momento, que saía do cinema quando via a mocinha encurralada, que se certificava de nunca ser a última garçonete a sair do Gibson Bistrô quando fechava, à uma da manhã.

A escola em que lecionava também tinha sua versão de Nellie: a professora de calça jeans que sabia de cor todos os livros escritos por Mo Willems, que distribuía uvas e biscoitinhos orgânicos em forma de animais, que ajudava as crianças a desenhar perus molhando a mão de tinta e apertando contra o papel perto do feriado de Ação de Graças. Suas colegas do Gibson conheciam a garçonete que usava minissaia preta e batom vermelho, que nunca deixava de abastecer as mesas dos engravatados para faturar uma gorjeta mais gorda e que equilibrava sem esforço na palma da mão uma bandeja cheia de hambúrgueres. Uma daquelas Nellies pertencia ao dia; a outra, à noite.

Richard já a tinha visto circular por ambos os mundos, apesar de preferir a professora. Ela planejava pedir demissão do emprego de garçonete depois que se casasse e parar de lecionar assim que engravidasse — o que tanto ela como Richard esperavam que ocorresse em breve.

Mas, pouco depois que ficaram noivos, ele sugeriu que ela desse o aviso prévio no Gibson.

"Já?", Nellie perguntara, surpresa.

Ela precisava do dinheiro, e não era só aquilo: gostava das pessoas com quem trabalhava. Formavam um grupo animado — um microcosmo dos tipos criativos e passionais que migravam para Nova York de todas as partes do país, atraídos como mariposas pelas luzes da cidade. Duas de suas colegas, Josie e Margot, tentavam entrar no mundo do teatro. Ben estava determinado a se tornar o novo Jerry Seinfeld e ensaiava seus números durante os turnos menos movimentados. Chris, o barman, que era uma espécie de sósia de um metro e noventa de altura de Jason Statham — e provavelmente o grande responsável por atrair a clientela feminina —, trabalhava em seu romance todos os dias antes de ir para o bistrô.

Alguma coisa naquela forma despreocupada com que seus colegas abriam o coração e perseguiam seus sonhos apesar da rejeição constante se comunicava com uma parte de Nellie da qual se desvinculara durante seu último ano na Flórida. Naquele sentido, eles eram como crianças — dotados de um otimismo inabalável. De uma sensação de que um mundo cheio de possibilidades estava ao seu alcance.

"Só trabalho como garçonete três noites por semana", Nellie argumentara com Richard.

"São três noites a mais que você poderia passar comigo."

Ela ergueu uma sobrancelha. "Então você vai parar de viajar tanto a trabalho?"

Os dois estavam no sofá do apartamento dele. Tinham pedido sushi para Richard e tempurá para ela, e haviam acabado de ver *Cidadão Kane*, o filme favorito dele. Richard dissera em tom de brincadeira que não podia se casar com alguém que nunca tinha visto aquele filme. "Já não basta você odiar peixe cru", ele provocou. As pernas dela estavam sobre as dele, e Richard massageava de leve seu pé esquerdo.

"Não precisa mais se preocupar com dinheiro. Tudo o que tenho agora é seu."

"Você é maravilhoso." Nellie se inclinou para a frente e encostou os lábios nos dele; quando Richard tentou aprofundar o beijo, ela recuou. "Mas eu gosto."

"Do quê?" As mãos dele subiam por suas pernas. Dava para ver sua expressão ficar mais séria e os olhos azuis ganharem intensidade, como acontecia quando queria transar.

"Do trabalho."

"Amor..." As mãos dele pararam de se mover. "Só acho que, depois de passar o dia inteiro de pé, você não precisa ficar servindo bebida para um bando de babacas. Não seria melhor me acompanhar nas minhas viagens? Você poderia ter jantado comigo e Maureen na semana passada, quando fui para Boston."

Maureen era a irmã dele, sete anos mais velha; os dois sempre tinham sido muito próximos. Depois que os pais haviam morrido, quando ele era adolescente, Richard fora morar com ela até terminar o colégio. Maureen vivia em Cambridge, onde era professora universitária de estudos femininos, e conversava com o irmão várias vezes por semana.

"Ela está ansiosa para conhecer você. Ficou bem decepcionada quando falei que não podia ir."

"Eu adoraria viajar com você", Nellie disse em tom leve. "Mas e meus alunos?"

"Tudo bem, tudo bem. Mas pelo menos pense na ideia de fazer um curso noturno de pintura em vez de trabalhar como garçonete. Você mencionou que estava a fim um tempo atrás."

Nellie hesitou. O que estava em questão não era sua vontade de fazer um curso de pintura. Ela repetiu: "Gosto de verdade de trabalhar no Gibson. E é só por mais um tempinho mesmo...".

Eles ficaram em silêncio por um momento. Richard parecia querer dizer algo, mas só tirou uma das meias brancas dela e começou a sacudir no ar. "Eu me rendo." Então fez cócegas em seus pés. Nellie gritou, e ele prendeu as mãos dela acima da cabeça e começou a fazer cócegas em sua barriga.

"Por favor, não faz isso", ela disse, ofegante.

"Não faz o quê?", Richard brincou, continuando.

"É sério. Para com isso!" Nellie tentou se soltar, mas ele montou sobre ela.

"Parece que encontrei seu ponto fraco."

Era como se o oxigênio não chegasse aos seus pulmões. O corpo forte de Richard cobria o dela, e o controle remoto pressionava suas costas. Finalmente, Nellie conseguiu soltar as mãos e empurrá-lo, com muito mais força do que quando ele tentara prolongar o beijo.

Depois de recobrar o fôlego, ela falou: "Detesto cócegas".

Seu tom de voz soou incisivo — muito mais do que ela pretendia. Richard a encarou. "Desculpa, amor."

Ela arrumou a blusa e virou para ele. Sabia que tinha reagido de forma exagerada. Richard só estava brincando, mas a sensação de estar presa a deixava em pânico. Era a mesma coisa que sentia em elevadores lotados ou ao atravessar túneis. Richard geralmente prestava atenção àqueles detalhes, mas não era capaz de ler seus pensamentos o tempo todo. A noite estava tão boa. O jantar. O filme. Ele só tentara ser generoso e demonstrar sua consideração por ela.

Nellie queria que as coisas voltassem logo ao normal. "Não, eu é que peço desculpas. Estou sendo chata... Ando meio estressada. Minha rua é tão barulhenta que não posso nem abrir a janela à noite, porque não consigo dormir. Você tem razão, seria bom relaxar um pouco mais. Vou falar com o gerente na semana que vem."

Richard sorriu. "Acha que eles conseguem achar uma substituta logo? Um dos nossos novos clientes é patrocinador de um monte de peças na Broadway. Posso arrumar ingressos para você e Sam."

Nellie só tinha ido ao teatro três vezes desde que se mudara para Nova York, porque o preço dos ingressos era exorbitante. Ela só sentara no balcão, primeiro atrás de um homem que passou o tempo todo tossindo e espirrando, e nas outras duas vezes atrás de uma pilastra que obstruía parcialmente a visão do palco.

"Seria incrível!" Ela se aninhou junto dele.

Algum dia os dois teriam uma briga de verdade, mas Nellie não conseguia se imaginar brava com Richard. Seria mais provável que o desleixo dela o irritasse. Largava as roupas na poltrona do quarto e às vezes até jogadas no chão; Richard pendurava o terno todas as noites, alisando bem o tecido. Até mesmo suas camisetas eram guardadas em fileiras perfeitas dentro das gavetas da cômoda, que tinham divisórias plásticas transparentes. E eram divididas por tons: uma fileira para pretas e cinza, outra para coloridas, outra para brancas.

O trabalho dele exigia concentração e atenção absoluta aos detalhes, de modo que precisava ser organizado. Apesar de ser impossível definir o trabalho de professora como relaxante, a tensão era muito menor —

sem falar que a carga horária era mais curta e que a única viagem envolvida era uma eventual excursão ao zoológico.

Richard sabia cuidar de suas coisas — e das dela também. Ficava preocupado com seus deslocamentos entre o apartamento e o Gibson, e ligava ou escrevia todas as noites para saber se havia chegado bem. Comprara para ela um celular de última geração. "Eu me sentiria melhor se você estivesse sempre com ele", dissera. Quis comprar um spray de pimenta também, mas ela avisou que já tinha um. "Ótimo", ele disse. "Tem um monte de malucos por aí."

Como se eu não soubesse, Nellie pensou, tentando reprimir o arrepio, sentindo-se grata por aquela viagem de avião, pelo jovem soldado, até mesmo pelo medo de voar — tudo aquilo possibilitara que os dois se conhecessem.

Richard a abraçou. "Gostou do filme?"

"É bem triste. O cara tinha aquele casarão e um monte de dinheiro, mas vivia solitário."

Richard concordou. "Exatamente. É nisso que eu penso toda vez que vejo."

Ela estava começando a descobrir que Richard adorava surpreendê-la.

Ele tinha planos para aquele dia — e poderia ser qualquer coisa, desde um jogo de golfe até uma visita a um museu — e avisou que ia sair mais cedo do trabalho para pegá-la. Nellie não sabia que roupa usar, porque as possibilidades eram muitas, então escolheu seu vestido de verão favorito, listrado de azul-marinho e branco, e sandálias sem salto.

Ela tirou a camiseta e a calça cargo que usara na escola, jogou na direção do cesto de roupas sujas e procurou pelo vestido no closet, sem sucesso.

Então foi até o quarto de Samantha e o encontrou em cima da cama dela. Não podia reclamar, porque estava com pelo menos duas blusas da amiga. Elas compartilhavam livros, roupas, comida... tudo menos sapatos, porque Nellie usava um número maior, e maquiagem, porque Samantha era morena e tinha olhos e cabelos escuros, enquanto Nellie... bom, não era à toa que Jonah a desenhara como uma boneca de marshmallow.

Ela passou um pouco de Chanel atrás das orelhas — um presente de Richard de Dia dos Namorados, que viera acompanhado de uma pulseira Cartier — e decidiu esperá-lo do lado de fora, já que iria pegá-la a qualquer momento.

Nellie saiu do apartamento, atravessou o pequeno corredor e abriu a porta do prédio no exato momento em que alguém entrava. Por reflexo, deu um pulo para trás.

Era Sam. "Ah! Eu não sabia que você estava em casa! Estava procurando minhas chaves." Sam passou a mão no braço de Nellie. "Não queria assustar você."

Quando Nellie se mudara, ela e Sam tinham passado um fim de semana pintando o apartamento antigo e desgastado. Enquanto cobriam os armários da cozinha com uma tinta creme, trabalhando lado a lado, conversaram sobre tudo: o grupo de escalada em que Sam estava pensando em entrar para conhecer uns caras sarados; o pai de um aluno que sempre tentava paquerar as professoras; a mãe de Sam, que era terapeuta e queria que ela fosse médica; a dúvida de Nellie entre aceitar o cargo de garçonete no Gibson ou trabalhar nos fins de semana em uma loja.

Depois que escureceu, Sam abriu a primeira de duas garrafas de vinho, e os assuntos se tornaram mais pessoais. Elas conversaram até as três da manhã.

Nellie sempre considerou que tinham se tornado melhores amigas naquela noite.

"Você está bonita", Samantha falou. "Mas talvez um pouco arrumada demais para alguém que vai trabalhar de babá."

"Vou dar uma saidinha primeiro, mas chego à casa dos Coleman às seis e meia."

"Certo. Obrigada de novo por me cobrir... Não acredito que marquei duas coisas ao mesmo tempo. Não é nem um pouco a minha cara."

"Pois é, que surpresa." Nellie deu risada, provavelmente a reação que Sam esperava.

"Os pais garantiram que vão estar em casa às onze, então devem chegar à meia-noite. E cuidado com o Hannibal Lecter quando disser que está na hora de ir para a cama. Da última vez ele tentou abrir meu pulso a dentadas quando guardei as massinhas."

Sam dava apelidos para todas as crianças: Hannibal tinha mania de morder, Yoda era um pequeno filósofo, Darth Vader respirava pela boca. Mas, quando o assunto era acalmá-las em um acesso de choro, ninguém era melhor que ela. Conseguira inclusive convencer Linda a comprar cadeiras de balanço para embalar os alunos que sofriam mais ao ser separados dos pais.

Alguém buzinou. Nellie virou para a BMW conversível de Richard, parada em fila dupla ao lado de um Toyota com uma multa presa no limpador de para-brisa.

"Belo carro", Sam gritou.

"Acha mesmo?", Richard berrou de volta. "Se quiser emprestado um dia desses..."

Nellie viu Sam revirar os olhos. Mais de uma vez, Nellie imaginara se ela teria um apelido para Richard, mas nunca perguntara. "Ele está se esforçando, vai."

Sam estreitou os olhos para Richard.

Nellie deu um abraço rápido nela, desceu correndo os degraus e entrou no carro quando ele abriu a porta do passageiro.

Richard estava usando óculos escuros estilo aviador, camisa preta e calça jeans, um visual que ela adorava. "Oi, linda." Ele deu um longo beijo nela.

"Oi." Quando se sentou e virou para pôr o cinto de segurança, ela percebeu que Samantha continuava parada na porta do prédio. Nellie acenou e se voltou para Richard. "Vai me contar aonde estamos indo?"

"Não." Ele ligou o carro e saiu.

Richard ficou em silêncio durante o trajeto, mas Nellie viu várias vezes os cantos dos lábios dele se curvarem em um sorriso.

Quando saíram da Hutchinson River Parkway, ele abriu o porta-luvas e pegou uma máscara de dormir, que jogou no colo dela. "Nada de espiar até a gente chegar."

"Hum, safadinho", brincou Nellie.

"Só coloca."

Ela posicionou o elástico na parte de trás da cabeça. Ficou apertado demais para que pudesse espiar.

Richard fez uma curva fechada que a jogou contra a porta do carro.

Sem poder olhar, ela não tinha como se antecipar aos movimentos do veículo. E ele estava pisando fundo, como sempre.

"Falta muito?"

"Uns cinco ou dez minutos."

Ela sentiu a pulsação acelerar. Já tinha tentado usar uma máscara daquelas em um avião, esperando que aliviasse o medo. Mas o efeito fora contrário, agravando sua claustrofobia. O suor brotou em suas axilas, e ela percebeu que estava agarrada com força à alça da porta. Quase perguntou a Richard se não poderia simplesmente fechar os olhos, mas então se lembrou do sorriso que ele abriu — quase de um menino — quando jogou a máscara em seu colo. Cinco minutos. Sessenta vezes cinco dava trezentos. Ela tentou se distrair contando os segundos na cabeça, visualizando o ponteiro do relógio completando o círculo. Soltou um suspiro de susto quando ele apertou sua coxa. Sabia que era um gesto de carinho, mas seus músculos estavam tensos, e os dedos dele atingiram um ponto sensível.

"Só mais um minutinho", Richard disse.

A BMW parou de forma abrupta, e o motor foi desligado. Ela ergueu a mão para tirar a máscara, mas Richard a impediu. "Ainda não."

Ela ouviu a porta do lado dele ser aberta, seus passos contornando o carro e a segurando pelo braço para guiá-la enquanto caminhavam por uma superfície dura. Não era grama. Cimento? Uma calçada? Nellie estava tão acostumada ao barulho da cidade que o silêncio era desorientador. Um pássaro começou a cantar, mas suas notas foram interrompidas de forma abrupta. O trajeto tinha sido de mais ou menos meia hora, mas ela se sentia em outro planeta.

"Estamos quase lá." Nellie sentiu o hálito quente de Richard em sua orelha. "Pronta?"

Fez que sim com a cabeça. Concordaria com qualquer coisa para tirar aquela máscara.

Richard a removeu, e Nellie piscou algumas vezes quando a luz do sol atingiu seus olhos. Sua visão se ajustou à luminosidade, e ela se viu diante de uma casa de tijolos com uma placa de VENDIDA.

"É seu presente de casamento."

Nellie virou para ele, que estava sorrindo.

"Você comprou?", ela perguntou, boquiaberta.

A casa ficava afastada da rua, em um terreno de no mínimo cinco mil metros quadrados. Nellie não entendia muito de imóveis — só conseguia descrever a casinha térrea e modesta em que fora criada no sul da Flórida como "retangular" —, mas aquele era claramente um imóvel de luxo. O tamanho e o acabamento eram bons indicativos; havia uma enorme porta de madeira maciça com uma janelinha de vidro e maçaneta de bronze, um jardim bem cuidado com grama aparada, postes de iluminação alinhados na entrada. Tudo ali parecia impecável, intocado.

"Eu... estou sem palavras."

"Nunca pensei que fosse viver para ver isso", brincou Richard. "Ia deixar para mostrar depois do casamento, mas a papelada saiu antes e não consegui esperar."

Ele lhe entregou a chave. "Vamos lá?"

Nellie subiu os degraus da frente e pôs a chave na fechadura. A porta se abriu, e ela entrou em um hall com pé-direito alto, ouvindo seus passos ecoarem sobre o piso reluzente. À sua esquerda era possível ver um escritório com paredes de revestimento em madeira e uma lareira a gás. À direita, um cômodo oval com uma janela enorme.

"Ainda falta muito a fazer. Mas queria que você participasse." Richard a segurou pela mão. "A melhor parte fica nos fundos. Vem."

Ele a conduzia, e Nellie passava as pontas dos dedos no papel de parede florido. Depois afastou a mão, com medo de sujar.

A cozinha tinha bancada de granito em cor clara, cooktop e um bar. Abria-se para uma área de refeições dominada por um lustre de cristal de estilo moderno. A sala de jantar tinha teto rebaixado com entalhamento em madeira, lareira de pedra e revestimento nas paredes. Richard abriu a porta dos fundos e a conduziu para o deque. À distância, era possível ver uma rede oscilando sob uma árvore.

Richard estava olhando para ela. "Gostou?" Mantinha a testa franzida.

"É... inacreditável", foi tudo o que Nellie conseguiu dizer. "Tenho até medo de tocar em qualquer coisa!" Ela soltou uma risadinha. "É tudo tão perfeito."

"Eu sei que você quer morar em uma área residencial. A cidade é muito barulhenta e estressante."

Ela dissera aquilo? Costumava reclamar do caos de Manhattan, mas não se lembrava de ter falado que queria se mudar de lá. Mas talvez tivesse sugerido aquilo quando contara que morava em uma rua tranquila na infância; provavelmente mencionara uma vontade de replicar aquele ambiente para os filhos.

"Meu amor." Ele se aproximou e a envolveu em um abraço. "Espere até ver o andar de cima."

Ele a pegou pela mão e a conduziu escada acima, passando por um corredor com vários cômodos menores. "Pensei em transformar este aqui em um quarto de hóspedes para receber Maureen", ele apontou. Em seguida abriu a porta da suíte principal. Passaram pelo closet e entraram no banheiro com clarabóia. Sob uma fileira de janelas havia uma jacuzzi e um boxe de vidro dando para o chuveiro.

Uma hora antes, ela estava sentindo o cheiro de cebola frita no apartamento vizinho e topando com o dedão em um engradado de coca que Samantha deixara no caminho. Ela, que ficava maravilhada quando recebia uma gorjeta de vinte e cinco por cento ou encontrava uma calça jeans bonita em um brechó, de alguma forma estava entrando em uma nova vida.

Nellie olhou pela janela do banheiro. Uma cerca viva alta e espessa bloqueava a vista da casa ao lado. Em Nova York, ela conseguia ouvir a discussão do casal do apartamento de cima sobre os jogos dos Giants, que chegava pela tubulação do sistema de aquecimento. Ali, até o som de sua própria respiração parecia alto demais.

Um arrepio a fez estremecer.

"Está com frio?"

Nellie fez que não com a cabeça. "Um espírito passou por aqui. É uma expressão meio assustadora, né? Meu pai dizia isso."

"Olha o silêncio." Richard respirou bem fundo. "O sossego." Em seguida a virou lentamente para ele. "A empresa que vai instalar o alarme ficou de vir na semana que vem."

"Obrigada." Claro que Richard não se esqueceria daquele detalhe.

Ela o envolveu com os braços e sentiu seu corpo relaxar contra o peitoral dele.

"Hummm." Richard começou a beijar seu pescoço. "Você está tão cheirosa. Quer testar a jacuzzi?"

"Ai, amor..." Nellie se afastou devagar. Percebeu que estava girando a aliança de noivado no dedo. "Adoraria, mas preciso ir. Sam me pediu para cuidar de um garoto, lembra? Desculpa."

Richard assentiu e pôs as mãos nos bolsos. "Acho que vou ter que esperar, então."

"É incrível. Nem acredito que esta casa é nossa."

Um instante depois, ele tirou as mãos dos bolsos e a puxou de novo para si, olhando-a com uma expressão carinhosa. "Não se preocupe. Podemos comemorar todas as noites pelo resto da nossa vida."

6

Minha cabeça lateja. Um gosto azedo domina minha boca. Pego o copo no criado-mudo, mas está vazio.

Um sol forte entra pela janela aberta, batendo nos olhos e piorando meu humor. O relógio me informa que são quase nove horas. Preciso ligar para avisar que estou doente e vou perder mais um dia de trabalho — e de comissões. A ressaca de ontem estava tão forte que minha voz rouca convenceu Lucille de que eu estava mesmo doente. Fiquei na cama, bebi a segunda garrafa de vinho e matei a meia garrafa que sobrara da reuniãozinha de tia Charlotte. As visões de Richard com ela se recusavam a sair da minha cabeça, então tomei um comprimido também.

Quando pego o telefone, sinto o estômago se embrulhar e vou cambaleando até o banheiro. Fico de joelhos diante do vaso, mas não consigo vomitar. Minha barriga está vazia.

Levanto e abro a torneira, bebendo sedenta a água com gosto metálico. Esfrego as mãos molhadas no rosto e examino meu reflexo.

Meus cabelos compridos estão embaraçados, e meus olhos, inchados. Os ossos do meu rosto e minhas clavículas estão mais aparentes do que nunca. Escovo os dentes, tentando me livrar do gosto de álcool já digerido, e visto um roupão.

Despenco na cama e pego o telefone. Ligo para a Saks e peço para falar com Lucille.

"É a Vanessa." Fico contente por minha voz estar péssima. "Desculpa, mas ainda estou bem mal..."

"Quando você acha que consegue voltar?"

"Amanhã?", eu arrisco. "No máximo depois de amanhã."

"Certo." Lucille faz uma pausa. "As promoções começam hoje. A loja vai ficar cheia."

Sei o que ela quer dizer com aquilo. Lucille provavelmente nunca faltou ao trabalho na vida. Já reparei no jeito como ela examina meus sapatos, minhas roupas, meu relógio. A maneira como contrai os lábios quando chego atrasada. Ela acha que me conhece, que o emprego é só uma distração para mim; acha que encontra tipos como eu todos os dias lá.

"Mas pelo menos não estou com febre", eu me apresso em dizer. "Acho que posso tentar ir."

"Ótimo."

Desligo o telefone e releio a mensagem de Richard, apesar de já ter memorizado cada palavra, então me obrigo a entrar no chuveiro e abrir a água o mínimo possível, para deixá-la bem quente. Fico lá até minha pele estar vermelha, depois me enxugo. Seco os cabelos e prendo, para esconder as raízes, prometendo a mim mesma que vou retocá-las à noite. Visto uma malha cinza, uma calça preta e uma sapatilha. Aplico uma dose extra de corretivo e blush para esconder o rosto abatido.

Quando chego à cozinha, tia Charlotte não está lá, mas deixou meu lugar posto no balcão. Tomo um gole de café e dou uma mordida no bolo de banana. Percebo que é caseiro. Meu estômago protesta depois de algumas mordidas, então embrulho o restante da fatia em papel-toalha e jogo no lixo, na esperança de que ela pense que comi tudo.

A porta do prédio se fecha atrás de mim com um estalo metálico. Ao que parece, nos últimos dois dias o tempo virou. Percebo imediatamente que errei na escolha das roupas. Mas é tarde para me trocar; Lucille está à minha espera. Além disso, a estação de metrô fica a apenas quatro quarteirões.

O ar livre me atinge com força quando saio para a calçada: quente, úmido, carregado dos odores da barraquinha de waffle da esquina, do lixo que não foi recolhido, da fumaça de cigarro que alguém soprou perto do meu rosto. Enfim consigo chegar à estação e desço as escadas.

O sol não chega lá embaixo, e a umidade parece ainda pior. Pego meu cartão do metrô e passo pela catraca, sentindo a barra de ferro resistir ao empurrão do meu quadril.

O som do trem reverbera pela estação, mas não é o da linha que preciso pegar. A multidão se aproxima da beirada da plataforma, mas permaneço perto da parede, bem distante dos trilhos. Muitas pessoas já morreram aqui; algumas foram empurradas. Às vezes a polícia não consegue determinar qual foi o caso.

Uma jovem vem se apoiar à parede ao meu lado. É loira e miudinha, e está grávida. Com carinho, acaricia a barriga, movendo a mão em círculos lentos. Fico observando, hipnotizada, e é como se uma força gravitacional fizesse meus pensamentos girarem a mil e me lançarem de volta ao dia em que me vi sentada no chão frio do banheiro, perguntando-me se uma ou duas linhas azuis apareceriam no teste de gravidez.

Richard e eu queríamos filhos. Quanto mais melhor, ele brincava, porém já havíamos concordado que seriam três. Eu tinha parado de trabalhar. A faxineira ia toda semana. Engravidar era minha única obrigação.

No começo fiquei preocupada em descobrir que tipo de mãe seria, em razão do que tinha aprendido inconscientemente com a minha criação. Tinha dias que chegava da escola e encontrava minha mãe usando um palito de dente para tirar as migalhas das pequenas frestas na madeira das cadeiras da sala de jantar. Em outras ocasiões, porém, a correspondência ainda estava atrás da porta e a louça se acumulava na pia. Aprendi desde muito cedo a bater na porta do quarto da minha mãe em seus dias de luzes apagadas. Aprendi a inventar desculpas quando ela se esquecia de ir me buscar na escola ou na casa de uma amiguinha.

Comecei a preparar meu próprio almoço quando estava no terceiro ano. Via as outras crianças tomando sopa na garrafa térmica ou comendo macarrão em formato de letrinhas — alguns pais mandavam até bilhetinhos com piadinhas ou mensagens de incentivo —, e eu tentava engolir meu sanduíche o mais rápido possível, antes que alguém percebesse que o pão estava partido porque eu passara a manteiga de amendoim gelada demais.

Mas, à medida que os meses passavam, minha vontade de ter um bebê superou o medo. Eu havia sido uma mãe para mim mesma; com certeza saberia cuidar de uma criança. Quando deitava com Richard à noite, imaginava-me lendo livros do Dr. Seuss para um garotinho com cílios compridos, ou brincando com xícaras de chá em miniatura com uma filha que tinha o lindo sorriso torto do pai.

Enquanto esperava, atordoada, uma única linha apareceu no teste de gravidez, vívida e reta como o corte de uma faca. Richard estava no quarto naquela manhã, guardando um terno preto que tinha acabado de trazer da lavanderia. Esperando. Eu sabia que ele conseguiria ver a resposta nos meus olhos, que eu notaria o reflexo da minha decepção nos dele. Richard estenderia os braços e diria: "Tudo bem, amor. Eu te amo".

Mas com aquele teste negativo — o sexto —, meu prazo havia se esgotado. Tínhamos combinado que, se não acontecesse em seis meses, Richard faria um exame. Minha ginecologista explicou que seria bem menos invasivo começar pela contagem de esperma. Ele só precisaria olhar para uma *Playboy* e pôr a mão na massa. Richard brincou dizendo que sua adolescência o havia preparado muito bem para aquilo. Eu sabia que ele só estava tentando fazer com que eu me sentisse melhor. Caso não houvesse nenhum problema com ele — e com certeza não havia, o problema era eu —, então seria minha vez.

"Amor?" Richard bateu na porta do banheiro.

Fiquei de pé, alisei a camisola rosa e abri a porta, com o rosto molhado de lágrimas.

"Desculpa." Escondi o teste atrás das costas, como se fosse motivo de vergonha.

Ele me abraçou forte, como sempre fazia, e disse todas as coisas certas, mas deu para sentir uma mudança sutil na energia entre nós. Eu me lembrei de um passeio que fizemos no parque perto de casa logo depois do casamento, quando vimos um pai jogando beisebol com o filho, que devia ter oito ou nove anos. Os dois usavam bonés idênticos dos Yankees.

Richard tinha parado para ver. "Mal posso esperar para fazer isso com meu filho. Só espero que ele tenha um braço melhor que o meu."

Dei risada, sentindo os seios um pouquinho sensíveis. Aquilo sempre acontecia pouco antes da menstruação, mas também podia ser um sinal de gravidez, pelo que tinha lido. Eu já estava tomando as vitaminas pré-natais. Fazia longas caminhadas pela manhã e seguia um vídeo de aulas de ioga para iniciantes. Parei de comer queijos não processados e de beber mais de uma taça de vinho no jantar. Estava fazendo tudo o que os especialistas recomendavam.

Mas nada funcionava.

"Vamos ter que continuar tentando", Richard dissera no começo, quando ainda estávamos otimistas. "Parece bom, não acha?"

Joguei o sexto teste de gravidez no lixo e cobri com um lenço de papel, para não precisar vê-lo.

"Andei pensando", Richard falou então. Ele se afastou de mim para se olhar no espelho em cima da cômoda e ajustar o nó da gravata. Na cama mais atrás havia uma mala aberta. Richard viajava o tempo todo, mas em geral eram compromissos curtos, de uma noite ou duas. Naquele momento eu soube que ia me convidar para ir também. Senti meu humor se elevar um pouco ao me imaginar saindo de nossa casa linda e vazia em um bairro charmoso onde não tinha nenhum amigo. Distanciando-me do meu mais recente fracasso.

Mas o que ele falou foi: "Que tal se você parasse de beber?".

A mulher grávida se afasta de mim, e eu pisco algumas vezes para me reorientar. Vejo que ela se dirige à beira da plataforma com a chegada de um novo trem. As rodas param de se mover com o freio estridente, e as portas se abrem com um suspiro cansado. Espero até que todos entrem e então dou alguns passos à frente, sentindo uma pontada de desconforto.

Entro e ouço o apito que sinaliza o fechamento das portas. "Com licença", digo para o cara à minha frente, mas ele não se move, só continua balançando a cabeça ao ritmo da música que ouve nos fones; consigo até sentir a vibração. As portas se fecham, mas o trem permanece imóvel. Está tão quente que sinto a calça grudar nas pernas.

"Quer sentar?", alguém oferece, e um homem mais velho se levanta para ceder seu lugar à moça grávida. Ela abre um sorriso e aceita. Está usando um vestido xadrez simples, com cara de barato, e seus seios inchados esticam o tecido quando ela joga o braço para trás para erguer os cabelos da nuca. Sua pele está vermelha e suada; ela parece radiante.

A noiva de Richard não pode estar grávida, não é?

Não acho que seja possível, mas de repente o imagino atrás dela, estendendo as mãos para segurar sua barriga volumosa.

Minha respiração acelera. Um homem de camiseta branca com manchas amareladas nas axilas está se segurando no ferro perto da minha cabeça. Desvio o rosto, mas ainda consigo sentir o cheiro invasivo.

O trem arranca, e esbarro em uma mulher que está lendo o *New York Times*. Ela mal desvia os olhos do jornal. Mais algumas estações, penso comigo mesma. Dez minutinhos, no máximo quinze.

O trem segue rugindo pelos trilhos, soando furioso, abrindo caminho pelo túnel às escuras. Sinto um corpo encostar no meu. Próximo demais; todo mundo está perto demais. Minha mão suada escorrega do ferro quando meus joelhos bambeiam. Choco-me contra as portas e me agacho, com a cabeça entre os joelhos.

"Está tudo bem com você?", alguém pergunta.

O cara de camiseta se inclina sobre mim.

"Acho que estou passando mal", digo, ofegante.

Começo a me balançar, contando o arrastar ritmado das rodas sobre os trens. *Um, dois... dez... vinte...*

"Condutor!", uma mulher grita.

"Ei! Tem algum médico aqui?"

... cinquenta... sessenta e quatro...

O trem para na 79, e sinto braços me envolvendo pela cintura e me ajudando a levantar. Sou meio que carregada porta afora, para o chão firme da plataforma. Alguém me conduz até um banco a alguns passos de distância.

"Quer que eu ligue para alguém?", pergunta uma voz.

"Não. É gripe... Só preciso ir para casa..."

Fico sentada até conseguir respirar de novo.

Então caminho os catorze quarteirões de volta ao apartamento, contando em voz alta os mil oitocentos e quarenta e oito passos que preciso dar até voltar para a cama.

7

Nellie estava atrasada outra vez.

Sentia-se incapaz de acompanhar a correria cotidiana nos últimos dias, meio grogue por causa da insônia implacável e um tanto agitada em razão dos cafés a mais que precisava tomar para compensar a falta de sono. Era como se estivesse sempre precisando encaixar mais uma coisa. Naquela tarde, por exemplo, Richard sugerira que fossem até a casa nova assim que ela saísse da escola para encontrar o empreiteiro que ia construir um pátio.

"Você pode escolher a cor das pedras", Richard dissera.

"Existe alguma que não seja cinza?"

Ele dera risada, sem perceber que ela estava falando sério.

Nellie concordara, pois se sentia culpada por ter interrompido a primeira visita dos dois à casa. Mas aquilo significava ter que cancelar a ida ao salão com Sam para se arrumar para a festa de despedida de solteira que a amiga organizaria naquela noite. Amigas da Learning Ladder e do Gibson compareceriam — uma das poucas vezes em que os dois mundos divergentes iam se encontrar. *Desculpa!*, Nellie escrevera para Sam, acrescentando com hesitação: *Apareceu um problema de última hora do casamento para resolver...*

Não havia outra explicação que não fizesse parecer que estava escolhendo o noivo no lugar da melhor amiga.

"Preciso estar em casa às seis horas para me arrumar para a festa", Nellie dissera a Richard. "Vamos nos encontrar no restaurante às sete."

"Você sempre tem um horário a cumprir, não é, Cinderela?", ele respondera, dando um beijo de leve na ponta de seu nariz. "Não se preocupe, você vai chegar na hora."

Mas ela não chegara. O trânsito estava péssimo, e Nellie batera na porta de Sam apenas às seis e meia, quando ela já tinha saído.

Nellie ficou parada à porta por um momento, olhando as luzes de Natal que Sam tinha colocado na cabeceira da cama, e para o tapete felpudo verde e azul que as duas encontraram largado na porta de um prédio chique na Quinta Avenida. "Sério que estão jogando isso fora?", Samantha questionara na ocasião. "Esses ricos são malucos. Ainda está com a etiqueta!" Elas o levaram para casa nos ombros. Quando cruzaram com um cara bonitinho esperando para atravessar a rua, Sam deu uma piscadinha para Nellie e virou de forma repentina, para que uma das pontas do tapete esbarrasse nele. Sam acabou saindo com o cara por dois meses; um dos relacionamentos mais longos que tivera.

Nellie tinha meia hora para chegar ao restaurante, o que significava que não havia tempo para tomar banho. Mesmo assim, serviu-se meia taça de vinho para ir bebendo enquanto se arrumava — não das garrafas caras que Richard lhe dava, porque ela nem sentia muita diferença no gosto — e botou Beyoncé para tocar.

Ela jogou água fria no rosto, passou hidratante e delineou os olhos verdes. O banheiro era tão pequeno que vivia esbarrando na pia ou na porta, e toda vez que abria o armarinho do espelho caía um tubo de pasta de dente ou spray de cabelo. Ela não tomava um banho de banheira fazia anos; o apartamento tinha só um boxe pequeno em que mal conseguia raspar as pernas.

Na casa nova, havia um banquinho dentro do boxe da suíte e uma ducha enorme. Sem falar na jacuzzi.

Nellie tentou se imaginar lá dentro, depois de um longo dia... fazendo o quê? Mexendo no jardim, talvez, ou fazendo o jantar para Richard.

Ele sabia que ela matara afogada a única planta que tivera e que seu repertório culinário se resumia a esquentar comida congelada?

No caminho de volta para a cidade, ela ficara olhando a paisagem pela janela do carro. Não havia como negar que a vizinhança era linda: casas grandes, árvores floridas, calçadas impecáveis. Nem sinal de lixo maculando o asfalto liso e perfeito. Até a grama parecia mais verde do que na cidade.

Na saída, ao passar pela guarita, Richard fizera um aceno para o segurança uniformizado. Nellie tinha visto na roupa do homem o mesmo nome que marcava a entrada do condomínio, em letras grandes e ornamentadas: CROSSWINDS.

Ela poderia ir a Manhattan todos os dias de manhã com Richard. Teria o melhor dos dois mundos. Poderia encontrar Sam para o happy hour, passar no Gibson para comer um hambúrguer no bar e ver a quantas andava o romance que Chris estava escrevendo.

Ela se virara para olhar pelo vidro de trás. Não tinham cruzado com outro carro nem visto ninguém andando pela calçada. Era como olhar para uma fotografia.

Caso engravidasse logo depois do casamento, provavelmente não voltaria para a Learning Ladder, pensava enquanto via sua nova vizinhança desaparecer à distância. Seria uma irresponsabilidade largar a classe no meio das aulas. Com Richard viajando quase toda semana, ficaria muito tempo em casa sozinha.

Talvez fosse melhor esperar mais alguns meses para parar de tomar pílula. Assim poderia lecionar por mais um ano.

Ela olhara para Richard de perfil, observando o nariz reto, o queixo forte, a fina cicatriz acima do olho direito. Aos oito anos, ele batera a cabeça no guidão da bicicleta. Richard tinha mantido uma das mãos na parte de baixo do volante enquanto mexia no rádio com a outra.

"Então, eu...", ela começara, mas naquele momento ele sintonizara na WQXR, sua estação favorita de música clássica.

"Essa peça de Ravel é uma maravilha", ele dissera, aumentando o volume. "Ele compôs muito menos que seus contemporâneos, mas mesmo assim é considerado por muitos um dos maiores músicos da história da França."

Ela assentira. Suas palavras tinham se perdido nas notas de abertura da música, mas tudo bem. Não era hora para aquele tipo de conversa.

Quando o piano atingira um crescendo, Richard parara em um semáforo e virara para ela. "Você gosta?"

"Gosto. É... lindo." Ela precisava aprender mais sobre música clássica e vinho, decidira naquele momento. Richard tinha opiniões bem informadas a respeito de ambas as coisas, e ela queria ser capaz de conversar a respeito sem falar bobagem.

"Ravel acreditava que a música devia se comunicar primeiro com o emocional e só depois com o intelecto", ele comentara. "Concorda?"

Era justamente aquele o problema, ela percebeu enquanto procurava na bolsa seu gloss rosa favorito da Clinique. Tampouco o havia encontrado da última vez que o procurara, e acabou usando um cor de pêssego no lugar. Racionalmente, sabia que as mudanças que viriam pela frente seriam maravilhosas. Invejáveis, até. Emocionalmente, porém, parecia tudo um tanto excessivo.

Ela se lembrou da casa de bonecas da escola, aquela que os pais de Jonah queriam substituir por uma cabana indígena. Os alunos adoravam rearranjar a mobília, depois mover os bonecos de cômodo em cômodo, colocando-os diante da falsa lareira, reunindo-os em cadeiras em torno da mesa e pondo-os para dormir em suas caminhas estreitas de madeira.

O pensamento a invadiu como uma provocação no pátio do colégio: *Nellie da Casa de Bonecas.*

Ela deu um gole no vinho e abriu a porta do closet, deixando de lado o vestido que pretendia usar e pegando uma calça de couro que comprara em uma promoção na Bloomingdale's assim que se mudara para Nova York. Precisou forçar e encolher a barriga para fechar o zíper. Mas se garantiu que logo ia lacear. Então escolheu uma blusinha decotada e larga, para o caso de precisar abrir o botão da calça em algum momento.

Ela se perguntou se ia voltar a usar roupas como aquela. Imaginava a Nellie da Casa de Bonecas como uma mulher distinta, usando calça cáqui, malha e sapatinhos de camurça enquanto servia cupcakes.

Nunca, prometeu a si mesma, enquanto procurava os sapatos pretos de salto, que enfim encontrou debaixo da cama. Ela e Richard teriam uma casa cheia de crianças, e a elegância dos cômodos seria amenizada pelos risos, pelas guerras de travesseiros e pelos sapatinhos empilhados diante da porta. Jogariam Candy Land e Banco Imobiliário junto da lareira. Fariam viagens para esquiar — Nellie nunca esquiara, mas Richard prometera ensiná-la. Dali a algumas décadas, os dois se sentariam na varanda e compartilhariam lembranças felizes.

No meio-tempo, ela levaria algumas de suas peças de arte para decorar as paredes. Já dispunha de vários originais de seus alunos, inclusive seu retrato como boneca de marshmallow e uma pintura mais cabeça feita por Tyler, sabiamente batizada de *Azul sobre branco.*

Ela terminou de se arrumar dez minutos depois da hora em que deveria estar saindo. Então deu meia-volta e pegou dois colares de contas coloridas pendurados em um gancho perto da porta, que ela e Samantha tinham comprado em uma feira no Village anos antes. Elas as chamavam de "contas da alegria".

Nellie pôs uma no pescoço e ficou à espera de um táxi.

"Desculpa, desculpa", Nellie foi dizendo ao se aproximar das mulheres sentadas à longa mesa retangular. Suas colegas da Learning Ladder estavam sentadas de um lado e as do Gibson do outro. Ela viu um monte de copos sobre a mesa, além de taças de vinho, e notou que todas pareciam à vontade. Então foi abraçar cada uma das amigas.

Quando chegou a vez de Sam, pôs o colar de contas no pescoço dela. Estava linda; deve ter ido sozinha ao salão.

"Bebe primeiro, conversa depois", sugeriu Josie, uma de suas colegas garçonetes, entregando a Nellie uma dose de tequila.

Ela virou de uma vez, ganhando aplausos.

"E agora é minha vez de dar alguma coisa para você colocar." Sam pegou uma tiara com um véu enorme de tule com purpurina e o colocou na cabeça de Nellie.

Ela deu risada. "Que discreto."

"O que você esperava, deixando uma professora encarregada do véu?", questionou Marnie.

"Então, o que você precisou fazer hoje?", Samantha quis saber.

Nellie abriu a boca para falar, então olhou ao redor. Todas ali tinham um salário baixo, e estavam gastando dinheiro em um restaurante famoso por suas pizzas no forno a lenha. Nellie viu uma pilha de presentes na cadeira vazia na ponta da mesa. Sabia que Sam estava à procura de alguém para dividir o apartamento, porque não conseguiria pagar o aluguel sozinha. A última coisa de que queria era falar de sua nova casa. Além disso, tecnicamente não era nada relacionado ao casamento. Talvez Sam não gostasse.

"Nada de interessante", Nellie respondeu com o tom de voz leve. "Outra rodada?"

Samantha deu risada e chamou o garçom.

"Ele já contou para onde vão na lua de mel?", Marnie perguntou.

Nellie fez que não com a cabeça, torcendo para que o garçom apareceste logo com a tequila. "Compre um biquíni novo" tinha sido tudo o que Richard falara quando ela implorara por uma pista. E se a levasse para uma praia na Tailândia? Não suportaria doze horas em um avião; só de pensar naquilo seu coração palpitava.

Nas semanas anteriores, em dois sonhos perturbadores, tinha se visto a bordo de aviões em voos turbulentos. No último, uma comissária em pânico atravessava correndo o corredor, gritando para todo mundo enfiar a cabeça entre as pernas e se preparar para o impacto. As imagens tinham sido tão vívidas — os olhos arregalados da aeromoça, o avião sacudindo, as nuvens espessas do lado de fora da janelinha — que Nellie acordara sem fôlego.

"Um sonho estressante", Sam comentara na manhã seguinte enquanto passava rímel no banheiro minúsculo e Nellie tentava pegar seu hidratante. Como filha de terapeuta, Sam adorava analisar as amigas. "Está ansiosa por quê?"

"Nada. Bom, por viajar de avião, claro."

"Não é por causa do casamento? Porque vejo essa viagem como uma metáfora."

"Desculpa, Sigmund, mas esse cachimbo é só um cachimbo mesmo."

Uma nova dose de tequila apareceu diante de Nellie, que a entornou de bom grado.

Sam a olhou do outro lado da mesa e sorriu. "Tequila. Sempre a melhor resposta."

A fala seguinte surgiu nos lábios de Nellie sem que ela precisasse pensar: "Mesmo se não houver pergunta".

"Deixa eu dar mais uma olhada nessa aliança." Josie segurou a mão de Nellie. "Richard por acaso tem algum irmão rico e bonitão? Para eu apresentar a uma amiga, sabe?"

Nellie puxou a mão de volta, escondendo o diamante de três quilates sob a mesa — ela sempre se sentia desconfortável quando as amigas faziam muito escândalo a respeito — e deu risada. "Sinto muito, só uma irmã mais velha."

Maureen iria a Nova York no verão, como fazia todos os anos, para dar um curso de seis semanas na Universidade Columbia. Nellie enfim poderia conhecê-la.

Uma hora depois, o garçom recolheu os pratos e Nellie pôde abrir os presentes.

"Este é meu e da Marnie", disse Donna, uma assistente da turma de quatro anos, entregando a Nellie uma caixinha prateada com uma fita vermelha. Era um baby-doll de seda, e Josie uivou como uma loba. Nellie pôs a peça na frente do corpo, torcendo para que servisse.

"É para ela ou para Richard?", questionou Sam.

"É lindo. Estou pressentindo uma noite com temas sensuais, meninas." Nellie pôs o presente ao lado do perfume Jo Malone, do baralho de posições sexuais e das velas que já tinha aberto.

"Por último, mas não menos importante." Sam entregou a Nellie uma sacola com um porta-retratos prateado. Dentro havia um papel grosso com um poema impresso em itálico. "Você pode tirar e colocar uma foto do casamento."

Nellie começou a ler em voz alta:

Eu me lembro de quando nos conhecemos, de como você me ganhou
Me deu um remédio para a dor de cabeça e foi assim que tudo começou
Era seu primeiro emprego em Nova York, e eu mostrei o caminho
A melhor academia, a farmácia mais próxima onde encher o cestinho
Ensinei coisas importantes para você, como agradar Linda e ficar bem
E o armário de produtos de limpeza, para quando não quisesse ver ninguém
Logo passamos a dividir um apartamento em um lugar cheio de baratas
Entupido de maquiagens, revistas e canecas decoradas
Você sempre atrasando o aluguel, porque exagera na gastança
E eu meio bagunceira, deixando mel na pia igual criança
Durante anos você ensinou os pequenos a escrever e a contar
E a usar as palavras, e não as mãos, ao brigar
Todo dia trabalhando muito, sem que os pais valorizassem o que fazemos
E às vezes levando bronca, escondendo o choro como podemos
Estamos juntas há cinco anos incríveis
Nos conhecemos bem, nossos sonhos e medos invisíveis

Você ficou noiva e Linda comprou um bolo de encher os olhos
Que ironicamente custou mais do que nossos dois salários
Você vai se mudar em breve, e estou com medo de me perder
Com certeza vai acabar me levando a beber
Mas quando estiver indo para o altar para todo mundo ver
Pode ter certeza de que sempre vai ser minha melhor amiga e de que adoro você.

Nellie mal conseguiu terminar de ler. O texto a transportou para seus primeiros dias na cidade, quando estava desesperada para se distanciar de tudo o que tinha acontecido na Flórida. Havia trocado as palmeiras pelo asfalto, e uma irmandade barulhenta e movimentada por um apartamento sem nenhuma personalidade. Era tudo diferente. A não ser as lembranças que a seguiram por centenas de quilômetros, envolvendo-a como um manto pesado.

Se não fosse por Sam, talvez nem tivesse ficado. Poderia ainda estar tentando encontrar um lugar em que se sentisse segura. Ela pôs o porta-retratos sobre a mesa e deu um abraço apertado na amiga. "Obrigada. Eu amei." Então fez uma pausa. "Obrigada a todas. Vou sentir falta de vocês. E..."

"Ah, para com isso, nada de drama. Você vai estar a uma viagem de trem daqui. Podemos te ver a qualquer hora. Só que daqui para a frente é você que vai pagar a conta", disse Josie.

Nellie deu uma risadinha.

"Agora vamos dar o fora daqui." Samantha arrastou a cadeira para trás. "Os Killer Angels vão tocar na Ludlow Street. Prontas para dançar?"

Nellie não fumava desde os tempos de faculdade, mas três Marlboro Light, três doses de tequila e duas taças de vinho depois, continuava dançando, sentindo o suor escorrendo pelas costas. Talvez a calça de couro não tivesse sido a melhor escolha. Do outro lado do salão, um barman gatinho estava usando o véu feito por Samantha e paquerava Marnie.

"Tinha esquecido de como gosto de dançar", Nellie gritou por cima da música pulsante.

"E tinha esquecido como você dança mal", rebateu Josie.

Nellie deu risada. "O que vale é a empolgação!", ela protestou, levantando os braços em um gesto exagerado para dar uma volta em torno de si e parando no meio.

"E aí, Nick?", Josie disse quando um cara alto e magro com uma camiseta desbotada de um show dos Rolling Stones de 1979 e uma calça jeans escura se aproximou.

"O que está fazendo aqui?", Nellie perguntou, percebendo tarde demais que ainda estava com os braços acima da cabeça. Ela os baixou e os cruzou sobre o peito, ciente de que a blusinha suada devia estar bem colada ao corpo.

"Josie me convidou. Mudei para cá umas semanas atrás."

Nellie olhou feio para Josie, que fez uma cara de inocência fingida e deu de ombros antes de desaparecer no meio das outras pessoas.

Nick tinha trabalhado como garçom com Nellie por um ano, até se mudar para Seattle com sua banda. Nick, o Irresistível, era como todas o chamavam, apesar de algumas mulheres com o coração partido preferirem o apelido Nick, o Babaca. Era o cara mais gato com quem Nellie já havia saído — embora "sair" não fosse a descrição mais adequada para os encontros dos dois, já que a maioria acontecera dentro de um quarto.

Os cabelos de Nick estavam mais curtos, deixando os ossos angulosos do rosto mais à mostra. Separadamente, suas feições — o nariz largo, as sobrancelhas grossas, a boca grande — poderiam parecer exageradas, mas funcionavam bem juntas. Ainda melhor do que Nellie lembrava.

"Não acredito que você ficou noiva. Parece que foi ontem que a gente..." Ele estendeu a mão e passou-a em seu braço.

O corpo dela reagiu de imediato, mas Nellie afastou o braço e deu um passo para trás.

Como Nick era previsível, interessando-se por ela só porque havia aparecido outro. Ele parara de responder a suas mensagens dois minutos depois de sair da cidade. Mas sempre gostara de um desafio.

"Noiva e *feliz*. O casamento é no mês que vem."

Os olhos semicerrados de Nick aparentavam certo divertimento. "Você não parece alguém prestes a casar."

"Como assim?"

Alguém esbarrou nela por trás, jogando-a em cima de Nick. Ele a segurou pela cintura. "Está uma gata", Nick disse baixinho, com os lábios tão próximos de sua orelha que a barba por fazer roçava sua pele. "Nem se compara com as garotas de Seattle."

Ela sentiu um aperto no estômago.

"Senti sua falta. Da gente." Os dedos dele escorregaram para dentro da blusa e se acomodaram na parte inferior de suas costas. "Lembra aquele domingo de chuva em que ficamos na cama o dia todo?"

Ele cheirava a uísque, e era possível sentir o calor de seu corpo através da camiseta.

A música pulsante e o calor do ambiente lotado a deixavam zonza. Uma mecha de cabelos caiu sobre seus olhos, e Nick a afastou com a mão.

Ele baixou a cabeça devagar, com os olhos cravados nos dela. "Um último beijo? Pelos velhos tempos?"

Nellie arqueou as costas para encará-lo, depois ofereceu a bochecha.

Ele segurou seu queixo em um gesto delicado, virou sua boca na direção da dele e a beijou bem devagar. Sua língua roçou em seus lábios, e ela os abriu. Ele a puxou com força para junto de si, e Nellie soltou um grunhido involuntário.

Detestava admitir, mesmo para si mesma, mas, se o sexo com Richard era bom, com Nick tinha sido ótimo.

"Não posso fazer isso." Ela o empurrou, com a respiração mais ofegante do que quando estava dançando.

"Qual é?"

Ela sacudiu negativamente a cabeça e foi até o bar, esgueirando-se por entre as pessoas aglomeradas no balcão e fazendo uma careta quando o cotovelo de um cara a atingiu na têmpora. Nellie pisou no pé de alguém.

No fim, conseguiu chegar até Marnie, que lançou um braço sobre seus ombros. "Hora da tequila?"

Nellie fez uma careta. Ficara tão distraída conversando durante o jantar que só comera uma fatia de pizza, e tinha almoçado apenas uma salada. Estava meio enjoada, e seus pés doíam depois de tanto tempo dançando de salto. "Primeiro uma água." Seu rosto estava queimando, e ela se abanou com a mão. O barman fez um aceno, balançando o véu, e começou a encher um copo alto de água com gás.

"Richard encontrou você?", Marnie perguntou.

"Quê?"

"Ele está aqui. Falei que você estava dançando."

Nellie olhou ao redor, esquadrinhando os rostos mais próximos até enfim localizá-lo do outro lado da pista.

"Richard!", Nellie berrou. Ela foi correndo até ele, derrapando no chão grudento quando chegou mais perto.

"Opa." Ele a segurou pelo braço para equilibrá-la. "Acho que alguém bebeu demais."

"O que está fazendo aqui?"

Uma luz arroxeada passou pelo rosto dele quando a banda começou outra música. Nellie não conseguiu entender a expressão em seu rosto.

"Vamos embora." Ele soltou seu braço. Tinha visto. Dava para perceber pela maneira como se comportava; seu corpo estava tenso, e era possível sentir toda a energia que borbulhava sob a superfície.

"Tá. Só preciso me despedir..." Da última vez que vira Sam e Josie elas estavam na pista de dança, mas agora não as via em lugar nenhum.

Ela olhou de novo para Richard e viu que ele já estava saindo, então correu para alcançá-lo.

Do lado de fora, ele não disse nada — nem mesmo depois de parar um táxi e dar o endereço do seu apartamento.

"Aquele cara... Ele trabalhava comigo."

Richard olhava para a frente, exibindo apenas o perfil, como na volta para a cidade algumas horas antes. Mas naquela ocasião a mão dela repousava na perna dele; agora ele estava com os braços cruzados.

"Você cumprimenta todos os seus antigos colegas com esse mesmo entusiasmo?" Richard soou tão formal que ela sentiu um frio na espinha.

Um enjoo subiu por sua garganta quando o taxista entrou no trânsito. Ela levou a mão à barriga e abriu um pouco o vidro. O vento agitou seus cabelos, lançando-os sobre o rosto.

"Richard, eu o empurrei... Eu não..."

Ele se virou para encará-la. "Você não o quê?", questionou, enfatizando cada sílaba.

"Não estava pensando", ela murmurou. Nellie tinha se enganado. Ele não estava furioso. Estava magoado. "Desculpa. Eu logo me afastei dele. E ia ligar para você."

A última parte era mentira, mas Richard não tinha como saber.

Finalmente, a expressão dele se amenizou. "Eu perdoaria qualquer coisa." Ela estendeu a mão para pegar a dele, mas as palavras seguintes a detiveram: "Mas nunca me traia".

Mesmo nas conversas mais duras sobre negócios ao telefone, ela nunca o ouvira dizer nada de uma forma tão convicta.

"Eu prometo", Nellie sussurrou. Seus olhos se encheram de lágrimas. Richard tinha comprado uma casa maravilhosa para ela. Mandara um e-mail mais cedo perguntando se os convidados iam gostar mais de canapés ou coquetéis entre a cerimônia de casamento e o jantar. *Ou as duas coisas?*, ele escrevera. Ficara preocupado porque ela não respondera — ele sabia que Nellie não se sentiria segura indo sozinha para o apartamento tarde da noite. Então havia ido encontrá-la para garantir que estava bem.

Já Nellie beijara Nick, que já tinha saído com metade das mulheres do Gibson e provavelmente não sabia nem o sobrenome dela.

Por que arriscar tanta coisa?

Ela queria casar com Richard; não estava arrependida.

Mas Nick ainda não era uma página virada. Apesar da fachada de galã, Nellie sabia que ele tinha um lado sentimental. Ouvira uma conversa dele com a avó no Gibson. Ele não percebera que Nellie estava enrolando os guardanapos nos talheres ali perto. Ele prometia levar cannoli de chocolate e ver um game show com ela na noite seguinte.

Nick também fora o primeiro homem com quem ela dormira depois de sair da faculdade. Tinha parado de pensar nele depois de conhecer Richard. Mas, quando foi abraçada na pista de dança, Nellie gostou de saber o quanto ainda a queria. Da sensação do poder nas suas mãos.

Gostaria de que fosse apenas culpa da bebida, mas a verdade não era nada bonita.

Por um breve momento de rebeldia, preferira a espontaneidade à estabilidade. Queria sentir um último gostinho da cidade antes de se instalar em seu condomínio tranquilo.

"Fiquei feliz por você ter ido me buscar", ela disse, e enfim sentiu os braços de Richard a aninharem.

Nellie respirou fundo.

Sempre se arrependia de suas decisões, mas não se arrependia de ter escolhido Richard.

"Obrigada", ela disse, apoiando a cabeça no peito dele. Nellie ouviu aquelas batidas constantes que a faziam dormir quando nada mais era capaz.

Por um tempo vinha sentindo que havia dentro dele uma dor profunda, tão enraizada que Richard não a compartilhava. Talvez fosse relacionada à ex. Talvez já tivessem partido seu coração.

"Nunca vou magoar você." Ela sabia que, mesmo no dia do casamento, jamais conseguiria fazer uma promessa mais sagrada.

8

Viro a cabeça e vejo a silhueta de tia Charlotte parada na minha porta, iluminada pela luz do corredor. Não sei há quanto tempo está lá ou se reparou que estou imóvel, simplesmente olhando para o teto.

"Está melhor?" Ela entra no quarto e abre a cortina. Faço uma careta e fecho os olhos diante da luz do sol.

Falei que estava gripada, mas tia Charlotte acredita na relação entre saúde física e emocional — como a segunda pode corroer a primeira, sufocando-a. Afinal, não cuidou só de mim, mas também da minha mãe durante as crises dela.

"Um pouco", digo, sem dar nenhum sinal de que vou me levantar.

"Devo ficar preocupada?" O tom de voz dela está no limite entre o casual e o sério. É algo familiar para mim; lembro-me de ouvi-la tirar minha mãe da cama para colocar no chuveiro. "Só um pouquinho", ela dizia, segurando-a pela cintura. "Preciso trocar a roupa de cama."

Ela teria sido uma mãe maravilhosa, mas nunca teve filhos; acho que todos aqueles anos cuidando da minha mãe e de mim são parte da razão.

"Não, eu vou trabalhar."

"Vou passar o dia no ateliê. Recebi uma encomenda. A mulher quer fazer um nu para o marido pendurar em cima da lareira."

"Sério?" Tento imprimir um pouco de energia à voz quando me sento. Como uma dor de dente incômoda, os pensamentos sobre a noiva de Richard dominam cada aspecto da minha vida.

"Pois é. Não gosto nem de usar o vestiário do clube."

Consigo abrir um sorriso quando ela faz menção de sair do quarto. Ela esbarra com o quadril na cômoda perto da porta e solta um gritinho.

75

Levanto da cama com um pulo. Ponho o braço em torno da cintura de tia Charlotte para levá-la até a cadeira.

Ela dispensa meu braço e minha preocupação. "Estou bem. Os velhos são desajeitados mesmo."

E então, de forma súbita, vem a percepção: ela está envelhecendo.

Sob protestos, vou pegar gelo para ela colocar no quadril e preparo ovos mexidos com cheddar e cebolinha. Lavo a louça e limpo a pia. Dou um abraço apertado nela antes de sair para o trabalho. O pensamento me vem à mente de novo: não tenho ninguém no mundo além dela.

Fico com medo de reencontrar Lucille, mas, para minha surpresa, ela demonstra preocupação ao me cumprimentar. "Eu não deveria ter insistido para você vir ontem."

Percebo que seus olhos se voltam para minha bolsa Valentino, que Richard me deu de presente antes de uma viagem de negócios a San Francisco. O couro está um pouco gasto perto do fecho; é uma peça com quatro anos de uso. Lucille é o tipo de mulher que repara nesses detalhes. Vejo que nota também meus velhos tênis e meus dedos sem anéis. Seus olhos se aguçam. É como se estivesse me enxergando como realmente sou pela primeira vez.

Liguei para ela depois do surto no metrô. Não me lembro de toda a conversa, mas sei que chorei.

"Avise se precisar sair um pouco mais cedo", ela me diz.

"Obrigada." Abaixo a cabeça, envergonhada.

A loja está movimentada, especialmente para um domingo. Pensei que trabalhar fosse me distrair, mas as visões se acumulam na minha mente. Imagino a mão dela na própria barriga. As mãos de Richard na barriga dela. Ele dizendo para não se esquecer das vitaminas, para dormir bem, abraçando-a com força à noite. Se ela engravidar, a primeira coisa que ele vai fazer provavelmente vai ser montar um berço com um ursinho de pelúcia dentro.

Mesmo com minha dificuldade para engravidar, um ursinho de pelúcia macio e sorridente estava à espera no quarto destinado ao bebê, desde o início. Richard dizia que traria sorte.

"Vai acontecer", ele garantiu, minimizando minha preocupação.

Mas, depois de seis meses de testes negativos, ele foi ao médico para um de espermograma. A contagem de espermatozoides estava normal. "O médico falou que tenho nadadores do calibre do Michael Phelps", ele brincou, e eu me esforcei para sorrir.

Então marquei uma consulta com uma especialista em fertilidade feminina, e Richard disse que tentaria desmarcar uma reunião para poder me acompanhar.

"Não precisa." Tentei manter o tom de voz leve. "Depois eu conto tudo para você."

"Tem certeza, querida? Se o cliente for embora cedo, posso almoçar com você, já que vamos estar os dois na cidade. Posso pedir para Diane reservar uma mesa no Amaranth."

"Parece ótimo."

Uma hora antes da consulta, quando eu estava entrando no trem, ele ligou para avisar que ia me acompanhar. "Cancelei com o cliente. Isso é mais importante que o trabalho."

Fiquei contente por ele não poder ver a expressão no meu rosto.

A médica me faria perguntas. Questionamentos que eu não queria ter que responder na frente do meu marido.

Enquanto o trem acelerava na direção da Grand Central, olhei pela janela para as árvores desfolhadas e as construções repletas de pichações, com tábuas de madeira cobrindo as janelas. Eu poderia mentir. Ou poderia tentar ficar sozinha com a médica e explicar tudo. Dizer a verdade na frente dele não era uma opção.

Uma dor aguda me forçou a olhar para baixo. Eu estava cutucando as cutículas, e acabei me machucando. Levei o dedo à boca para chupar o sangue.

O trem apontou no terminal antes que eu pudesse elaborar um plano, e em pouco tempo o táxi me deixou na porta do elegante edifício na Park Avenue.

Quando Richard me encontrou no saguão, não pareceu notar minha agitação. Ou talvez tenha achado que eu estava nervosa por causa da consulta. Senti como se estivesse sonhando acordada quando ele apertou o botão do décimo quarto andar e me deixou descer primeiro.

O urologista de Richard tinha nos indicado a dra. Hoffman, uma mulher elegante de cinquenta e poucos anos, que nos cumprimentou com um sorriso logo depois que chegamos e nos conduziu ao consultório. Sob o jaleco branco, vi um toque de fúcsia. Nós a seguimos pelo corredor. Apesar de ela estar usando salto alto, tive dificuldade para acompanhar seu passo.

Richard e eu nos sentamos lado a lado no sofá, diante de uma mesa limpa e organizada. Eu contorcia as mãos no colo, virando os anéis. De início, a dra. Hoffman hesitou inclusive em reconhecer que tínhamos motivos para preocupação, explicando que muitos casais demoravam mais de seis meses para conseguir engravidar. "Oitenta e cinco por cento dos casais conseguem engravidar dentro de um ano", ela garantiu.

Abri um sorriso. "Bom, então..."

Mas Richard interveio. "As estatísticas não importam." Ele segurou minha mão. "Queremos engravidar agora."

Eu deveria saber que não seria tão fácil.

A dra. Hoffman assentiu. "Não há nada que nos impeça de tentar tratamentos, mas eles costumam ser longos e dispendiosos. Isso sem falar nos efeitos colaterais."

"Mais uma vez, com todo o respeito, isso não importa", Richard falou. Tive um vislumbre de como ele devia ser no trabalho — imperativo, persuasivo. Irresistível.

Por que pensei que conseguiria esconder algo tão importante dele?

"Amor, suas mãos estão geladas." Richard as esfregou.

A dra. Hoffman se voltou diretamente para mim. Seus cabelos estavam presos de forma elegante, e sua pele era lisa e sem rugas. Desejei estar vestida com algo melhor que uma calça social preta e uma blusa de gola alta creme, que naquele instante reparei que tinha uma mancha de sangue no punho. Escondi-a com o dedo machucado, tentando sorrir.

"Muito bem, então. Para começar, preciso fazer algumas perguntas para Vanessa. Richard, que tal você esperar um pouquinho na recepção?"

Ele virou para mim. "Quer que eu saia?"

Hesitei. Sabia o que ele queria ouvir. Tinha saído do trabalho para me acompanhar. Não seria uma traição ainda maior se eu lhe pedisse para sair e no fim ele descobrisse do mesmo jeito? Talvez a dra. Hoffman fosse obrigada pelo código de ética da profissão a informá-lo, ou então uma enfermeira poderia ler minha ficha e deixar escapar alguma coisa em uma consulta futura.

Era difícil pensar com clareza naquele momento.

"Querida?", insistiu Richard.

"Desculpa. Pode ficar, claro."

As perguntas começaram. A voz da dra. Hoffman era baixa e articulada, mas cada questionamento parecia um tiro na minha direção. *Com que frequência costuma menstruar? Quanto tempo dura o fluxo? Que métodos contraceptivos já usou?* Meu estômago se contraiu com toda a força. Eu sabia aonde aquilo ia chegar.

"Você já teve alguma gestação?", a dra. Hoffman perguntou.

Meus olhos se voltaram para o tapete grosso — era cinza com quadradinhos cor-de-rosa. Comecei a contá-los.

Dava para sentir o peso do olhar de Richard sobre mim. "Não", ele afirmou.

Eu ainda pensava naquela época da minha vida, mas as lembranças permaneciam bloqueadas.

Aquilo era importante.

Eu não podia mentir.

Olhei apenas para a dra. Hoffman. "Já." Minha voz saiu esganiçada, então limpei a garganta. "Eu só tinha vinte e um."

Aquele "só" era uma justificativa dirigida a Richard.

"Você fez um aborto?" Não consegui identificar o sentimento por trás do tom de voz dele.

Olhei para meu marido de novo.

E percebi que não conseguiria revelar toda a verdade.

"Bom, foi um aborto espontâneo." Pigarreei de novo e desviei os olhos. "Eu estava de poucas semanas." Aquela parte, pelo menos, era verdade. Seis semanas.

"Por que não me contou?" Richard se recostou no sofá, afastando-se de mim. Sua expressão era de choque, porém havia alguma coisa a mais. Raiva? Sensação de traição?

"Eu queria... é que... acho que nunca soube como." Era uma resposta das mais inadequadas. Tinha sido muita burrice simplesmente torcer para que ele nunca descobrisse.

"E ia me contar algum dia?"

"Esse tipo de conversa pode fazer certos sentimentos virem à tona", a dra. Hoffman interrompeu. "Querem um tempinho a sós?"

O tom de voz dela era calmo, e a caneta prateada que segurava nos dedos estava parada no ar, como se estivéssemos em uma espécie de interlúdio perfeitamente normal. Mas para mim era difícil acreditar que outras esposas escondiam aquele tipo de segredo dos maridos. E eu sabia que precisaria revelar toda a verdade para a dra. Hoffman em algum momento.

"Não, não. Está tudo bem. Vamos em frente?", Richard falou. Ele sorriu para mim, mas logo em seguida cruzou as pernas e soltou minha mão.

Quando os questionamentos enfim acabaram, a dra. Hoffman fez um exame físico e tirou meu sangue enquanto Richard esperava na recepção, escrevendo e-mails em seu BlackBerry. Antes de sair do consultório, ela pôs a mão no meu ombro e apertou de leve. Pareceu um gesto maternal. Senti um nó na garganta e tentei conter as lágrimas. Ainda queria almoçar com Richard, mas ele falou que tinha adiado a reunião com o cliente para a uma hora da tarde e que precisava voltar para o escritório. Descemos em silêncio no elevador, com alguns desconhecidos, olhando apenas para a frente.

Quando saímos do prédio, olhei para Richard. "Desculpa. Eu deveria ter..."

Ele tinha desligado o celular durante a consulta, mas ele começou a tocar. Richard viu o nome no identificador de chamadas e me deu um beijo no rosto. "Preciso atender. Vejo você em casa, querida."

Enquanto se afastava pela rua, fiquei observando, desejando que virasse com um sorriso ou um aceno. Mas ele simplesmente desapareceu na esquina.

Não era a primeira vez que eu traía Richard, nem seria a última. Tampouco seria a pior traição — nem de longe.

Eu não era a mulher com quem ele imaginava ter se casado.

No intervalo entre uma e outra cliente na Saks, vou tomar um café na sala de descanso. Meu estômago se acalmou, mas uma dorzinha de cabeça chata se instalou. Lisa, uma vendedora do setor de sapatos, está sentada no sofá, comendo um sanduíche. Tem vinte e poucos anos, é loira e muito bonita.

Desvio o olhar.

Um dos podcasts de psicologia que ouço tratou do fenômeno Baader-Meinhof. É quando a pessoa descobre alguma coisa — o nome de uma banda obscura, por exemplo, ou algum macarrão diferente — e essa informação de repente começa a aparecer em toda parte. Também chamam isso de "ilusão de frequência".

Estou cercada de jovens loiras agora.

Quando cheguei ao trabalho de manhã, uma delas estava experimentando um batom no balcão de cosméticos Laura Mercier. Outra estava examinando a seção de roupas da Ralph Lauren. Lisa oferece uma mordida do sanduíche, e vejo a aliança reluzindo em sua mão esquerda.

Richard e a noiva vão se casar depressa. *Ela não pode estar grávida, pode?*, eu me pergunto outra vez. Sinto a respiração acelerar e um conhecido calafrio percorrer meu corpo, mas me obrigo a controlar o pânico.

Preciso vê-la ainda hoje. Preciso ter certeza.

Ela não mora muito longe.

Dá para descobrir um monte de coisas pela internet — desde as mais simples, como se a pessoa comeu burritos no almoço, até a data de seu casamento. Existe gente mais difícil de rastrear. Mas quase sempre é possível determinar o básico: endereço, telefone, local de trabalho.

Os demais detalhes podem ser descobertos através da observação.

Uma noite, quando ainda éramos casados, segui Richard até onde ela morava e fiquei esperando em frente ao prédio. Ele entrou com um buquê de rosas brancas e uma garrafa de vinho.

Eu poderia ter batido na porta, entrado, gritado com Richard, exigido que fosse para casa.

Mas não fiz nada daquilo. Voltei para casa e, algumas horas depois, quando Richard chegou, eu o recebi com um sorriso. "Tem comida. Quer que eu esquente?"

Dizem que a esposa é sempre a última a saber. Mas não foi meu caso. Simplesmente preferi fingir que não vi. Jamais pensei que fosse durar.

Meu arrependimento é uma ferida aberta.

Lisa, a vendedora jovem e bonita, está recolhendo suas coisas às pressas, apesar de não ter acabado o sanduíche. Ela joga o resto no lixo, arriscando um olhar para mim. Sua testa está franzida.

Não faço ideia de há quanto tempo a estou encarando.

Saio da sala de descanso e, durante o restante do turno, cumprimento as clientes com toda a simpatia. Pego roupas para elas. Gesticulo e dou opiniões quando me perguntam sobre o caimento de vestidos e conjuntos.

Enquanto isso, conto os minutos, sabendo que em breve vou satisfazer meu desejo cada vez mais intenso.

Quando enfim posso ir embora, vejo-me atraída de volta para o prédio dela.

Para ela.

9

Nellie se debruçou sobre o vaso, sentindo o estômago se contorcer, depois desabou no chão de mármore do banheiro de Richard.

As imagens da noite anterior começaram a vir à tona: as doses de tequila; os cigarros; o beijo; a expressão no rosto de Richard quando voltavam. Ela não conseguia acreditar que quase sabotara seu futuro com ele.

Do outro lado do banheiro, um espelho de corpo inteiro refletia sua imagem: rímel borrado, purpurina prateada do véu e uma camiseta novinha da Maratona de Nova York, cortesia de Richard.

Ela se esforçou para ficar de pé e pegou uma toalha para limpar a boca, mas hesitou. Eram todas branquinhas, com barrado azul. Como tudo no apartamento de Richard, eram extremamente elegantes. Tudo menos ela, Nellie pensou. Pegou um lenço de papel para usar e depois jogou no vaso. Richard era muito asseado; ela não deixaria um lenço de papel imundo para trás.

Escovou os dentes e lavou o rosto com água gelada, o que o deixou pálido e manchado. Então, apesar da vontade de se esconder sob o edredom luxuoso, ela se preparou para ir atrás dele e escutar o que tivesse para lhe falar.

Em vez do noivo, porém, encontrou uma garrafa de Evian e um frasco com Advil no granito impecável do balcão da cozinha. Mais atrás havia um bilhete em papel timbrado com as iniciais dele: *Não queria acordar você. Fui para Atlanta. Volto amanhã. Melhoras. Te amo. R.*

O relógio do forno marcava onze e quarenta e três. Como podia ter dormido tanto?

E como podia ter se esquecido da viagem de Richard? Nem ao menos se lembrava de ele ter mencionado a ida a Atlanta.

Nellie tomou dois comprimidos com a água ainda gelada e tentou adivinhar o humor de Richard a partir de sua letra grossa e simétrica. As imagens da noite anterior vinham fragmentadas, mas ela se lembrava de ter sido colocada na cama por ele, que saiu do quarto e fechou a porta. Se voltou a deitar com ela, Nellie não percebeu.

Ela pegou o telefone sem fio no balcão e ligou para o celular de Richard, mas a ligação caiu na caixa postal. "Ligo assim que puder", ele prometia.

Ouvir sua voz fez a saudade doer mais.

"Oi, querido." Ela se enrolou com as palavras. "Hã... só queria dizer que te amo."

Nellie voltou para o quarto, passando por algumas fotografias ampliadas penduradas no corredor. Sua favorita era de Richard quando menino, de mãozinha dada com Maureen, na beira do mar. Ela era mais alta que ele. Richard tinha um metro e oitenta, mas só começou a crescer de verdade aos dezesseis anos, segundo contara. A imagem seguinte era um retrato em família. Dava para ver que ele tinha herdado os olhos penetrantes da mãe e os lábios cheios do pai. A última era uma foto em preto e branco dos pais no dia do casamento.

O fato de decorar as paredes com imagens da família dizia muito sobre Richard, pois eram aqueles os rostos que ele queria ver todos os dias. Nellie desejou que os pais dele estivessem vivos, mas pelo menos Richard tinha a irmã. Ela conheceria Maureen no dia seguinte, em um dos restaurantes favoritos de Richard.

Seu devaneio foi interrompido pelo toque do telefone fixo. *Richard*, ela pensou, sentindo uma onda de alegria a invadir enquanto corria para a cozinha e pegava o aparelho.

Mas a voz do outro lado da linha era feminina. "Richard está?"

"Hã, não." Nellie hesitou. "É a Maureen?"

Silêncio. E então a mulher respondeu: "Não. Eu ligo mais tarde". E desligou.

Quem ligaria para Richard em um domingo e não deixaria recado?

Hesitante, Nellie verificou o identificador de chamadas, mas não indicava nada.

Ela já havia visitado o apartamento de Richard muitas vezes, mas era a primeira vez que ficava lá sozinha.

Atrás dela, na sala de estar, janelas que iam do chão ao teto proporcionavam uma vista incrível do Central Park, além de vários outros prédios residenciais. Ela se aproximou e olhou para fora, observando os demais apartamentos. A maioria estava às escuras, ou escondida por persianas e cortinas. Mas em outros não havia nada cobrindo as janelas.

De determinados ângulos, era possível ver os contornos de móveis ou pessoas.

Aquilo significava que daqueles prédios também era possível ver o apartamento de Richard.

Nellie já o tinha visto fechar as persianas certa noite — por meio de um sistema eletrônico complicado que controlava também as luzes do apartamento. Ela apertou um botão e as luzes se apagaram. O dia estava tão nublado que o apartamento foi engolido pelas sombras.

Nellie apertou o botão outra vez e as lâmpadas se acenderam. Ela respirou fundo e tentou outro botão. Acertou, e as persianas desceram sobre as janelas. Ainda que o prédio tivesse porteiro, Nellie foi até a porta verificar se estava trancada. Tudo certo. Richard nunca ia deixá-la desprotegida, por mais irritado que estivesse, ela pensou.

Nellie tomou um banho, passando o sabonete cítrico da L'Occitane no corpo todo e lavando os cabelos para tirar o cheiro de cigarro. Ela jogou a cabeça para trás e fechou os olhos para enxaguar, depois fechou o chuveiro e vestiu o roupão de Richard, sem parar de pensar naquela voz suave ao telefone.

A mulher não tinha um sotaque discernível. Era impossível estimar sua idade.

Nellie abriu o armarinho do banheiro de Richard, penteou os cabelos molhados, passou gel e os prendeu em um rabo de cavalo. Vestiu a roupa de ginástica que guardava no apartamento, já que às vezes usava a academia de lá, e dobrou a blusinha e a calça de couro, que estavam enroladas ao pé da cama. Enfiou seus pertences na bolsa e saiu, sacudindo a porta para se certificar de que estava trancada.

Enquanto se dirigia ao elevador, a sra. Keene, vizinha de Richard, saiu, levando pela coleira um bichon frisé. Sempre que cruzava com ela no saguão, Richard fingia que precisava recolher a correspondência ou procurava outra desculpa para evitá-la. "Ela não para de falar", ele alertara.

Nellie achava que a mulher devia se sentir muito sozinha, por isso abriu um sorriso e apertou o botão do elevador.

"Eu bem que vinha me perguntando por onde você andava, querida!"

"Ah, eu vim alguns dias atrás", Nellie respondeu.

"Bom, da próxima vez, toca na minha casa para tomar um chá."

"Seu cachorro é uma gracinha." Nellie fez um carinho rápido nos pelos brancos e bufantes. A sra. Keene e o cachorro pareciam frequentar o mesmo cabeleireiro, Nellie pensou.

"O sr. Fluffles gosta de você. Então, onde está sua cara-metade?"

"Richard precisou ir a Atlanta a trabalho."

"A trabalho? Domingo?" O cachorro cheirou o pé de Nellie. "Ele é tão ocupado, né? Está sempre correndo para o aeroporto. Já me ofereci para cuidar da casa quando está fora, mas ele falou que não quer dar trabalho... Então, para onde está indo?"

Solitária e fofoqueira, Nellie pensou. O elevador chegou, e ela segurou a porta com o antebraço para que a sra. Keene e o cachorro entrassem em segurança.

"Vou trabalhar também. Sou professora e preciso esvaziar a sala."

A formatura era no dia seguinte. Apesar de geralmente os professores arrumarem as salas depois que os alunos iam embora, Nellie precisava fazer aquilo antes, porque ia para a Flórida no fim da semana.

A sra. Keene assentiu. "Que graça. Fico feliz que Richard tenha encontrado uma moça tão boazinha. A anterior não era das mais agradáveis."

"Ah, é?"

A sra. Keene chegou mais perto. "Eu a vi conversando com Mike, o porteiro, na semana passada mesmo. Estava toda agitada."

"Ela veio aqui?" Richard não tinha mencionado aquilo.

O brilho nos olhos da sra. Keene revelou para Nellie que adorava ser a portadora da notícia. "Ah, sim. E entregou uma sacola para Mike. Da Tiffany, deu para ver por causa do tom de azul. Ela pediu que devolvesse ao Richard."

A porta do elevador se abriu de novo, e o cachorro da sra. Keene saltou para a frente, porque outra vizinha tinha acabado de entrar no prédio com um pug.

Nellie saiu para o saguão, que parecia uma pequena galeria de arte — uma orquídea decorava a mesa de vidro entre os sofás de encosto baixo e nas paredes creme havia diversas pinturas abstratas. Frank, o porteiro de domingo com sotaque pesado do Bronx, a cumprimentou. Ele era seu favorito entre os homens de luvas brancas que cuidavam da segurança daquele prédio do Upper East Side.

"Oi, Frank", Nellie falou, aliviada por ver seu sorriso largo, com uma falha nos dentes da frente. Ela deu uma olhada rápida para a sra. Keene, que já estava em uma conversa animada com outra vizinha. Parecia que a ex de Richard tinha simplesmente devolvido algo que ele lhe dera, e que os dois nem tinham se visto. Quem sabia o que podia haver naquela sacola? Era óbvio que a separação dos dois não havia sido amigável.

Como muitas outras, Nellie disse a si mesma. Mesmo assim, estava abalada.

Frank deu uma piscadinha e apontou para fora. "Parece que vai chover. Tem guarda-chuva?"

"Tenho três. Lá no apartamento."

Ele deu risada. "Aqui, leva emprestado." Ele pegou um no suporte metálico perto da porta.

"Você é o melhor." Ela estendeu a mão para pegar o guarda-chuva. "Prometo que devolvo direitinho."

Nellie notou que ele deu uma espiada em sua aliança, mas em seguida desviou o olhar. O porteiro sabia sobre o noivado, mas Nellie costumava virar o diamante para baixo, para que não chamasse a atenção quando andava pela rua. Tinha sido sugestão de Richard, lembrando que todo cuidado era pouco.

"Obrigada", ela disse a Frank, sentindo o rosto ficar vermelho. Parecia uma ostentação desnecessária usar algo que provavelmente valia o equivalente ao salário de um ano dele — e *dela*, aliás.

Nellie se perguntou se a ex de Richard morava perto. Talvez estivesse apenas passando por ali.

Ela só percebeu que estava tocando o botão de acionamento quando o guarda-chuva abriu de repente. A voz de seu pai ressoou em sua mente: *Não abra o guarda-chuva dentro de casa. Dá azar.*

"Vê se não se molha", Frank falou quando Nellie saiu sob o céu cinza e fechado.

Sam estava com o camisetão que usava para dormir, com os dizeres QUE BELA BAGUNÇA na parte da frente.

Nellie sacudiu no ar o saco de papel contendo sanduíches de bagel com semente de papoula, ovo, cheddar, bacon e ketchup — seu remédio favorito para a ressaca. "Boa tarde, dorminhoca."

As sandálias que Sam usara na noite anterior estavam largadas diante da porta, em seguida vinha sua bolsa e, por fim, a minissaia. "O rastro de Sam", Nellie brincou.

"Oi." Ela serviu café, mas não se virou para encará-la. "O que aconteceu ontem à noite?"

"Fui para a casa do Richard. Exagerei na tequila."

"É, a Marnie falou que ele apareceu." O tom de voz de Sam estava bem seco. "Que bom que você pelo menos se despediu."

"Eu..." Nellie caiu no choro. Ela havia deixado a amiga chateada também.

Sam virou para ela. "Ei. O que foi?"

Nellie sacudiu a cabeça. "Tudo." Ela suprimiu um soluço. "Desculpa não ter avisado que estava indo embora..."

"Tudo bem. Mas confesso que fiquei puta, principalmente depois de você ter chegado atrasada no jantar."

"Eu não queria ir embora, Sam, mas... eu beijei o Nick."

"Eu sei. Eu vi."

"Pois é, o Richard também viu." Nellie enxugou os olhos com um lenço de papel. "Ele ficou muito chateado..."

"Está tudo resolvido?"

"Mais ou menos. Ele precisou ir para Atlanta hoje de manhã, então não deu para conversar... Mas uma mulher ligou hoje de manhã, quando eu estava sozinha no apartamento. Não quis dizer quem era. E depois a vizinha do Richard contou que a ex dele foi lá na semana passada."

"Quê? Ele ainda fala com ela?"

"Não", Nellie se apressou em dizer. "Ela só foi devolver uma coisa. Deixou com o porteiro."

Sam deu de ombros. "Não parece nada de mais."

Nellie ficou hesitante. "Mas eles terminaram meses atrás. Por que ela só está devolvendo agora?" Nellie não sabia se revelava para Sam que desconfiava que o item em questão era um presente de Richard. E, se era da Tiffany, tinha sido caro.

Sam tomou um gole de café e entregou a caneca para Nellie, que fez o mesmo. "Por que não pergunta para Richard?"

"Acho... Na verdade, sinto que isso não deveria me incomodar."

"Ah." Sam deu uma mordida no sanduíche. Nellie sentiu seu estômago revirar ao desembrulhar o seu. A fome tinha desaparecido.

"Pensei que ela estivesse totalmente fora da jogada. Sei que não tem nada a ver, mas esses telefonemas esquisitos que eu venho recebendo..."

"Será que é ela?"

"Não sei", murmurou Nellie. "Mas não é coincidência demais ter começado depois que fiquei noiva do Richard?"

Sam não parecia ter uma resposta para aquilo.

"E hoje de manhã, quando atendi, só escutei a respiração do outro lado da linha. Foi igual às outras ligações. Aí uma mulher perguntou sobre o Richard, então... Sei que parece loucura quando digo em voz alta."

Sam pôs o bagel de lado e deu um abraço em Nellie. "Você não está louca, mas precisa conversar com Richard. Eles ficaram um tempão juntos, né? Não acha que deve saber mais a respeito dessa parte da vida dele?"

"Já tentei."

"Não é certo ele se fechar desse jeito."

"Ele é homem, Sam. Não sente necessidade de conversar sobre tudo, que nem a gente." *Que nem você*, Nellie pensou.

"Acho que isso é uma coisa bem importante."

Nellie deixou passar a alfinetada. As duas quase nunca discutiam. "Ele só me disse que os dois se afastaram. Acontece, né?"

Mas Richard dissera mais uma coisa, que parecia ser especialmente relevante agora.

Ela não era quem eu pensava que fosse.

Aquelas foram suas palavras exatas. Nellie ficara assustada ao ver a expressão de desgosto com que Richard as pronunciara.

Sam com certeza teria muito a dizer sobre aquilo.

Mas ela estava com a mesma expressão indecifrável de quando Nellie contara a respeito da casa que Richard tinha comprado. E no dia em que chegara em casa com uma aliança de noivado.

"Você tem razão", Nellie falou, com um tom de voz suave. "Preciso insistir."

Dava para ver que Sam não considerava o assunto encerrado, mas Nellie era bem protetora em relação a Richard. Queria que a amiga a tranquilizasse em relação à ex de Richard, não que apontasse as falhas de seu relacionamento.

Nellie pegou algumas sacolas vazias que estavam enfiadas no espacinho entre a geladeira e a parede. "Preciso correr para a escola. Tenho que esvaziar minha sala. Quer vir?"

"Estou quebrada. Acho que vou tirar um cochilo."

As coisas não estavam normais entre elas.

"Mais uma vez, desculpa pela mancada. A festa foi ótima." Nellie deu uma ombrada de leve na amiga. "Ei, você vai ficar em casa à noite? A gente pode fazer limpeza de pele e assistir a *Um lugar chamado Notting Hill*. E pedir comida chinesa. Eu pago..."

Sam ainda estava com aquela cara, mas aceitou o pedido tácito de trégua. "Claro. Vai ser divertido."

Como *seria* a ex de Richard?

Magra e elegante, Nellie pensou enquanto se se dirigia à escola. Talvez gostasse de música clássica e soubesse identificar as principais notas em um vinho. Nellie era capaz de apostar que sabia pronunciar *charcuterie* com desenvoltura, ao contrário dela, que precisara apontar no menu uma vez.

Ela tocara no assunto assim que conhecera Richard, curiosa a respeito da mulher com quem costumava compartilhar a vida. Eles estavam dividindo o *New York Times* em um domingo de manhã, depois de fazer amor e tomar banho juntos. Nellie tinha usado a escova de dente extra que Richard comprara e vestia uma camiseta que deixara lá em uma visita anterior. Aquilo a fizera pensar no motivo de não haver nenhum vestígio da ex no apartamento. Eles tinham passado anos juntos, mas nem um simples elástico de cabelo tinha sido esquecido no gabinete da pia do banheiro, ou uma lata de chá no fundo da despensa, ou uma almofada no sofá.

O apartamento era totalmente masculino. Era como se uma ex nunca tivesse passado por lá.

"Eu estava pensando... Nunca falamos da sua ex. Qual foi o motivo da separação?"

"Não teve um motivo em particular." Richard encolhera os ombros, virando uma página do caderno de negócios. "A gente foi se afastando..."

Naquela ocasião ele dissera a frase que não saía da cabeça de Nellie: *Ela não era quem eu pensava que fosse.*

"Bom, como foi que vocês se conheceram?" Nellie afastara o jornal que ele estava lendo com um gesto brincalhão.

"Ah, amor. Estou com você agora. Não quero ficar falando sobre *ela*." Suas palavras tinham sido suaves, mas seu tom de voz não.

"Desculpa... Só queria saber."

Ela nunca mais tocara no assunto. Afinal, havia coisas de seu próprio passado que não queria discutir com Richard.

Enquanto abria o trinco do portão do parquinho para entrar na escola, Nellie imaginou que ele já tinha pousado em Atlanta àquela altura. Poderia estar em uma reunião, ou então sozinho em um quarto de hotel. Será que estava sendo consumido por imagens do ex dela, assim como ela estava pensando na ex dele?

Nem conseguia imaginar como seria devastador ver Richard beijando outra mulher. Nellie se perguntou se ele estaria imaginando que ela também era uma pessoa diferente daquela que pensava.

Ela pegou o celular para ligar para Richard, mas se interrompeu. Já tinha deixado uma mensagem, e não podia questioná-lo a respeito da ex. Ele merecia sua confiança, e ela havia abalado a dele.

"Olá!"

Ela ergueu os olhos e viu o monitor do grupo de jovens da igreja abrindo a porta. "Obrigada", Nellie disse, apertando o passo, e abriu um sorriso para compensar o fato de que não se lembrava do nome dele.

"Eu já ia trancar tudo. Não imaginei que alguém fosse vir em um domingo."

"Pensei em começar a esvaziar minha sala."

Ele assentiu e olhou para cima. Nuvens pesadas e baixas cobriam o sol. "Parece que você escapou da chuva por pouco", ele disse em um tom alegre.

Nellie se dirigiu para o porão, acendendo as luzes enquanto descia a escada. Queria ter ido direto do apartamento de Richard, quando a igreja estaria cheia de paroquianos. Não quando tudo estava vazio.

Ao entrar na classe, ela quase pisou em uma coroa de papel. Nellie se agachou para recolher e alisou os amassados. O nome de Brianna havia sido escrito a duras penas na parte de dentro, como Nellie ensinara. "Não esquece que o B tem duas barrigas viradas para a frente", ela dizia quando a garotinha fazia a letra ao contrário. Brianna ficara orgulhosíssima quando conseguira acertar.

Os alunos tinham feito as coroas para usar durante a cerimônia de formatura. Eles ficariam em fila atrás de uma cortina até Nellie pôr a mão nos ombrinhos de cada um e dizer "Pode ir". Em seguida atravessariam um corredor no meio dos pais, que aplaudiriam de pé e tirariam fotos.

Brianna ficara chateada de ter perdido a sua; passara um bom tempo colando adesivos para enfeitá-la, e usara um tubo de cola quase inteiro para pôr pompons coloridos nela. Nellie ligaria para os pais de Brianna avisando que a havia encontrado.

Ela guardou a coroa e ficou em pé naquele cômodo estranhamente silencioso.

A sala de aula era modesta, com brinquedos simples se comparados aos que as crianças tinham em casa, mas era ali que os alunos se reuniam todas as manhãs, depois que as lancheiras eram guardadas nos escaninhos e os casacos eram pendurados nos cabides. A melhor parte do dia para Nellie era quando as crianças precisavam explicar para o resto da classe algum objeto que tivessem levado. Era previsivelmente imprevisível. Uma vez Annie levara o que acreditava ser um frisbee em miniatura, que encontrara no armarinho do banheiro. Nellie teve que devolver o diafragma à mãe dela na hora da saída. "Pelo menos não foi o vibrador", a mulher brincou, ganhando de imediato a simpatia de Nellie. Em outra ocasião, Lucas abriu a lancheira e revelou um hamster vivo lá dentro, que no mesmo segundo aproveitou a chance e deu um salto para a liberdade. Nellie só encontrou o bichinho dois dias depois.

Ela não tinha imaginado que esvaziar aquela sala doeria tanto.

Começou a tirar das paredes as borboletas de cartolina que as crianças haviam feito, guardando-as nas pastas que entregaria a cada uma. Nellie fez uma careta quando a ponta de uma delas cortou seu dedo indicador.

"Porcaria." Ela não soltava um bom palavrão fazia anos, desde que dera um susto no pequeno David Conelly e tivera que se virar para fazê-lo acreditar que ouvira mal. Nellie levou o dedo à boca e pegou um band-aid da Vila Sésamo no armário.

Quando o estava colocando, ouviu um barulho no corredor.

"Olá?", ela gritou.

Não houve resposta.

Foi até a porta e olhou para fora. O corredor estreito estava vazio, com o piso de linóleo refletindo as luzes acesas. As outras salas de aula estavam às escuras e fechadas. As estruturas da igreja antiga se manifestavam de vez em quando; devia ter sido um estalo da madeira do assoalho.

Na ausência de risos e caos, a escola parecia sem vida.

Nellie pegou a bolsa e puxou o celular. Richard ainda não tinha ligado. Ela hesitou, mas acabou escrevendo para ele: *Estou sozinha na escola... Me liga se puder.*

Sam sabia que ela havia ido para a escola, mas estava dormindo. Nellie só ia se sentir melhor se Richard soubesse também.

Quando ia guardar o celular na bolsa, decidiu prendê-lo no elástico da calça de lycra. Olhou para o corredor outra vez e ficou escutando um tempão.

Continuou a retirar os trabalhos de artes das paredes, trabalhando depressa, até que não houvesse mais nada pendurado. Em seguida tirou de um cavalete a programação de atividades impressa em letras grandes. Depois foi a vez do calendário do quadro de avisos, onde cartelas fixadas com velcro indicavam as condições do tempo de cada dia da semana. A sexta-feira ainda estava marcada com um sol sorridente.

Nellie olhou pela janela. As primeiras gotas de chuva começaram a cair.

Ela quase não percebeu a mulher de pé atrás do portão.

Um trepa-trepa grande obstruía parcialmente sua visão. Nellie viu apenas uma capa de chuva bege e um guarda-chuva verde, que escondia seu rosto. Cabelos castanhos compridos balançavam ao vento.

Talvez fosse alguém passeando com o cachorro.

Ela esticou o pescoço para tentar um ângulo melhor. Não havia cachorro nenhum.

Seria uma mãe querendo conhecer a escola?

Mas não faria sentido aparecer em um domingo, quando estava fechada.

Podia ser uma freira... mas a missa tinha acabado horas antes.

Nellie pegou o celular e aproximou o rosto da janela. A mulher de repente se moveu, afastando-se às pressas, misturando-se às árvores. Ela a viu perto das três lápides, indo na direção da outra entrada da igreja.

Às vezes aquela porta era mantida aberta com um tijolo, quando havia atividades noturnas programadas, como uma reunião dos Alcoólicos Anônimos.

Alguma coisa na maneira como ela se virou e se afastou de forma abrupta fez com que Nellie se lembrasse da mulher que a fizera derrubar a bolsa no banheiro no dia da reunião de pais.

Não ficaria por lá nem mais um minuto. Apanhou suas coisas, deixando papéis espalhados pela mesa, e tomou o caminho da porta. O celular vibrou em sua mão, e ela teve um sobressalto. Era Richard.

"Que bom que ligou", Nellie falou, ofegante.

"Está tudo bem? Você está estranha."

"Estou sozinha aqui na escola."

"Pois é, você me falou na mensagem. As portas da igreja estão trancadas?"

"Não sei, mas estou indo embora agora." Nellie subiu a escada às pressas. "Está meio assustador aqui."

"Não precisa ter medo, amor. Vou ficar conversando com você pelo telefone."

Ela olhou para trás antes de sair, então diminuiu o passo e recobrou o fôlego. No fim do quarteirão, abriu o guarda-chuva e foi andando até uma rua mais movimentada. Agora que estava do lado de fora, via que sua reação tinha sido exagerada.

"Estou morrendo de saudade. E me sentindo péssima por causa de ontem à noite."

"Então, fiquei pensando a respeito, e vi mesmo que você empurrou o cara. Sei que me ama." Ele era mesmo bom demais para ser verdade.

"Queria estar com você hoje." Preferia que Richard não soubesse que havia se esquecido da viagem. "Depois da formatura, sou toda sua."

"Não faz ideia de como isso me deixa feliz." A voz dele emanava segurança.

Naquele momento, Nellie decidiu que não continuaria lecionando. Viajaria com Richard no início do ano letivo seguinte. Mas ainda conviveria com crianças, que eram como filhos para ela.

"Preciso voltar à conversa com o cliente. Já está se sentindo melhor?"

"Muito."

Então Richard disse as palavras que a acompanhariam para sempre:

"Mesmo quando não estou presente, estou sempre com você."

10

Ela mora em uma rua cheia de vida. Nova York tem centenas de quarteirões como esse — não luxuosos, tampouco dominados pela pobreza, em algum lugar no meio do caminho entre os dois extremos.

O que me lembra do bairro em que eu morava quando conheci Richard.

Apesar da chuva pesada que acabou de cair, tem gente suficiente na rua para que minha presença não chame a atenção. Perto da lanchonete da esquina há um ponto de ônibus, e duas portas adiante do prédio dela funciona um pequeno salão de beleza. Uma mulher caminha, carregando três sacolas de compras. O entregador de um restaurante chinês passa de bicicleta por uma poça d'água e me molha um pouco, deixando como rastro o cheiro das refeições que transporta. Em outros tempos, meu estômago se sentiria tentado pelos aromas suculentos de arroz frito com frango ou camarão agridoce.

Fico me perguntando se ela conhece bem os vizinhos.

Já pode ter batido na porta do apartamento de cima com uma encomenda na mão, entregue em sua porta por engano. Talvez compre frutas e pão na mercearia, onde quem fica no caixa é o próprio dono, que a cumprimenta pelo nome.

Quem vai reparar em sua ausência caso desapareça?

Estou disposta a esperar bastante. Não tenho mais apetite. Meu corpo não sente calor nem frio. Não preciso de nada. Em pouco tempo — ou pelo menos o que me pareceu ser pouco tempo —, sinto meu pulso disparar e minha respiração ficar acelerada quando ela vira a esquina.

Está carregando uma sacola. Estreito os olhos e vejo o logo do Chop't, um lugar que faz saladas para viagem. A sacola balança enquanto ela caminha, no mesmo ritmo do rabo de cavalo.

Um cocker spaniel passa correndo à sua frente, e ela detém o passo para não tropeçar na guia. O dono puxa o cachorro para mais perto, e vejo que ela faz um aceno e diz alguma coisa antes de se agachar e acariciar a cabeça do animal.

Ela sabe o que Richard acha de cachorros?

Estou com o celular colado à orelha, o corpo curvado para me esconder, o guarda-chuva inclinado para cobrir o rosto. Ela continua vindo na minha direção, e eu a observo bem. Está de calça de ginástica e camiseta larga, com uma jaqueta amarrada na cintura. Saladinha e exercícios; deve estar se esforçando para ficar magra para o casamento. Ela para na frente do prédio, enfia a mão na bolsa e, instantes depois, desaparece lá dentro.

Largo o guarda-chuva e massageio a testa, tentando pôr ordem nos meus pensamentos. Digo a mim mesma que estou sendo louca. Mesmo se estiver grávida — o que não acredito que seja possível —, é provável que a barriga ainda não esteja evidente.

Então o que estou fazendo aqui?

Fico olhando para a porta fechada. O que eu diria se batesse na porta e ela atendesse? Poderia implorar para que cancelasse o casamento. Poderia avisar que vai se arrepender, que ele me traiu e vai fazer a mesma coisa com ela — mas talvez batesse a porta na minha cara e ligasse para Richard imediatamente.

Não quero que ele saiba que eu a segui.

Ela pensa que está a salvo agora. Fico imaginando que está enxaguando o recipiente em que veio a salada e colocando no lixo reciclável, passando um creme no rosto, talvez ligando para os pais para conversar sobre detalhes do casamento.

Ainda tenho algum tempo. Não posso ser impulsiva.

É uma longa caminhada para voltar para casa. Viro a esquina e refaço os passos dela. Um quarteirão depois, passo em frente ao Chop't e decido entrar. Examino o menu e tento adivinhar o que ela poderia querer, para pedir a mesma coisa.

Quando minha salada vem — em uma tigela plástica, dentro de um saco de papel, com um garfo e um guardanapo —, abro um sorriso e agradeço à balconista. Seus dedos roçam os meus, e fico me perguntando se ela também serviu minha substituta.

Antes mesmo de sair pela porta, sinto o apetite chegar com toda a força. Todos os jantares que deixei de fazer para dormir, todos os cafés da manhã que pulei, todos os almoços que joguei no lixo — tudo converge em um desejo quase selvagem de preencher o vazio dentro de mim.

Vou até o balcão onde ficam as banquetas, mas não aguento esperar até encontrar um lugar.

Com os dedos trêmulos, abro a embalagem e começo a devorar a comida, segurando a tigela bem perto do queixo para não derramar nada, devorando as verduras pungentes, pescando os pedacinhos de ovo cozido e tomate com o garfo.

Sinto-me enjoada quando dou a última garfada, com o estômago dilatado. Mas continuo vazia como sempre por dentro.

Jogo a embalagem no lixo e começo a caminhada para casa.

Quando entro no apartamento, vejo tia Charlotte esparramada no sofá, com a cabeça apoiada em uma almofada e os olhos cobertos. Em geral, nos domingos à noite, ela coordena uma turma de arteterapia em Bellevue; não me lembro de ter perdido uma aula.

E nunca a vi tirando um cochilo.

Uma preocupação me invade.

Ela levanta a cabeça ao ouvir a porta se fechando e descobre os olhos. Sem os óculos, suas feições ficam ainda mais delicadas.

"Está tudo bem?" Reconheço a ironia da situação: minhas palavras ecoam o que ela vem me repetindo desde que um táxi me deixou na calçada em frente ao prédio com três malas atrás de mim.

"É só uma dor de cabeça, mas está de matar." Ela se agarra no braço do sofá para ficar de pé. "Exagerei na dose hoje. Dá uma olhada na sala. Acho que arrumei uns vinte anos de bagunça depois que a mulher do retrato foi embora."

Ela ainda está usando as roupas de trabalho — calça jeans e uma camisa azul que era do marido. O tecido está bem puído, além das camadas e camadas de respingos de tinta. É uma obra de arte por si só, uma história visual da vida criativa dela.

"Você está doente." As palavras parecem sair à minha revelia. Pareço em pânico.

Tia Charlotte vem até mim e põe as mãos nos meus ombros. Somos quase da mesma altura, então ela consegue me olhar bem nos olhos. Suas íris castanhas parecem desbotadas pela idade, mas demonstram a mesma vivacidade de sempre.

"Não estou."

Ela não é do tipo que se esquiva de conversas difíceis. Quando eu era mais nova, foi capaz de explicar os problemas psicológicos da minha mãe em termos simples e sinceros, de um jeito que eu consegui entender.

Apesar de não acreditar, pergunto: "Promete?". Sinto um nó na garganta. Não posso perdê-la. Ela não.

"Prometo. Vou continuar por aqui, Vanessa."

Ela me abraça e sinto os cheiros que me mantiveram presa ao chão quando criança: o óleo de linhaça, a essência de lavanda.

"Você comeu? Eu ia preparar alguma coisa agora mesmo..."

"Ainda não", minto. "Mas pode deixar que eu preparo o jantar. Estou com vontade de cozinhar."

Talvez seja por culpa minha que ela está tão exausta; talvez eu tenha exigido demais dela.

Tia Charlotte esfrega os olhos. "Seria ótimo."

Ela vai comigo para a cozinha e se senta em uma banqueta. Encontro filés de frango, manteiga e cogumelos na geladeira e começo a grelhar a carne.

"Como está indo o retrato?" Sirvo um copo de água com gás.

"Ela dormiu durante a sessão."

"Sério? Pelada?"

"Para nova-iorquinos superocupados, o processo às vezes pode ser bem relaxante."

Enquanto preparo um molho de limão, tia Charlotte se aproxima do fogão e respira fundo. "O cheiro está ótimo. Você é uma cozinheira bem mais organizada que sua mãe."

Paro de lavar a tábua de corte.

Estou tão acostumada a esconder o que sinto que para mim é fácil abrir um sorriso e emendar um bate-papo com tia Charlotte. Mas as lembranças estão impregnadas em tudo, como sempre — no vinho branco que despejo no molho, nas verduras que ponho de lado para pegar os cogumelos na gaveta da geladeira. Apesar disso, mantenho uma conversa leve, afastando os pensamentos que borbulham na minha mente, como um cisne cujos pés inquietos ficam escondidos enquanto o restante do corpo flutua sobre a água.

"Minha mãe era um terremoto", digo, conseguindo até abrir um sorriso. "Lembra que a pia ficava sempre cheia de panelas e frigideiras, e o balcão todo sujo de azeite e farelo de pão? E o chão, então? Minhas meias quase ficavam grudadas no piso. Ela não era do tipo que achava que precisava manter a cozinha em ordem para poder cozinhar." Ponho uma tigela de cerâmica no balcão e pego uma cebola. "Mas a comida era ótima."

Em seus melhores dias, minha mãe criava refeições elaboradas com três pratos diferentes. Nas prateleiras havia livros bastantes manuseados de Julia Child, Marcella Hazan e Pierre Franey, que ela devorava com a mesma avidez com que eu lia as histórias de Judy Blume.

"Você devia ser a única menina do quinto ano que comia *boeuf bourguignon* e torta de limão caseira em uma terça-feira à noite", comenta tia Charlotte.

Viro os peitos de frango, que estalam na frigideira quente. Consigo até ver minha mãe agora, com os cabelos bagunçados pelo vapor do fogão, colocando panelas no fogo, espremendo alho, cantando a plenos pulmões. "Vem, Vanessa!", ela dizia quando me via. Em seguida dançava um pouco comigo e jogava sal na panela. "Nunca siga uma receita ao pé da letra", ela falava. "Acrescente seu toque pessoal."

Eu sabia que logo depois ela desmoronaria, que sua energia ia se esgotar por completo. Mas havia algo de maravilhoso em seus momentos de liberdade, em sua alegria tempestuosa e sem filtros, apesar de ser responsável por momentos de pavor da minha infância.

"Ela era uma figura", continua tia Charlotte, apoiando o cotovelo no balcão de lajotas azuis para segurar o queixo com a mão.

"Era mesmo." Fico contente por minha mãe ainda estar viva na época em que me casei, e em certo sentido me sinto grata por não ter visto como tudo terminou.

"Você também gosta de cozinhar?" Tia Charlotte me olha com atenção, quase como se me examinasse. "Vocês são tão parecidas. Às vezes, quando escuto sua voz, parece que é ela quem está no quarto ao lado..."

Fico me perguntando se ela não tem outra dúvida em mente. O quadro da minha mãe se agravou depois dos trinta. Mais ou menos a idade que tenho hoje.

Enquanto estava casada, eu me afastei de tia Charlotte. A culpa foi toda minha. Estava em uma condição ainda pior que a da minha mãe, e sabia que ela não tinha como me ajudar. Não havia mais como. A jovem animada e esperançosa que eu era quando casei é uma pessoa quase irreconhecível para mim agora.

Ela foi para o fundo do poço, foi o que Hillary falou sobre mim. E era verdade.

Fico me perguntando se minha mãe também era tomada por pensamentos obsessivos durante suas crises. Sempre imaginei sua mente como uma tela em branco — um mecanismo desligado — quando ela caía de cama. Mas isso não tenho como saber.

Prefiro responder a uma pergunta mais simples. "Não me importo de cozinhar."

Detesto, penso enquanto pico a cebola com gestos precisos.

Quando casamos, eu era um zero à esquerda na cozinha. Meus jantares de solteira se resumiam a comida chinesa comprada ou, caso a balança estivesse reclamando, comida congelada com baixo teor de gordura. Em algumas noites nem jantava, só comia umas bolachinhas com queijo e bebia uma taça de vinho.

Mesmo assim, havia uma espécie de acordo tácito de que eu cozinharia para Richard todas as noites quando nos casássemos. Como não trabalharia, parecia bem razoável. Eu alternava entre frango, carne, carneiro e peixe. Não eram refeições muito elaboradas — uma proteína, um carboidrato, uma verdura ou um legume —, mas Richard apreciava meus esforços.

No dia da minha primeira visita à dra. Hoffman — quando Richard ficou sabendo que eu tinha engravidado na faculdade —, fiz minha primeira tentativa de preparar algo especial para ele.

Queria tentar aliviar a tensão, e sabia que Richard adorava comida indiana. Então, depois que saí do consultório, procurei a receita menos complicada possível de vindaloo de carneiro.

É engraçado como alguns detalhes ficam guardados na memória, como o fato de que a rodinha do meu carrinho de compras estava quebrada, chiando toda vez que eu virava em um corredor. Perambulando pelo mercado em busca de cominho e coentro, tentava esquecer a expressão no rosto de Richard ao ficar sabendo que eu já tinha engravidado.

Eu tinha ligado para dizer que o amava, mas ele não atendeu. Sua decepção — pior, sua desilusão — doía em mim mais que qualquer briga que pudéssemos ter. Richard não gritava. Quando ficava nervoso, ele se fechava até recobrar o controle. Não costumava demorar muito, mas fiquei com medo de ter ido longe demais daquela vez.

Lembro o caminho de volta para casa, pelas ruas vazias, dirigindo a Mercedes novinha que ele comprara para mim, passando diante de casas em estilo colonial construídas pela mesma empreiteira que a nossa. De tempos em tempos passava por uma babá com uma criança. Eu não tinha uma única amiga no bairro.

Quando comecei a cozinhar, estava esperançosa. Cortei a carne de carneiro em pedaços simétricos, seguindo a receita com toda a atenção. Eu me lembro da luz do sol entrando pelas janelas altas da sala de estar, como acontecia todo fim de tarde. Peguei meu iPod e coloquei uma música dos Beatles. "Back in the U.S.S.R." começou a tocar pelos alto-falantes. John, Paul, George e Ringo sempre elevavam meu astral, porque meu pai costumava pôr para tocar no velho sedã da família, quando me levava ao cinema ou à sorveteria durante as crises mais leves da minha mãe, que só duravam um dia e não exigiam a presença de tia Charlotte.

Deixei a imaginação correr, pensando que, depois de servir o prato favorito de Richard, íamos conversar agarradinhos na cama. Talvez minha revelação nos aproximasse. Eu diria o quanto estava arrependida de não ter contado, que gostaria de poder apagar tudo o que acontecera e recomeçar.

Então lá estava eu, na minha cozinha impecável, equipada com facas Wüsthof e panelas Calphalon, preparando o jantar do meu marido. Feliz, acho, mas não sei se não é só minha memória tentando me enganar. Me iludindo. Todos acrescentamos camadas às nossas recordações; filtros através dos quais queremos examinar nossas vidas.

Tentei seguir a receita com exatidão, mas não tinha comprado feno-grego, porque não fazia ideia do que era. Quando chegou a hora de acrescentar erva-doce, não consegui encontrar, apesar de ser capaz de jurar que tinha colocado no carrinho. A frágil paz emocional que tentei construir começou a desmoronar. Eu, que tinha tudo na vida, não conseguia nem fazer um jantar decente.

Quando abri a geladeira para guardar o leite de coco, vi uma garrafa de chablis pela metade e hesitei.

Richard e eu concordamos que eu precisava parar de beber, mas alguns goles não fariam mal. Servi meia taça. Tinha até me esquecido de como era bom sentir aquele gosto fresco na língua.

Peguei no armário de carvalho da sala de jantar o jogo americano de linho azul com guardanapos combinando. Busquei os pratos que tínhamos ganhado de presente de casamento de Hillary e George. Assim que nos casamos, precisei consultar um site de etiqueta para aprender a pôr a mesa como se deve. Apesar das refeições extravagantes da minha mãe, ela nunca se preocupou com formalidades; às vezes, quando não lavava a louça, comíamos em pratos descartáveis.

Pus um candelabro no centro da mesa e escolhi um clássico de Wagner para tocar, um dos compositores favoritos de Richard. Então fui me sentar no sofá, com a taça de vinho ao meu lado. Àquela altura nossa casa já estava mais bem mobiliada — com sofás na sala de estar, quadros nas paredes, incluindo o retrato que tia Charlotte havia feito de mim quando criança, e um tapete oriental com tons vívidos de azul e vermelho na frente da lareira —, mas os cômodos ainda me pareciam sem personalidade própria. Se pelo menos tivesse um cadeirão na sala de jantar e alguns brinquedos espalhados pelo chão... Segurei a mão quando percebi que estava batucando na taça, produzindo um leve tilintar.

Richard costumava chegar por volta das oito e meia, mas só depois das nove ouvi a chave na fechadura e o baque de sua maleta sendo largada no chão.

"Querido", chamei. Não houve resposta. "Amor?"

"Só um minuto."

Ouvi seus passos escada acima. Não sabia se deveria segui-lo, então fiquei no sofá. Quando estava descendo, percebi que ainda estava com a taça de vinho na mão. Fui correndo para a pia, enxaguei tudo depressa e coloquei-a no armário ainda molhada, antes que ele visse.

Era impossível decifrar seu estado de humor. Poderia estar chateado comigo ou só ter tido um dia difícil no trabalho. Richard estava tenso naquela semana; eu sabia que lidava com um cliente difícil. Durante o jantar, tentei puxar conversa, escondendo minha preocupação atrás de um tom casual.

"Está gostoso."

"Lembrei que você disse uma vez que era seu prato favorito."

"Falei isso mesmo?" Richard baixou a cabeça para pegar uma garfada de arroz.

Fiquei confusa. Não tinha falado?

"Desculpa não ter contado sobre minha..." Minha voz falhou. Não consegui dizer a palavra.

Richard balançou a cabeça. "Assunto encerrado", ele disse baixinho.

Eu estava preparada para mais perguntas. Sua reação foi quase decepcionante. Talvez eu quisesse compartilhar com ele aquela parte do meu passado, no fim das contas.

"Certo", foi tudo o que consegui responder.

Enquanto tirava a mesa, percebi que o prato dele estava quase cheio. Quando terminei de arrumar a cozinha, Richard já estava dormindo. Deitei ao seu lado, ouvindo sua respiração tranquila, até pegar no sono também.

Na manhã seguinte, ele saiu cedo para trabalhar. No meio do dia, eu estava no salão de beleza fazendo luzes quando de repente recebi um e-mail do instituto local de culinária francesa.

Na mensagem estava escrito: *Ma chérie. Je t'aime.* Quando abri o anexo, vi que era um vale-presente para dez aulas.

"Querida?" Tia Charlotte me traz de volta ao presente, com um tom de voz preocupado.

Limpo os olhos e aponto para a tábua. "É a cebola." Não sei se ela acredita.

Depois do jantar, tia Charlotte vai se deitar, e eu fico limpando a cozinha. Em seguida vou para a cama e fico escutando os sons do velho prédio se preparando para o silêncio da noite — o zumbido da geladeira, uma porta batendo no apartamento de baixo. O sono demora para vir agora, como se eu tivesse acumulado uma quantidade de repouso suficiente para me tirar do ritmo circadiano.

Minha mente divaga sobre o tema de um podcast recente: obsessão.

"Nossos genes não determinam nosso destino", insistia o apresentador. Mas ele reconhecia que o vício era hereditário.

Penso no rastro de destruição que minha mãe deixou.

Lembro que ela cravava as unhas nas palmas das mãos quando estava ansiosa.

E, como sempre, penso nela, a nova amada de Richard.

Um plano começa a se formar na minha cabeça. Talvez estivesse lá o tempo todo, esperando que eu o descobrisse. Ganhando força para vir à tona.

Eu a vejo de novo em minha mente, agachando para acariciar a cabeça do cachorrinho. Eu a vejo cruzando as pernas bem torneadas e se aconchegando junto a Richard no bar — no *nosso* bar. E a vejo no dia em que fui ao escritório dele de surpresa para o almoço, quando ainda éramos casados. Os dois estavam saindo do prédio. Ela usava um vestido roxo. Ele apoiou as mãos na parte inferior de suas costas e deixou que saísse primeiro. *Ela é minha*, era o que o gesto parecia dizer.

Richard costumava fazer aquilo comigo. Uma vez falei que adorava a sensação sutil e sexy de seus dedos ali.

Levanto, ando silenciosamente na escuridão, pego meu celular pré-pago e meu laptop na última gaveta da cômoda.

Richard não pode casar de novo.

Começo a fazer os preparativos. Da próxima vez que a encontrar, vou estar pronta.

11

Nellie estava deitada no escuro, ouvindo os sons da cidade entrarem pelas grades da janela aberta: uma buzina, alguém gritando a letra de "YMCA", o alarme de um carro tocando à distância.

Aquele bairro residencial pareceria silencioso demais.

Sam tinha saído algumas horas antes, mas ela decidira ficar em casa. Se Richard ligasse, queria estar no apartamento. Além disso, a confusão das últimas vinte e quatro horas a havia deixado exausta.

Quando chegou da escola, ela e Sam fizeram a limpeza de pele com a máscara de alga e esperaram a comida chinesa chegar — costelinha de porco, bolinho, frango agridoce e, para Nellie não sentir que estava ignorando por completo a dieta para o casamento, arroz integral.

"Você está parecendo um membro rejeitado do Blue Man Group", Sam comentara enquanto espalhava o creme azul-cobalto pelo rosto de Nellie.

"E você está parecendo uma smurfete."

Depois da tensão da manhã e da sensação inexplicável de ameaça que sentira na escola, era bom poder rir um pouco.

Nellie pegara garfos de plástico na gaveta embaixo da pia, a que não estava entupida de sachês de pimenta e mostarda e guardanapos de papel. "Vamos usar os talheres de visita", ela brincou. Foi quando se deu conta de que aquela provavelmente seria a última refeição que as duas fariam juntas antes do casamento.

Quando a comida chegou, elas tiraram o creme do rosto. "Dez pratas jogadas no lixo", Sam proclamou ao examinar a pele no espelho. Elas se jogaram no sofá e começaram a comer, conversando sobre tudo menos o que realmente estava passando pela cabeça de Nellie.

"No ano passado os Straub deram a Barbara uma bolsa da Coach na formatura", Sam falou. "Acha que eu vou ganhar algum presente bom?"

"Espero que sim." Richard tinha dado a Nellie uma bolsa Valentino quando notara uma mancha de tinta na que ela costumava usar. Ainda estava no plástico, debaixo da cama; sem chance que ela correria o risco de deixar alguma criança com a mão suja de tinta pôr a mão na bolsa nova. Mas não a havia mencionado a Sam.

"Tem certeza de que não quer ir comigo?", Sam perguntou enquanto vestia uma calça jeans de Nellie.

"Ainda não me recuperei de ontem à noite."

Nellie queria que Sam ficasse com ela vendo um filme, mas sabia que a companheira precisava cultivar outras amizades. Afinal, Nellie iria embora em uma semana.

Ela pensou em ligar para a mãe, mas as conversas entre as duas costumavam deixá-la um pouco irritada. A mãe havia visto Richard apenas uma vez, e decidira se concentrar de imediato na diferença de idade. "Ele teve tempo de sobra para aproveitar, viajar e viver", ela dissera. "Tem certeza de que não quer fazer o mesmo antes de se prender a alguém?" Quando Nellie respondera que queria viajar e viver *com* Richard, ela deu de ombros. "Tudo bem, amorzinho", disse, sem parecer nem um pouco convencida.

Era mais de meia-noite e Sam ainda não havia chegado; talvez estivesse com um cara novo ou com um antigo.

Apesar do cansaço e dos rituais a que estava tentada a recorrer — chá de camomila e sua música favorita para meditar —, Nellie continuava à espera do som da chave de Sam na fechadura. Ela ficou se perguntando por que justamente nas noites em que mais precisava dormir o sono não vinha.

Seus pensamentos se voltavam o tempo todo para a ex de Richard. Quando estava na farmácia comprando a máscara para o rosto, a mulher à sua frente na fila conversava no celular, fazendo planos para se encontrar com alguém para jantar. Era baixinha, mas tinha o corpo tonificado, e sua risada ecoava pela farmácia. Faria o tipo de Richard?

O celular de Nellie estava ao seu alcance no criado-mudo. Ela olhava para o aparelho a todo instante, preparando-se para receber mais uma ligação misteriosa e perturbadora. À medida que a noite passava, o silêncio começava a parecer mais incômodo, como se fosse uma provocação direta a ela. Por fim, Nellie levantou e foi até a cômoda. Moogie, seu cachorrinho de pelúcia, estava em cima do móvel, inclinado para o lado, com a pelagem gasta, mas ainda macia. Apesar de parecer tolice, ela o pegou e o levou para a cama consigo.

Em algum momento deve ter caído no sono, mas às seis da manhã uma britadeira foi ligada bem na frente do prédio. Ela se arrastou para fora da cama e fechou a janela, mas o ruído insistente ignorava a barreira.

"Desliga essa porra!", o vizinho de Nellie gritou, sua voz chegando amplificada pela tubulação do aquecedor.

Ela tampou a cabeça com o travesseiro, mas era inútil.

Depois de um longo banho, fazendo movimentos circulares com o pescoço para tentar aliviar a dor que sentia, vestiu o roupão e foi procurar no closet pelo vestido azul-claro com flores amarelas — que era perfeito para a formatura —, mas então se lembrou de que ainda estava na lavanderia, com outra meia dúzia de peças.

Ir buscá-las estava na lista que fizera no verso do cronograma das aulas de spinning, junto com "levar os livros para o depósito do prédio de Richard" e "comprar biquíni", depois de "mudar o endereço de correspondência no correio". Ela não havia ido a nenhuma aula de spinning naquele mês.

O telefone tocou às sete em ponto.

"Consegui um comercial de desodorante! Sou a Garota Suada Três!"

"Josie?"

"Desculpa, desculpa, não queria incomodar tão cedo, mas já esgotei todas as opções. Margot pode cobrir a primeira metade do meu turno. Só preciso de alguém para assumir depois das duas."

"Ai, eu..."

"Vou ter uma fala! Posso me filiar ao sindicato depois disso!"

Nellie tinha vários motivos para dizer não. A formatura só ia terminar à uma. Ela ainda não havia acabado de esvaziar a sala. E aquela era a noite do jantar com Richard e Maureen.

Mas Josie era uma ótima amiga, e estava tentando conseguir entrar para o sindicato dos atores fazia dois anos.

"Tudo bem, tudo bem. E boa sorte. Ou devo desejar 'merda'?"

Josie deu risada. "Eu te amo!", ela gritou.

Nellie massageou as têmporas. Uma leve dor de cabeça começou a se instalar.

Ela abriu o laptop e escreveu um e-mail para si mesma com o título "LISTA DE AFAZERES!!!!". Dizia: *Lavanderia, encaixotar livros, Gibson às 14h, Maureen às 19h.*

Então ouviu o toque de novas mensagens: era Linda lembrando aos professores para chegar mais cedo para a formatura. Leslie, uma garota de sua antiga irmandade que ainda morava Flórida, parabenizando pelo noivado. Nellie hesitou, mas em seguida apagou o e-mail sem ler. A tia perguntando se precisava de alguma ajuda com o casamento. Uma notificação de que sua doação mensal a uma instituição de caridade havia sido debitada da conta. E por último um e-mail do fotógrafo: *Vai querer o ressarcimento do depósito ou acha que consegue marcar uma nova data?*

Nellie franziu a testa. Aquela mensagem não fazia sentido. Ela pegou o celular e ligou para o número na assinatura do e-mail.

O fotógrafo atendeu no terceiro toque, com uma voz sonolenta.

"Só um minuto", ele falou quando ela perguntou sobre o e-mail. "Preciso ir até o escritório."

Nellie ouviu os passos e o som de papéis sendo remexidos.

"Ah, sim. Aqui está o recado. Recebemos uma ligação na semana passada dizendo que o casamento foi adiado."

"Quê?" Nellie começou a andar de um lado para o outro no pequeno quarto, passando várias vezes diante do vestido de noiva. "Quem foi que ligou?"

"Minha assistente que atendeu. Anotou que foi você."

"Não liguei, não! E não mudamos a data!", protestou Nellie, jogando-se na cama.

"Desculpa, mas ela trabalha para mim há quase dois anos, e isso nunca aconteceu antes."

Ela e Richard queriam uma cerimônia íntima, com uma lista de convidados pequena. "Se for em Nova York, eu precisaria convidar todos os meus colegas de trabalho", Richard dissera. Ele encontrara um hotel maravilhoso na Flórida, não muito distante da casa da mãe dela — uma construção de colunas brancas com vista para o mar, cercada por palmeiras e hibiscos vermelhos e cor de laranja. Ia pagar por tudo, inclusive a hospedagem dos convidados, além da comida e do vinho. Também bancaria a passagem de avião de Sam, Josie e Marnie.

Richard gostara do estilo jornalístico daquele fotógrafo. "A maioria faz uns retratos encenados. Esse cara captura a emoção de verdade."

Ela estava economizando fazia semanas, pois queria dar o álbum de fotos como presente de casamento para ele.

"Escuta só..." A voz dela ganhou uma entonação diferente, como sempre acontecia quando estava prestes a chorar. Talvez o hotel tivesse outro fotógrafo para indicar, mas não seria a mesma coisa. "Não quero dar uma de encrenqueira, mas o erro claramente foi de vocês."

"Estou lendo o recado agora mesmo. Espera um pouco, me deixa ver uma coisa. A que horas é sua cerimônia mesmo?"

"Quatro horas. E íamos fazer umas fotos mais cedo."

"Bom, eu tenho outra sessão agendada para as três. Mas vou dar um jeito. É um álbum de noivado, então eles não devem se incomodar se alterar um pouco o horário."

"Obrigada", murmurou Nellie.

"Ei, eu entendo, é o seu dia. Precisa sair tudo perfeito."

Ela estava com as mãos trêmulas quando desligou o telefone. Só podia ter sido um mal-entendido, e o fotógrafo estava só protegendo sua funcionária, Nellie concluiu. Provavelmente confundira dois casamentos. Mas, se o fotógrafo não tivesse mandado aquele e-mail, as fotos borradas da câmera barata da mãe seriam os únicos registros que teriam.

O fotógrafo tinha razão, ela pensou. Precisava sair *tudo* perfeito.

E tudo *sairia* perfeito. A não ser que... Ela foi até primeira gaveta da cômoda e pegou um saquinho de cetim que continha um lenço azul-claro com iniciais bordadas. Tinha sido de seu pai, e, como ele não poderia levá-la ao altar, Nellie pretendia levá-lo no buquê. Queria sentir a presença dele naquela jornada simbólica.

Seu pai fora um sujeito estoico. Não chorara nem quando contou a ela sobre o diagnóstico de câncer de cólon. Mas, na sua formatura do ensino fundamental, Nellie viu os olhos dele cheios de lágrimas. "Estou pensando em todas as coisas que vou perder", ele dissera, dando um beijo em sua testa, e as lágrimas desapareceram, como uma névoa que se dissipa ao sol. Seis meses depois, ele se foi.

Ela acariciou o lenço macio, passando-o entre os dedos. Ela desejou que seu pai tivesse conhecido Richard. Ia aprová-lo, com toda a certeza. "Você escolheu bem", ele teria dito. "Escolheu bem."

Nellie levou o lenço ao rosto, depois o recolocou no saquinho.

Em seguida checou o relógio do forno na cozinha. A lavanderia abria às oito; a formatura seria às nove. Se saísse naquele exato momento, teria como pegar o vestido florido, trocar de roupa e chegar à escola a tempo.

Nellie se debruçou no balcão, esperando que Chris terminasse de preparar os martínis com vodca da mesa trinta e um, onde havia um grupo de advogados comemorando um aniversário. Ela remexeu na pulseira nova que levava no pulso. As miçangas eram grandes e de cores berrantes, amarradas com um nó desajeitado. Jonah o dera como presente de formatura.

A mesa já estava na terceira rodada, e eram quase seis horas — quando ela pretendia ir embora. Nellie não contara a Richard que estava cobrindo o turno de Josie, e não podia se atrasar para o encontro com Maureen.

De início, as coisas estavam calmas no restaurante. Ela bateu papo com um casal de idosos, turistas de Ohio, e recomendou um ótimo lugar para comer bagels, sugerindo que vissem a nova exposição do Met. Eles mostraram fotos dos cinco netos e disseram que o mais novo estava com dificuldades para aprender a ler, então Nellie passou uma lista de livros que poderiam ajudar no processo.

"Você é um amor", disse a mulher, guardando o papel na bolsa. Nellie notou a aliança de ouro na mão esquerda dela e se perguntou como seria, dali a algumas décadas, ter fotos dos netos para mostrar para desconhecidos. Àquela altura sua aliança pareceria parte de seu corpo, em integração total com a pele, em vez daquele objeto novo e pesado em torno do dedo.

Perto do final do turno, porém, o restaurante se encheu de grupos de jovens de vinte e poucos anos — e trinta e poucos também.

"Você pode fechar minhas mesas?", Nellie perguntou a Jim quando passou pelo bar.

"Quantas você ainda tem?"

"Quatro. Não estão comendo nada, só terminando as bebidas."

"Estou na correria agora. Me dá uns minutinhos?"

Ela olhou no relógio de novo. Queria ir para casa para tomar um banho antes e colocar seu vestidinho preto. Sempre saía do Gibson cheirando a batata frita. Mas agora teria que se contentar em pôr o vestido florido que usara na formatura.

Quando estava se preparando para pegar a bandeja com os martínis dos advogados, alguém colocou a mão em seu ombro. Quando virou, deu de cara com um sujeito alto que provavelmente tinha acabado de completar vinte e um anos. Estava acompanhado de alguns amigos, que exalavam a energia concentrada de um grupo de atletas antes de uma competição importante. Em geral, grupos de homens eram seus clientes favoritos; não pediam contas separadas e davam boas gorjetas.

"Como a gente faz para pegar uma mesa na *sua* seção?" Ele estava usando uma camiseta da fraternidade Sigma Chi, as letras gregas próximas demais do rosto dela.

Nellie desviou o olhar. "Desculpa, mas já estou saindo." Ela se abaixou para se desvencilhar dele.

Enquanto pegava as bebidas para servir, ouviu um dos caras dizer: "Se não vou poder ficar na seção dela, como vou conseguir chegar na cama dela?".

A bandeja se desequilibrou em sua mão, e Nellie levou um banho. Os copos se espatifaram no chão, e os caras começaram a aplaudir.

"Droga!", Nellie gritou, enxugando o rosto na manga.

"Concurso de camiseta molhada!", um dos caras gritou.

"Para com isso", Jim disse a eles. "Está tudo bem? Eu já ia dizer que posso cobrir você."

"Tudo bem." Um ajudante apareceu com uma vassoura para limpar tudo, e ela correu para o escritório nos fundos, afastando a camiseta encharcada do corpo. Pegou sua bolsa de ginástica, entrou no banheiro, tirou as roupas e enxugou a pele com algumas toalhas de papel. Molhou outras na torneira e se lavou da melhor maneira que pôde antes de pegar o vestido florido na bolsa. Estava um pouco amarrotado, mas pelo menos limpo.

Nellie encarou seu reflexo no espelho, ignorando o rosto vermelho e os cabelos bagunçados.

Viu a si mesma com vinte e um anos, saindo da casa da irmandade na manhã seguinte ao dia em que tudo mudou: com a garganta doendo de tanto gritar, o corpo todo trêmulo apesar do pijama e de estar enrolada em uma manta.

Ela saiu do banheiro com a intenção de passar bem longe daqueles babacas.

Eles estavam em uma rodinha perto do bar, com cervejas na mão, em meio a gargalhadas escandalosas.

"Ah, a gente não queria que você fosse embora", um dos caras falou. "Que tal um beijinho para fazer as pazes?" Ele estendeu os braços. Estava de costas para o balcão, assim como os demais, provavelmente para ficar de olho na movimentação feminina no salão.

Nellie olhou feio para ele, com vontade de jogar uma bebida em sua cara. Por que não? Ela não trabalharia lá por muito mais tempo mesmo.

Mas, quando chegou mais perto, percebeu alguma coisa no balcão logo atrás dele. "Claro", ela falou, toda simpática. "Você vai ganhar um abraço."

Nellie pôs suas coisas no balcão e em seguida se inclinou para a frente para suportar o contato físico do corpo dele contra o seu.

"Divirtam-se, meninos", ela falou, enquanto pegava suas coisas.

Assim que saiu, chamou um táxi. Acomodou-se no banco de trás e abriu a carteira que havia afanado quando pegara suas coisas do balcão. Uma que estava com o cartão de crédito apontando para fora.

No quarteirão seguinte, quando o táxi parou em um sinal vermelho, ela jogou a carteira pela janela com um gesto discreto, em uma esquina movimentada.

12

"Você estava na Saks?", tia Charlotte pergunta quando chego em casa. "Por algum motivo pensei que estivesse de folga... Enfim, chegou um pacote para você. Coloquei no seu quarto."

"Sério?", digo, fingindo interesse para me esquivar da primeira pergunta. Não fui trabalhar hoje. "Não me lembro de ter encomendado nada."

Tia Charlotte está de pé em uma banqueta da cozinha, reorganizando os armários. Ela desce, deixando tigelas e canecas alinhadas no balcão. "É do Richard." Ela me observa, à espera de uma reação.

Mantenho a expressão tranquila. "Devo ter deixado alguma coisa lá." Ela não pode saber como me sinto a respeito do noivado dele. Não quero que se culpe mais tarde por não ter se esforçado mais para me ajudar.

"Comprei salada para o jantar." Estendo a sacola de papel branco com letras pretas e o desenho de verduras dançando. Eu me comprometi a colaborar mais. Além disso, a Chop't é uma parada conveniente no caminho. "Vou colocar na geladeira e me trocar", digo, desesperada para abrir a caixa.

A encomenda está sobre a cama. Minhas mãos começam a tremer quando vejo os números simétricos e as letras maiúsculas. Richard me deixava bilhetinhos com aquela caligrafia quase todos os dias quando saía para trabalhar: *Você fica linda quando dorme.* Ou: *Mal posso esperar para voltar para você.*

O tom dos bilhetes foi mudando com o passar do tempo. *Tente fazer seus exercícios hoje, amor. Você vai se sentir melhor.* E, perto do fim do casamento, ele passou a mandar e-mails: *Acabei de ligar e você não atendeu. Está dormindo de novo? Precisamos conversar hoje à noite.*

Uso uma tesoura para abrir o pacote para meu passado.

O álbum de casamento está por cima. Levanto o estojo pesado revestido de cetim. Mais embaixo há algumas roupas minhas, dobradas com cuidado. Quando fui embora, levei a maior parte dos trajes de inverno. Richard me mandou os de verão. Escolheu as peças que caíam melhor em mim.

No fundo está uma caixinha de veludo preto. Abro e vejo uma gargantilha de diamantes. É o colar que nunca suportei usar, porque ganhei depois de uma das nossas piores brigas.

Deixei mais coisas para trás, claro. Richard deve ter doado o resto para alguma instituição de caridade.

Ele sabe que nunca dei muita bola para roupas. O que queria me entregar de verdade era o álbum e o colar. Mas por quê?

Não tem nenhum bilhete na caixa.

Então percebo que as coisas que enviou são um recado.

Abro o álbum e olho para a jovem com um vestido de renda de saia rodada, sorrindo para Richard. Mal consigo me reconhecer; é como olhar para uma desconhecida.

Eu me pergunto se a nova esposa vai adotar o sobrenome dele: Thompson. Ainda o uso.

Mentalmente, vejo-a virada para Richard quando o homem que realiza a cerimônia os une em matrimônio. Ela sorri. Ele vai pensar em mim e se lembrar de como eu estava naquele mesmo momento, para então afastar a lembrança rapidamente? Será que ele a chama pelo meu nome sem querer? Eles conversam sobre mim quando estão abraçadinhos na cama?

Pego o álbum e jogo longe. Ele deixa uma marca na parede do quarto antes de despencar no chão com um baque surdo. Meu corpo todo está tremendo agora.

Tento esconder meus sentimentos para tia Charlotte, mas minha aparência não é mais capaz de camuflar aquilo que me tornei.

Penso na loja de bebidas a alguns quarteirões daqui. Eu poderia comprar uma garrafa ou duas. Algumas doses ajudariam a afogar a raiva que sinto.

Enfio a caixa no guarda-roupa, imaginando Richard levantando o queixo dela e prendendo uma gargantilha de diamantes em seu pescoço, para depois se inclinar para a frente e beijá-la. Não suporto a imagem dos lábios dele nos dela, de Richard segurando suas mãos.

Meu tempo está se esgotando.

Preciso vê-la. Esperei na frente do prédio durante horas, mas ela não apareceu.

Será que está com medo?, penso. *Será que está pressentindo o que vem pela frente?*

Decido me permitir uma última garrafa de vinho. Vou beber e retomar o plano. Mas resolvo fazer uma última coisa antes de ir à loja de bebidas. E, por milagre, por causa de um simples ato, uma chance inesperada cai no meu colo.

Ligo para Maureen. Mesmo depois de tantos anos, ela continua sendo a pessoa mais próxima de Richard.

Faz tempo que não conversamos. Nossa relação começou bem, mas, durante meu casamento com seu irmão, os sentimentos dela em relação a mim pareceram mudar. Ela se tornou distante. Com certeza Richard lhe contava coisas. Não era à toa que sua postura era de desconfiança.

Mas, no começo, tentei estabelecer uma boa relação com ela. Parecia importante para Richard que fôssemos próximas, por isso eu ligava a cada uma a duas semanas. Mas logo ficamos sem assunto. Maureen tinha doutorado e corria a Maratona de Boston todos os anos. Quase nunca bebia, no máximo uma taça de champanhe em ocasiões especiais, e acordava às cinco da manhã para praticar piano, que havia aprendido depois de adulta.

Pouco depois do casamento, acompanhei Maureen e Richard à viagem anual que eles faziam no aniversário dela para esquiar. Eles desciam as montanhas com a maior facilidade, e eu só os atrasava. Acabei não voltando depois do almoço e me acomodei diante da lareira com um chocolate quente até que voltassem, com o rosto vermelho e muito empolgados, para me buscar para o jantar. Eles sempre me convidavam, mas depois daquela primeira viagem nunca mais fui, preferindo ficar em casa enquanto iam para Aspen, Vail ou Suíça.

Maureen me atende ao terceiro toque. "Só um segundinho." Em seguida escuto sua voz abafada dizer: "Na 92 com a Lexington, por favor".

Então ela já está na cidade; sempre vem para cá no verão, para dar um curso na Columbia.

"Vanessa? Como vai você?" Seu tom de voz é comedido. Neutro.

"Estou bem", minto. "E você?"

"Também."

Um dos podcasts que ouvi falava de um experimento psicológico no qual um pesquisador mostrava diferentes rostos em um projetor e os alunos tentavam identificar as emoções retratadas o mais depressa possível. Era impressionante. Em menos de um segundo, sem nenhuma pista a não ser sutis mudanças nas feições, quase todo mundo era capaz de diferenciar com precisão o desgosto e o medo, a surpresa e a alegria. Mas sempre tive certeza de que as vozes eram capazes de revelar sentimentos tanto quanto a expressão, de que o cérebro é capaz de decifrar e categorizar nuances quase imperceptíveis de tom.

Maureen não quer nada comigo. Ela vai encerrar a ligação em breve.

"Eu estava pensando... a gente pode se encontrar para almoçar amanhã? Ou para um café?"

Maureen suspira. "Estou meio ocupada agora."

"Posso ir encontrar você. Estava pensando... Esse casamento... Richard..."

"Vanessa. Richard está em outra. Você deveria fazer o mesmo."

Insisto. "Só preciso..."

"Para, por favor. Para. Richard me falou que você liga o tempo todo... Sei que está chateada com a forma como tudo terminou. Mas ele é meu irmão."

"Você já a conheceu?", continuo. "Ele não pode se casar com ela. Ele não a ama... Não pode..."

"Concordo que foi repentino." O tom de voz de Maureen é mais gentil quando ela recomeça a falar. "E sei que é difícil ver Richard com outra. Com alguém que não seja você. Mas ele seguiu em frente."

Então o último fio de esperança que ainda me liga a Richard é cortado com um clique do telefone.

Não consigo me mover, fico atordoada. Maureen sempre foi protetora em relação ao irmão. Fico me perguntando se ela vai ser amiga dessa nova esposa, se as duas vão almoçar juntas...

Então a clareza afasta a névoa da minha mente como o brilho de um farol. Na 92 com a Lexington. É onde fica o Sfoglia. Richard adora esse restaurante. São quase sete horas — hora do jantar.

Maureen deve ter passado o endereço para um taxista. O restaurante fica longe do campus da Columbia, mas é perto do apartamento de Richard. Será que ela está indo encontrar o irmão — encontrar os dois?

Preciso pegá-la sozinha, onde Richard não possa ver.

Se sair agora, talvez possa esperar na esquina pela chegada dela. Ou então pegar uma mesa perto do banheiro e ir atrás dela quando for para lá.

Só preciso de dois minutinhos.

Olho para meu reflexo no espelho ao lado do armário. Preciso chegar depressa, mas não posso ir tão desleixada, ou vou chamar atenção. Reservo alguns minutos para pentear os cabelos e passar batom, mas só percebo tarde demais que o tom é muito escuro para meu rosto pálido. Passo corretivo sob os olhos e blush.

Enquanto pego minhas chaves, aviso tia Charlotte que preciso fazer mais uma coisa na rua. Não espero pela resposta dela e saio apressada porta afora. O elevador é bem lento, então desço pelas escadas, sentindo minha bolsa bater na lateral do corpo a cada passo. Dentro dela está tudo de que preciso.

O trânsito está carregado. É hora do rush. Nenhum ônibus à vista. Talvez um táxi? Enquanto caminho na direção do East Side, vou procurando pelos carros amarelos, mas todos parecem ocupados. A caminhada vai levar vinte e cinco minutos. Corro.

13

Ao fim da corrida de táxi, Nellie já tinha se livrado da sensação desagradável do toque dos garotos da fraternidade. Não foi tão difícil, já que, muito tempo antes, ela aprendera a compartimentalizar os sentimentos provocados por aquele tipo de cara. Mesmo assim, queria desfrutar de um momento a sós no banheiro do restaurante. Um retoque do gloss e do perfume faria bem.

Quando chegou, porém, o maître avisou que havia uma mulher já à espera à mesa. "Posso guardar sua bolsa?"

Nellie entregou a mala azul e amarela da Nike contendo seu uniforme molhado, sentindo-se totalmente inadequada. Ela se perguntou se deveria oferecer uma gorjeta ao homem. Teria que perguntar para Richard; estava mais acostumada a restaurantes com uma moça que entregava menus gigantes e pacotes de giz de cera para as crianças.

Nellie passou pelo bar, perto do qual um homem grisalho tocava piano, e chegou ao salão de pé-direito alto. Seu estômago embrulhou. Maureen era dezesseis anos mais velha, uma acadêmica, enquanto ela era uma professora de educação infantil toda desarrumada cheirando a óleo.

Não poderiam ser apresentadas em um momento pior.

Mas, assim que a viu, soltou um suspiro de alívio. A irmã de Richard parecia uma versão em negativo dele. Os cabelos eram cortados em um chanel clássico, e ela usava um terninho simples. Estava de óculos lendo a *Economist*, mordendo o lábio inferior do mesmo jeito como Richard fazia quando estava concentrado.

"Oi!", Nellie falou, abaixando-se para abraçar Maureen. "Que coisa estranha! Já estou sentindo que vamos ser como irmãs... nunca tive uma."

Maureen sorriu e guardou a revista na bolsa. "Que bom conhecer você."

"Desculpe o visual." Nellie se sentou diante dela, sentindo que estava tagarelando, um efeito colateral da tensão interna crescente. "Acabei de sair do trabalho."

"Na escola?"

Nellie fez que não com a cabeça. "Sou garçonete também... ou melhor, era. Já pedi demissão. Só estava cobrindo o turno de uma amiga. Fiquei com medo de chegar atrasada, então acabei nem me arrumando."

"Para mim você está ótima." Maureen continuou sorrindo, mas as palavras que disse em seguida pegaram Nellie de surpresa. "E você faz exatamente o tipo do Richard."

A ex de Richard não era morena? "Como assim?", Nellie questionou, pegando um pãozinho do cesto. A última coisa que comera tinha sido uma banana a caminho da formatura, mais de dez horas antes. Sobre a mesa havia um prato de azeite com um toque de tomilho. Ela tentou molhar um pedaço de pão com delicadeza, sem desarrumar o arranjo.

"Ah, você sabe. Meiga. Bonita." Maureen entrelaçou as mãos e se inclinou para a frente.

Richard dissera que a irmã era sincera até demais, uma das coisas de que mais gostava nela. O comentário não tinha nenhuma intenção pejorativa, Nellie pensou consigo mesma — ser chamada de meiga e bonita não poderia ser um insulto.

"Conte mais sobre você", Maureen falou. "Richard me disse que você é da Flórida."

"Isso... Mas eu é quem deveria fazer as perguntas a *você*, sobre como o Richard era quando pequeno. Conte alguma coisa que eu não saiba." O pão de ervas estava quentinho. Nellie deu outra mordida.

"Ai, por onde começar?"

Antes que Maureen continuasse, Nellie viu Richard se aproximando, com os olhos fixos nela. Os dois não se viam desde que ele a colocara na cama depois da despedida de solteira. Sem hesitação, ele se abaixou e a beijou na boca. *Está tudo bem*, ela pensou. *Ele me perdoou.*

"Desculpa." Ele deu um beijo rápido no rosto da irmã. "Meu voo atrasou."

"Na verdade, você chegou cedo. Maureen estava prestes a me contar seus segredos mais profundos e sinistros", Nellie brincou.

As feições de Richard ficaram tensas por um instante, mas depois ele sorriu. Nellie esperava que ele fosse contornar a mesa para se sentar ao seu lado, mas se acomodou na cadeira à direita da irmã, ficando em sua diagonal.

"Pois é, aqueles verões polêmicos jogando golfe", Richard falou, desdobrando o guardanapo e colocando no colo. "E aquele incidente em que fui eleito vice-presidente da equipe de debates."

"Que vergonha", Maureen falou, limpando um fiapo da lapela de Richard. Nellie encarou aquilo como um gesto maternal. Seus pais já tinham morrido, mas pelo menos Richard podia contar com uma irmã mais velha que claramente o adorava.

"Aposto que você ficava um gato com sua roupinha de golfe", Nellie comentou.

Em vez de responder, Richard fez um aceno para chamar o garçom. "Estou morrendo de fome. Mas primeiro precisamos pedir as bebidas."

"Água com gás e limão, por favor", Maureen disse ao garçom.

"Pode trazer a carta de vinho para minha noiva?" Richard deu uma piscadinha para Nellie. "Sei que você nunca recusa uma bebida."

Nellie deu risada, mas se preocupava com como aquilo poderia ter soado para Maureen. O cheiro de fritura já era preocupante, mas seria pior se tivesse sentido o odor do gim quando se cumprimentaram.

"Uma taça de pinot grigio, por favor." Nellie tentou disfarçar a vergonha mergulhando o último pedaço de pão no azeite temperado.

"Vou querer um Highland Park com gelo", disse Richard.

Nellie não esperou muito para dizer: "Vim direto do Gibson. Um idiota derrubou bebida em mim. Meu uniforme molhado está na bolsa, então...". Ela estava tagarelando de novo?

"Pensei que tivesse pedido demissão", Richard falou.

"E pedi. Só estava cobrindo a Josie. Ela conseguiu seu primeiro papel em um comercial, e não conseguiu encontrar ninguém para..." Nellie se interrompeu, sem saber por que sentia aquela necessidade de se explicar.

Quando o garçom trouxe as bebidas, Richard ergueu o copo para Maureen. "Como está seu tendão?"

"Melhorando. Mais algumas sessões de fisioterapia e devo conseguir retomar corridas mais longas."

"Está machucada?", Nellie perguntou.

"Só um músculo distendido. Fazia um tempo que isso me incomodava, desde a maratona."

"Eu jamais conseguiria correr uma maratona!", Nellie disse. "Depois de cinco quilômetros já estou morrendo. Fico impressionada."

"Não é para qualquer um", Maureen brincou.

Nellie pegou mais um pão, então o devolveu, quando se deu conta de que ninguém mais estava comendo. Ela limpou discretamente as migalhas em torno do prato.

"Gostei do seu artigo sobre estratificação de gênero e a teoria da intersecção", Richard falou para Maureen. "É um ponto de vista interessante. Como foi a reação?"

Enquanto eles falavam, Nellie balançava a cabeça, sorria e mexia nas contas da pulseira feita por Jonah, sem conseguir encontrar uma forma de participar da conversa.

Ela olhou para as mesas ao redor e viu um garçom trazendo um cartão de crédito verde em cima de uma bandeja prateada.

Aquilo a fez pensar no AmEx que jogara pela janela do táxi. Àquela altura, se tudo desse certo, estaria na mão de alguém fazendo a festa em lojas de eletroeletrônicos. Ou melhor, de uma mãe pobre comprando comida para os filhos.

Ela ficou aliviada quando o garçom trouxe os pratos, porque assim poderia fingir que estava concentrada no frango com cuscuz.

Maureen pareceu perceber e se voltou para ela. "A educação infantil é muito importante. O que atraiu você para a área?" Maureen enrolou com elegância o tagliatelle no garfo e levou à boca.

"Sempre adorei crianças."

Nellie sentiu o pé de Richard tocar sua perna por baixo da mesa. "Está pronta para ser tia?", ele perguntou a Maureen.

"Claro."

Nellie se perguntou por que Maureen nunca havia casado nem tido filhos. Richard dissera que em sua opinião ela intimidava os homens por ser tão inteligente. Na opinião de Nellie, ela já tinha sido uma mãe para ele.

Maureen olhou para Nellie. "Richard era lindo quando bebê. Aprendeu a ler com pouco mais de quatro."

"Não posso levar crédito por isso. Foi ela que me ensinou."

"Já escolhemos até um quarto para você na casa nova", disse Nellie. "Esperamos que visite a gente o tempo todo."

"Também espero que me visitem em Boston. Quero mostrar minha cidade para você. Já conhece?"

Nellie tinha acabado de colocar uma garfada de cuscuz na boca. Ela fez que não com a cabeça e tentou engolir o mais depressa possível. "Não conheço muitos lugares. Só alguns estados do sul."

Ela não se estendeu nem explicou que só tinha passado por aqueles lugares na viagem por terra da Flórida até Nova York. O deslocamento de mais de dez mil quilômetros tinha levado dois dias; ela quisera deixar para trás sua cidade natal o quanto antes.

Nellie lembrou que Maureen era fluente em francês e tinha dado um curso como convidada na Sorbonne alguns anos antes.

"Nellie acabou de tirar o passaporte", Richard contou. "Mal posso esperar para viajarmos pela Europa."

Nellie abriu um sorriso grato.

Eles conversaram um pouco sobre o casamento — Maureen comentou que adorava nadar e que estava ansiosa por um banho de mar. Depois de terminarem os pratos, Richard e a irmã recusaram a sobremesa, então Nellie fingiu que estava satisfeita demais para a musse de laranja que secretamente ansiava experimentar. Richard tinha acabado de se levantar para puxar a cadeira para Nellie quando ela exclamou: "Ah, quase esqueci! Comprei uma coisa para você, Maureen".

Tinha sido uma compra por impulso. Ela estava passeando pela feira da Union Square na semana anterior quando vira uma vendedora de bijuterias. Um colar chamara sua atenção. As contas de vidro azul e de um tom claro de roxo ficavam em um fio prateado finíssimo, parecendo quase suspensas no ar. O fecho era em forma de borboleta. Era impossível imaginar que alguém sentisse algo além de alegria por tê-lo no pescoço.

Richard sugeriu Maureen para ser madrinha de Nellie; ela teria preferido Samantha, mas aceitou a sugestão. Ela pretendia usar um vestido violeta, de modo que o colar combinaria perfeitamente com a roupa.

O colar estava sobre uma caminha de algodão em uma caixa de papelão marrom (reciclado, como a moça explicara), fechada com um fio de ráfia. Nellie esperava que Maureen gostasse e que Richard entendesse que era mais que um simples presente. Era uma demonstração de que também queria ser próxima da irmã dele.

Ela pegou a caixinha da bolsa. Estava meio amassada, e o laço tinha entortado um pouco.

Maureen a abriu cuidadosamente. "Que graça." Ela ergueu a caixa para mostrar o colar a Richard.

"Pensei que você poderia usar no casamento", Nellie falou.

Maureen o colocou imediatamente no pescoço, apesar de não combinar com os brincos de ouro que usava. "Muito bem pensado."

Richard segurou a mão de Nellie. "Lindo mesmo."

Nellie baixou a cabeça para que não vissem seu rosto vermelho. A verdade estava clara. O colar que parecia tão bonito e caprichado apenas uma semana antes de repente se tornara um presente sem graça e até infantil no pescoço de Maureen.

14

Continuo correndo pela cidade, ignorando o homem que tenta me entregar um folheto. Minhas pernas estão trêmulas, mas mantenho o ritmo na direção da entrada do Central Park.

Chego ao cruzamento no momento em que o semáforo para pedestres fica vermelho, então espero, com a respiração ofegante. Maureen já deve estar no restaurante a esta altura. Richard deve ter pedido um bom vinho; deve haver um pão quentinho sobre a mesa. Talvez os três estejam brindando ao futuro. Richard deve estar segurando a mão da noiva. A mão dele sempre pareceu tão forte junto à minha.

O semáforo abre, e atravesso correndo.

Fomos juntos ao Sfoglia muitas vezes — até que, depois de certa noite, nunca mais voltamos.

Eu me lembro muito bem desse dia. Estava nevando, e eu observava maravilhada a forma como os flocos brancos e pesados transformavam a paisagem da cidade, polvilhando as ruas e escondendo os buracos e a sujeira. Richard iria direto do escritório, e nos encontraríamos lá. Olhando pela janela do táxi, sorri ao ver um garotinho pôr a língua para fora para sentir o gostinho do inverno. Sentia um aperto no peito; a dra. Hoffman não conseguia determinar por que eu tinha dificuldade de engravidar, e agendara uma nova rodada de exames.

Richard me ligou no momento em que o táxi parou no meio-fio. "Vou chegar uns minutos atrasado."

"Tudo bem. A espera vai valer a pena."

Ouvindo sua risada grave, paguei o taxista e desci. Fiquei parada na calçada por um instante, absorvendo a energia que pulsava ao redor. Era sempre bom ir à cidade encontrar Richard.

Fui até o bar, onde havia uma banqueta livre. Pedi uma água mineral e fiquei ouvindo as conversas ao redor.

"Ele vai ligar", a jovem à minha direita garantiu para a amiga.

"E se não ligar?", a outra perguntou.

"Bom, você sabe: a melhor maneira de esquecer um cara é arrumando outro."

As duas caíram na risada.

Fazia tempo que eu não via minhas amigas; estava com saudade. Elas ainda trabalhavam, e nos fins de semana, quando se encontravam para reclamar dos homens com quem saíam, eu estava sempre com Richard.

Alguns minutos depois, o barman colocou uma taça de vinho na minha frente. "Com os cumprimentos do cavalheiro na ponta do balcão."

Vi um homem levantar o copo para mim. Fiz questão de levantar a taça com a mão esquerda, para que ele visse a aliança, e deixei de lado o vinho depois de apenas um gole.

"Não gosta de pinot grigio?", uma voz perguntou pouco depois. Era um cara baixinho e forte, com cabelos cacheados. O oposto de Richard.

"Não, está ótimo, obrigada. Mas estou esperando meu marido." Dei mais um gole para evitar o desconforto.

"Se você fosse minha mulher, não ia ficar esperando no bar. Não teria um minuto de sossego."

Dei risada, ainda segurando a taça de vinho.

Virei para a porta e dei de cara com Richard. Ele observou atentamente a cena — o homem, o vinho, minha risadinha aguda e nervosa — antes de vir andando na minha direção.

"Querido!", gritei, ficando de pé.

"Pensei que já estaria na mesa. Espero que tenham segurado nossa reserva."

O homem de cabelos cacheados já tinha desaparecido. Richard chamou a hostess.

"Quer levar sua taça de vinho?", ela perguntou.

Fiz que não com a cabeça.

"Na verdade nem estava bebendo", murmurei para Richard enquanto íamos para a mesa.

Ele cerrou os dentes e não respondeu.

Fico tão perdida nas recordações que só percebo que estou no meio da rua quando alguém me puxa para trás pelo braço. Um instante depois, um caminhão de entregas passa em alta velocidade, buzinando.

Aguardo na esquina por mais um tempo, até o semáforo ficar verde. Imagino Richard pedindo espaguete al nero para seu novo amor e a incentivando a experimentar. Imagino-o levantando quando ela pede licença para ir ao banheiro. Pergunto-me se Maureen vai se inclinar na direção de Richard com uma expressão de aprovação e dizer: *Ela é melhor que a anterior.*

O jantar daquela noite foi péssimo. O restaurante era muito agradável, com seus tijolos expostos e seu ambiente intimista, mas Richard mal falou comigo. Tentei puxar assunto, falando sobre a comida e perguntando sobre seu dia, mas depois de um tempo desisti.

Quando ele enfim abriu a boca, depois que deixei de lado meu prato sem ter comido quase nada, suas palavras me atingiram como um soco.

"Você ainda mantém contato com o cara que engravidou você? O da faculdade?"

"Quê?", perguntei, ofegante. "Richard, não... Eu não falo com ele há anos."

"O que mais escondeu de mim?"

"Eu não... nada!", gaguejei.

O tom da conversa não combinava com a elegância do lugar, nem com o sorriso do garçom que se aproximava com o cardápio de sobremesas. "Quem era aquele cara que você estava paquerando no bar?", ele insistiu.

Senti meu rosto ficar vermelho com a acusação. Percebi que o casal da mesa ao lado tinha ouvido, e voltara os olhos para nós.

"Nem sei. Ele me pagou uma bebida. Só isso."

"E você bebeu." Richard franziu os lábios e estreitou os olhos. "Apesar de saber que faz mal ao bebê."

"Não tem bebê nenhum, Richard. Por que está tão irritado comigo?"

"Você tem mais alguma revelação a fazer agora que estamos nos conhecendo melhor, querida?"

Pisquei algumas vezes para conter as lágrimas, então me levantei de forma abrupta da mesa, arrastando a cadeira no piso. Peguei o casaco e saí para a neve que ainda caía.

Fiquei parada do lado de fora, com lágrimas escorrendo pelo rosto, considerando para onde poderia ir.

Até que ele apareceu. "Desculpa, amor." Eu sabia que era um pedido de desculpas sincero. "Tive um dia terrível. Mas não podia ter descontado em você."

Richard estendeu os braços. Pouco depois, aceitei.

Ele passou a mão no meu cabelo, e o choro se transformou em um soluço bem alto. Richard riu baixinho. "Meu amor." O veneno de sua voz desapareceu, substituído por uma ternura aveludada.

"Desculpa também." Minha voz saiu abafada, porque minha cabeça estava comprimida junto ao peito dele.

Depois daquilo, nunca mais fomos ao Sfoglia.

Agora estou quase lá. Atravessei o parque e só faltam três quarteirões. Sinto o peito apertado. Estou ofegante. Preciso sentar, nem que seja só por um minuto, mas não posso perder a chance de vê-la.

Faço força para correr mais depressa, para evitar as grades do metrô, para desviar do homem de bengala. Então chego ao restaurante.

Abro a porta e me dirijo com passos apressados à entrada do salão, passando direto pela hostess. "Olá", a jovem com cardápios na mão me diz, mas eu a ignoro. Esquadrinho o bar com os olhos e as pessoas às mesas. Eles não estão aqui. Mas o restaurante tem outro salão, onde Richard prefere se sentar, por ser um ambiente mais calmo.

"Posso ajudar?", a hostess pergunta.

Acabo tropeçando quando me dirijo ao outro salão, e preciso me segurar. Olho para todas as mesas duas vezes.

"Um homem de cabelos escuros veio jantar aqui com uma moça loira?" Estou ofegante. "Talvez outra mulher estivesse com eles."

A hostess pisca algumas vezes, confusa, então se afasta de mim. "Recebemos bastante gente para jantar hoje. Eu não..."

"As reservas!", digo quase gritando. "Por favor, veja para mim... Richard Thompson! Ou pode estar no nome da irmã dele... Maureen Thompson!"

Outra pessoa se aproxima. Um homem grandalhão com um terno azul-marinho, franzindo a testa. Percebo que troca um olhar com a hostess.

Ele me pega pelo braço. "Por que não vamos lá para fora? Não queremos incomodar os outros clientes."

"Por favor! Preciso saber onde eles estão!"

O homem me conduz para a saída, segurando-me com sua mão firme. Sinto que estou começando a tremer. *Richard, por favor, não case com ela...*

De repente o restaurante fica em silêncio. As pessoas me olham. Será que falei em voz alta?

Cheguei tarde demais. Como é possível? Não podem já ter comido. Tento me lembrar do endereço que Maureen passou para o taxista. Será que ela disse mais alguma coisa? Ou minha mente me enganou, e eu ouvi o que queria?

O homem de terno me leva até a esquina. Começo a chorar, com soluços fortes e incontroláveis. Desta vez não tenho quem abraçar. Nenhuma mão vem afastar os cabelos do meu rosto.

Estou totalmente sozinha.

15

Nellie havia achado que estava apaixonada na época da faculdade. À noite, ele encostava o carro na esquina da casa da sua irmandade e ela ia correndo até lá, sentindo a grama macia sob os pés, o ar quente nas pernas descobertas. Os dois iam até a praia e ele tirava um cobertor macio do banco traseiro do Alfa Romeo. Estendia-o na areia e depois lhe passava uma garrafa de bourbon. Ela punha a boca onde a dele estivera alguns momentos antes, e o líquido âmbar descia queimando por sua garganta.

Depois que o sol se punha, eles tiravam a roupa e corriam para o mar. Na volta, enrolavam-se no cobertor. Ela adorava o gosto de sal na pele dele.

Ele declamava poesia e apontava as constelações no céu. Era instável, às vezes ligando três vezes por dia, às vezes a ignorando durante todo um fim de semana.

Nada daquilo tinha sido real.

Ela não se incomodava que ele desaparecesse por um ou dois dias — pelo menos até aquela noite de outubro em que precisara dele de verdade. Ligara sem parar, deixando mensagens cada vez mais urgentes. Mas ele não dera sinal de vida.

Alguns dias depois aparecera com um buquê barato de cravos, e ela permitira que a confortasse. Mas estava morrendo de raiva porque a tinha deixado na mão. E ficou com ainda mais raiva quando ele disse que precisava ir embora.

Nellie prometera para si mesma que seria mais esperta da próxima vez. Nunca mais ficaria com um homem que a abandonasse quando ela começasse a cair.

Mas Richard a surpreendera.

De alguma forma, conseguira pegá-la antes que ela mesma percebesse que ia tropeçar.

"Maureen é ótima", Nellie disse a Richard enquanto caminhavam de mãos dadas até o apartamento dele.

"Deu para ver que ela gostou muito de você." Richard apertou sua mão.

Eles conversaram um pouco, então Richard apontou para uma sorveteria do outro lado da rua. "Sei que você queria sobremesa..."

"Meu coração diz sim, mas a dieta diz não", gemeu Nellie.

"Foi seu último dia de trabalho, certo? Você merece uma comemoração. Como foi a formatura?"

"Linda me pediu para fazer um discurso. Fiquei meio emocionada no fim, e Jonah pensou que eu não estava conseguindo ler o que havia preparado. Então gritou: 'Vai palavra por palavra! Você consegue!'."

Richard deu risada e se abaixou para beijá-la no momento em que seu telefone começou a tocar: *When the sun shines, we'll shine together*. "Umbrella", da Rihanna. Era o toque de Sam.

"Não vai atender?" Ele não parecia irritado pela interrupção, então ela atendeu.

"Ei, você vai voltar para casa hoje?", Sam perguntou.

"Não pretendia. Por quê?"

"Veio uma mulher aqui querendo ver o apartamento. Disse que ficou sabendo que eu precisava de alguém para dividir o aluguel. Depois que ela foi embora, não consegui mais encontrar minhas chaves."

"Você deixou na sacola do mercado umas semanas atrás e quase jogou fora."

"Mas já procurei em todo lugar. Ela estava na frente do prédio quando cheguei, e sou capaz de jurar que a chave estava dentro da minha bolsa."

Só quando Richard perguntou se estava tudo bem Nellie percebeu que tinha parado de andar.

"Como ela era?"

"Totalmente normal. Magra, cabelos escuros, um pouco mais velha que a gente... Falou que estava se separando e começando uma vida nova. Foi muita burrice, mas eu estava morrendo de vontade de fazer xixi, e ela me enchendo de perguntas, como se quisesse de verdade morar no apartamento. Só ficou sozinha na cozinha por um segundo."

"Você está sozinha agora?", Nellie a interrompeu.

"Sim, mas vou chamar o Cooper para passar a noite aqui, por garantia. Ele pode trazer alguma coisa para prender a porta. Merda, vai custar uma fortuna para trocar a fechadura..."

"Que foi?", murmurou Richard.

"Espera um pouco", Nellie disse para Sam.

Ele pegou o próprio celular antes mesmo de Nellie terminar de contar a história. "Diane?" Era o nome da assistente dele, uma mulher de setenta anos muito competente com quem trabalhava fazia tempo. Nellie já a havia encontrado muitas vezes. "Desculpe incomodar a esta hora... Eu sei, eu sei, você sempre fala isso... Pois é, um favor pessoal: você pode chamar um chaveiro para trocar a fechadura de um apartamento ainda hoje? Não, não é o meu... Claro, eu passo o endereço... Não importa o preço. Obrigado. Pode chegar mais tarde amanhã, se for preciso."

Ele desligou e enfiou o telefone no bolso.

"Sam?", Nellie falou no próprio celular.

"Eu ouvi tudo. Poxa, é muito legal da parte dele. Agradeça por mim."

"Pode deixar. Me liga quando o chaveiro chegar." Nellie desligou.

"Tem um monte de gente louca em Nova York", Richard comentou.

"Pois é", murmurou Nellie.

"Mas Sam pode ter perdido as chaves de novo." A voz de Richard assumiu um tom tranquilizador, parecida com a de quando tinham conversado pela primeira vez, no avião. "Por que ela teria levado as chaves, e não a carteira dela?"

"Você tem razão." Nellie hesitou. "Mas... e essas ligações esquisitas que eu venho recebendo?"

"Foram só três."

"Teve mais uma. Não foi exatamente igual, mas uma mulher ligou no seu apartamento depois que você foi para Atlanta. Pensei que fosse você, então atendi sem pensar... Ela não quis deixar o nome, e eu..."

"Querida, era a Ellie, lá do escritório. Ela me ligou depois no celular."

"Ah." Nellie sentiu o corpo relaxar. "Eu pensei... Quer dizer, era domingo, então..."

Richard beijou a ponta de seu nariz. "Vamos tomar sorvete. Daqui a pouco a Sam deve ligar para dizer que encontrou as chaves na geladeira."

"Você tem razão." Nellie deu risada.

Richard se posicionou entre ela e o meio-fio, entre ela e o tráfego da rua, como sempre fazia. Ele a abraçou, e os dois seguiram em frente.

Depois que Sam avisou que o chaveiro tinha ido embora, Nellie vestiu a camisola e escovou os dentes. Richard já estava na cama, de samba-canção. Ela se deitou ao seu lado e reparou que a fotografia no porta-retratos dourado no criado-mudo estava virada para a parede. Era uma imagem dela sentada no Central Park, de short jeans e blusinha; Richard dizia que gostava de olhar para ela quando acordava, mesmo que não estivesse lá.

Richard percebeu aquilo, e estendeu o braço para endireitar o porta-retratos. "A faxineira veio hoje."

Ele apanhou o controle remoto, desligou a tevê e chegou mais perto dela. De início, Nellie pensou que só estava se aconchegando, como sempre fazia quando estavam debaixo dos lençóis. Mas então ele a soltou e se deitou de barriga para cima.

"Preciso contar uma coisa para você." O tom de voz dele era sério.

"Certo", Nellie falou, hesitante.

"Só comecei a jogar golfe depois dos vinte anos."

Ela não conseguia ver o rosto dele no escuro. "Então... aqueles verões no clube?"

Ele suspirou. "Eu era caddy. E garçom. Salva-vidas. Carregava tacos. Recolhia toalhas molhadas. Servindo para outros garotos cachorros-quentes que custavam uma hora do meu salário. Eu detestava aquela porra..."

Nellie passou a mão pelo braço dele, acariciando os pelos escuros com as pontas dos dedos. Nunca o tinha visto tão vulnerável. "Achei que sua família tinha dinheiro."

"Eu disse que meu pai era do setor financeiro, mas era contador. Ele fazia a declaração de imposto de renda dos encanadores e zeladores do bairro."

Ela ficou em silêncio, sem querer interrompê-lo.

"Maureen ganhou uma bolsa de estudos para a faculdade e ajudou a pagar a minha." O corpo de Richard continuava rígido sob seu toque. "Fui morar com ela para economizar, e me endividei um bocado. Me matei de trabalhar para pagar tudo."

Ela desconfiava que Richard não costumava falar sobre aquilo com muita gente.

Eles ficaram deitados em silêncio por alguns minutos, e Nellie aos poucos foi percebendo que aquela revelação fazia algumas peças se encaixarem.

As boas maneiras de Richard eram tão impecáveis que pareciam coreografadas. Ele sabia como se virar em qualquer conversa — estivesse falando com um taxista ou um violinista em um evento beneficente. Sabia como usar corretamente os talheres e como trocar o óleo do carro. Em seu criado-mudo, havia revistas que iam da *ESPN* à *New Yorker*, além de uma pilha de biografias. Ela imaginava que ele fosse uma espécie de camaleão, o tipo de pessoa que se adaptava sem esforço a qualquer ambiente.

Mas Richard devia ter se esforçado para aprender aquelas habilidades — ou então fora treinado por Maureen.

"E sua mãe?", Nellie perguntou. "Sei que era dona de casa..."

"Ah, sim. Do tipo que fumava Virginia Slims e via novela." Podia ter sido uma piada, mas não havia nenhum senso de humor em sua voz. "Ela não fez faculdade. Era Maureen quem me ajudava com a lição de casa. Minha irmã me incentivava bastante, dizia que eu tinha inteligência para fazer o que quisesse. Devo tudo o que sou a ela."

"Mas seus pais... eles amavam você." Nellie pensou nas fotografias na parede. Sabia que os pais dele haviam morrido em um acidente de carro quando Richard tinha quinze anos e que ele fora morar com Maureen, mas não se dera conta da dimensão do papel dela em sua formação.

"Claro", ele falou. Nellie estava prestes a perguntar mais sobre seus pais, mas Richard a interrompeu. "Estou exausto. Vamos deixar esse assunto de lado."

Nellie apoiou a cabeça no peito dele. "Obrigada por me contar." Saber que ele tinha dado duro, trabalhado servindo mesas como ela, e que nem sempre havia sido tão seguro de si, despertou uma ternura dentro de seu coração.

Richard ficou tão quieto que Nellie pensou que estivesse dormindo, mas então ele se virou e começou a beijá-la, passando a língua em seus lábios e afastando suas pernas com os joelhos.

Ela não estava pronta, e respirou fundo quando o recebeu dentro de si, mas não pediu para que parasse. Richard colou o rosto em seu pescoço, segurando sua cabeça com as duas mãos. Terminou depressa e ficou deitado sobre ela, respirando fundo.

"Eu te amo", Nellie disse baixinho.

Ela não sabia se ele tinha ouvido, mas Richard levantou a cabeça e a beijou de leve nos lábios.

"Sabe o que pensei quando vi você pela primeira vez?", ele perguntou, acariciando seus cabelos.

Ela fez que não com a cabeça.

"Você estava sorrindo para um garotinho no aeroporto. Parecia um anjo. Achei que poderia me salvar."

"Salvar você?", ela repetiu.

As palavras dele saíram em um sussurro: "De mim mesmo".

16

Anos atrás, logo depois de mudar para Nova York, eu estava caminhando para o trabalho tranquilamente, absorvendo a paisagem — os prédios enormes, os fragmentos de conversas em vários idiomas, os táxis amarelos, os vendedores ambulantes oferecendo de pretzels a bolsas Gucci falsificadas —, quando o tráfego de pedestres se interrompeu de repente. Em meio à aglomeração, vi alguns policiais reunidos mais à frente, perto de um cobertor cinza que alguém tinha estendido na calçada. Uma ambulância estava à espera no meio-fio.

"Alguém pulou", disseram na multidão. "Deve ter acabado de acontecer."

Percebi então que o cobertor cobria um corpo estatelado.

Fiquei parada por um tempo, sentindo que seria desrespeitoso atravessar a rua e passar direto pela cena, apesar de ser o que a polícia instruía. Em seguida, vi um sapato no meio-fio. Azul, caído de lado, com a sola gasta. O tipo de calçado que uma mulher usaria em um trabalho que exigia que se vestisse bem, mas em que deveria ficar um bom tempo de pé. Uma recepcionista de hotel, talvez. Vi um policial agachando para colocar o sapato em um saco plástico.

Não consegui parar de pensar naquele sapato e na mulher a quem pertencia. Ela devia ter acordado, se arrumado e saltado para o vazio.

No dia seguinte, procurei nos jornais, mas só encontrei uma breve menção ao incidente. Não descobri o que a levara a cometer um ato de tamanho desespero — se fora algo planejado ou uma ideia que surgira em sua cabeça de uma hora para outra.

Tantos anos depois, acho que sei a resposta: as duas coisas. Porque alguma coisa dentro de mim finalmente está vindo à tona, mas também percebi que faz tempo que me encaminho para este momento. Os tele-fonemas, a vigilância, tudo o que fiz... Estou cercando minha substituta, chegando mais perto, fazendo uma avaliação completa dela. Preparando o terreno.

Sua vida com Richard está só começando. Enquanto a minha pare-ce estar terminando.

Em pouco tempo, ela vai colocar seu vestido branco. Vai maquiar a pele jovem e lisa. Vai seguir todos os rituais. Os músicos vão empunhar instrumentos para recebê-la quando caminhar lentamente até o altar, até o único homem que amei de verdade. Quando os dois se olharem e disserem "Sim", não vai haver mais volta.

Preciso impedir o casamento.

São quatro da manhã. Não dormi. Estou olhando para o relógio, re-passando o que preciso fazer, analisando as diferentes possibilidades.

Ela ainda não se mudou do próprio apartamento. Já verifiquei.

Vou estar à espera para interceptá-la hoje.

Imagino seus olhos se arregalando, suas mãos se erguendo para se proteger.

É tarde demais!, quero gritar para ela. *Você deveria ter ficado longe do meu marido!*

Quando enfim amanhece lá fora, eu levanto, vou até o armário e es-colho sem hesitar um vestido de seda esmeralda, o favorito de Richard. Houve um tempo em que ficava justinho no meu corpo, mas agora está tão folgado que preciso usá-lo com um cinto dourado. Com um capricho ao qual não recorro há anos, faço a maquiagem, espalhando bem a base, cur-vando os cílios e aplicando rímel. Em seguida pego meu gloss Clinique no-vinho na bolsa e passo a substância pegajosa e cor-de-rosa sobre os lábios. Calço meu par de saltos mais altos, para que minhas pernas pareçam com-pridas e magras. Mando uma mensagem para Lucille avisando que não vou trabalhar, ciente de que sua resposta vai ser que não preciso ir nunca mais.

Tenho que fazer uma parada antes de ir ao apartamento dela. Mar-quei um horário bem cedinho no salão de Serge Normant no Upper East Side. Vou estar na frente do apartamento dela com tempo de sobra.

Não foi difícil rastrear seus horários; sei quais são seus planos para o dia. Saio de mansinho, sem deixar nem um bilhete para tia Charlotte.

Quando chego ao salão, a cabeleireira me cumprimenta. Vejo seus olhos se voltarem para as raízes, que não cheguei a retocar. "O que vamos fazer hoje?"

Entrego a ela a foto de uma linda jovem e digo para reproduzir a cor quente e amanteigada.

Ela olha para a imagem e depois para mim. "É você?"

"Sim", eu digo.

17

Em pouco tempo, os músicos tocariam o *Cânone em ré maior* enquanto ela entraria no altar com o lenço de seu pai enrolado em torno de um buquê de rosas brancas. "Na saúde e na doença... amando e respeitando... até que a morte os separe", diria o homem que celebraria a cerimônia.

Nellie partiria para o aeroporto em poucas horas. Colocou o biquíni vermelho novo em uma das duas malas e verificou sua lista de afazeres. O vestido de noiva já tinha sido mandado para o hotel. Só restava preparar a nécessaire para a viagem.

Retângulos de cor mais clara nas paredes mostravam onde seus quadros tinham estado pendurados. Ela ia deixar a cama, a cômoda e um abajur para trás. Sam estava acertando tudo com a nova colega de quarto, uma instrutora de pilates que iria ver o quarto no dia seguinte. Ela se comprometera a mandar os móveis de Nellie para um depósito se não quisesse ficar com eles. "Vou continuar pagando o aluguel até que ela entre", Nellie dissera.

Mas ela sabia que Sam não ia aceitar a oferta, principalmente porque Richard já estava pagando por sua viagem à Flórida e acabara de pagar o chaveiro.

Nellie sabia que a amiga não tinha como bancar as despesas do apartamento sozinha. "Aceita, vai", disse, enquanto Sam, sentada na cama, a observava terminar de arrumar as coisas. "É justo."

"Obrigada." Sam deu um abraço rápido e forte nela. "Odeio despedidas."

"A gente se vê em alguns dias", argumentou Nellie.

"Não foi isso que eu quis dizer."

Nellie balançou a cabeça. "Eu sei."

Sam saiu do quarto.

Enquanto Nellie preenchia o cheque do aluguel do mês, seu celular tocou. Ela estava olhando para sua assinatura, ciente de que poderia ser a última vez que usava seu sobrenome de solteira, pensando que "Sr. e sra. Thompson" parecia impor muito mais respeito.

Nellie verificou o identificador de chamadas antes de atender. "Oi, mãe."

"Oi, amorzinho. Só queria confirmar o número do seu voo. É da American, certo?"

"É, espera um pouco." Nellie abriu o laptop e procurou o e-mail com a confirmação da companhia aérea. Ela leu as informações em voz alta. "Chega às sete e quinze."

"Você já vai ter jantado?"

"Só se você considerar jantar um pacotinho de amendoim."

"Posso cozinhar para você."

"Vamos simplificar as coisas: por que não compramos alguma coisa no caminho de casa? Por falar nisso, já pensou no spa? Richard marcou massagem e limpeza de pele para nós, mas você precisa dizer se vai querer massagem profunda, massagem sueca ou sei lá o quê... Viu o e-mail que ele mandou?"

"Ele não precisa fazer nada disso por mim. Você sabe que não consigo ficar muito tempo parada."

Era verdade. A mãe de Nellie considerava mais relaxante caminhar na praia ao pôr do sol do que ficar deitada de bruços em uma maca. Mas Richard não sabia. E queria fazer alguma coisa especial. Como Nellie poderia dizer a ele que sua mãe tinha recusado o presente?

"Tenta. Aposto que você vai gostar mais do que imagina."

"Vou fazer o mesmo que você, então."

Nellie sabia que não era a única filha a se ressentir das alfinetadas disfarçadas de instinto maternal. "Quanto açúcar processado", sua mãe murmurara certa vez quando Nellie comia Skittles, e mais de uma vez perguntara como conseguia suportar a "claustrofobia" de Manhattan.

"Por favor, pelo menos finja que está animada na frente do Richard."

"Você me parece preocupada demais com o que ele pensa."

"Não estou preocupada. Mas sou grata a ele! Richard me faz bem."

"Ele por acaso perguntou se você queria passar a véspera do seu casamento fazendo limpeza de pele?"

"E como eu não ia gostar disso?" Só mesmo a mãe de Nellie para deixá-la irritada por causa de uma bobagem como uma ida ao spa. Mas não era bobagem. Era um presente de Richard.

"Uma vez você me disse que odiava limpezas de pele. Por que não falou para ele? Richard comprou uma casa sem seu consentimento. Você por acaso quer morar em um condomínio residencial?" Nellie respirou fundo por entre os dentes, e sua mãe continuou: "Ele parece ser muito impositivo".

"Vocês só se viram uma vez!", protestou Nellie.

"Mas você ainda é tão jovem. Estou com medo de que acabe se anulando... Sei que está apaixonada por ele, mas, por favor, não deixe de ser quem você é."

Nellie não morderia a isca — ela se recusava a entrar na briga que sua mãe estava tentando provocar. "Tenho que terminar de arrumar as coisas. Vejo você em algumas horas." *Depois que o vinho do avião tiver me fortificado.*

Ela desligou o telefone e foi para o banheiro arrumar a nécessaire. Pegou seus cosméticos, a pasta e a escova de dente, em seguida se olhou no espelho acima da pia. Apesar de não ter dormido bem nos últimos dias, sua pele estava perfeita.

Ela saiu do banheiro, pegou o celular e ligou para o spa para cancelar a limpeza de pele. "Posso fazer um banho de algas no lugar?"

Nellie só ia passar alguns dias com a mãe antes que Richard viajasse para lá e todos se hospedassem no hotel para o casamento. Daria tudo certo. Além disso, Sam e sua tia chegariam um dia antes da cerimônia, e a presença delas amenizaria o clima.

Ela colocou a nécessaire na mala ainda aberta e tentou fechá-la, sem sucesso.

"Droga!", disse, tentando forçar a mala.

O problema era que ainda não fazia ideia de onde passaria a lua de mel. Imaginava que fosse algum país tropical, porque Richard falara do biquíni, mas mesmo as ilhas mais quentes podiam ser bem frias à noite.

Ela estava levando vestidos, saídas de praia, algumas roupas mais elegantes para sair à noite, sapatos de salto e sandálias.

Nellie teria que refazer as malas. Começou a tirar as roupas que dobrara com tanto cuidado. Separou três para a noite em vez de quatro e devolveu um dos sapatos de salto à caixa de papelão da mudança que estava no closet. O chapéu de praia que parecera tão bonito no catálogo da J.Crew teria que ficar de fora.

Ela deveria ter pensado naquilo antes. Seu voo sairia em menos de três horas, e Richard já estava chegando para levá-la ao aeroporto. Nellie conseguiu recolocar tudo na mala, deixando o chapéu em cima da cômoda, como um presente para Sam. Só precisava verificar se não tinha se esquecido de nada, já que não voltaria mais ao apartamento e...

O lenço do pai.

Nellie tinha certeza de que o havia colocado em algum compartimento interno da mala. Mas não o encontrou, mesmo tirando tudo de lá de dentro.

Ela tateou em busca do saquinho de pano, com movimentos cada vez mais desesperados.

Suas roupas agora estavam amarrotadas, mas ela continuou remexendo para apalpar os bolsos da mala. Não conseguia achar o lenço; só meias, sutiãs e calcinhas.

Ela se sentou na beira da cama e segurou a cabeça com as duas mãos. A maioria de suas coisas tinha sido encaixotada algumas noites antes. Nellie tinha razão para ficar preocupada com aquele pedacinho de pano azul; pretendia usá-lo no casamento, e era insubstituível.

A batida na porta lhe provocou um sobressalto. Ela ergueu a cabeça de forma abrupta.

"Nellie?"

Era Richard.

Ela não o tinha ouvido entrar; devia ter usado sua chave.

"Não consigo encontrar o lenço do meu pai!", ela contou.

"Onde foi que o viu pela última vez?"

"Dentro da mala. Mas não está mais lá. Já revirei tudo. Precisamos ir para o aeroporto, e se eu não conseguir..."

Richard olhou ao redor do quarto e então levantou a mala. Ela viu o quadrado de tecido azul e fechou os olhos.

"Obrigada. Achei que tivesse procurado embaixo da mala, mas estava tão agitada que..."

"Tudo resolvido agora. E você tem um avião para pegar."

Richard foi até a cômoda e pegou o chapéu de praia, girando-o em torno do dedo. Ele o colocou na cabeça. "Vai usar durante o voo? Vai ficar uma graça."

"Agora vou." Combinava com a calça jeans, a camiseta listrada e o tênis Converse sem cadarço que sempre usava ao viajar de avião, para facilitar a revista de segurança.

Sua mãe não entendia nada. Richard sempre dava um jeito. Ela estaria segura com ele, onde quer que fossem morar.

Richard pegou as malas e tomou o caminho da porta. "Sei que você tem boas lembranças daqui. Mas vamos criar novas. E melhores. Está pronta?"

Nellie estava estressada e cansada, e os comentários de sua mãe ainda a incomodavam. Sentia que jamais conseguiria perder aqueles malditos quatro quilos. Ainda assim, assentiu e foi com ele até a porta. Richard mandaria uma empresa de mudanças buscar as caixas de papelão que ela deixara empilhadas no closet, além daquilo que tinha deixado no depósito privativo do apartamento. Seria tudo entregue na casa nova.

"Estacionei a alguns quarteirões daqui." Ele deixou as malas perto do meio-fio. "Volto em dois minutinhos."

Richard se afastou, e Nellie olhou ao seu redor. Uma van de entregas estava parada um pouco mais adiante, e dois homens se esforçavam para tirar uma poltrona enorme lá de dentro.

Mas, além deles e de uma mulher de costas esperando o ônibus no ponto, a rua estava tranquila.

Nellie fechou os olhos e jogou a cabeça para trás, sentindo o sol do início da tarde no rosto. Esperando ouvir seu nome para saber que era hora de ir.

18

Minha substituta não vê que estou chegando.

Quando me nota, já estou perto demais, e uma expressão assustada surge em seu rosto.

Ela olha freneticamente ao redor, ao que tudo indica procurando uma rota de fuga.

"Vanessa?" O tom de voz dela é de incredulidade.

Fico surpresa por me reconhecer tão depressa. "Oi."

É mais jovem que eu, e suas curvas são mais generosas, mas, agora que meu cabelo voltou à coloração natural, poderíamos ser irmãs.

Esperei muito tempo por esse momento. Não sinto nem uma pontada de pânico, o que é notável.

Minhas mãos estão secas. Minha respiração está no ritmo normal.

Finalmente estou fazendo isso.

Hoje sou uma mulher bem diferente daquela por quem Richard se apaixonou tantos anos atrás.

Tudo em mim se transformou.

Aos vinte e sete anos, eu era uma professora simpática e tagarela que odiava sushi e adorava *Um lugar chamado Notting Hill*.

Equilibrava bandejas de hambúrgueres no trabalho extra de garçonete, revirava brechós e saía para dançar com minhas amigas. Não fazia ideia de como era linda. De quanta *sorte* tinha.

Perdi quase todas as minhas amigas, que eram muitas. Até Samantha.

Agora só me resta tia Charlotte.

Na minha antiga vida, eu tinha até outro nome.

Richard me apelidou de Nellie no dia em que nos conhecemos. Só me chamava assim.

Mas, para todas as outras pessoas, sempre fui — e ainda sou — Vanessa.

Ainda consigo ouvir a voz grave dele contando aquela história — *nossa* história — sempre que as pessoas perguntavam como tínhamos nos conhecido.

"Eu a vi no saguão do aeroporto", ele dizia. "Estava tentando arrastar a mala com uma das mãos e segurar a bolsa, uma garrafa de água e um cookie com a outra."

Eu estava voltando a Nova York depois de visitar minha mãe na Flórida. A viagem tinha sido boa, ainda que voltar para casa sempre trouxesse lembranças dolorosas. A saudade do meu pai só aumentava quando visitava o lugar onde morávamos. E não havia como escapar das memórias dos meus tempos de faculdade. Mas pelo menos as mudanças de humor da minha mãe tinham se estabilizado, graças à nova medicação. Mesmo assim, eu detestava viajar de avião, e estava especialmente ansiosa naquele dia, apesar do céu azul com poucas nuvens brancas.

Reparei na presença dele imediatamente. Estava usando um terno escuro e uma camisa branca, digitando no laptop com a testa franzida.

"Um garotinho começou a dar escândalo", Richard continuava contando. "A coitada da mãe estava com um bebê no carrinho, prestes a perder a paciência."

Fiz um gesto perguntando para a mãe se podia dar meu cookie ao menino chorando. Ela assentiu, grata. Eu era professora de educação infantil; sabia o poder de um docinho na hora certa. Agachei e dei o cookie para o menino, e as lágrimas evaporaram. Quando olhei na direção de Richard, um instante depois, ele não estava mais lá.

Passei por ele quando embarquei no avião. Estava na primeira classe, naturalmente, com uma bebida na mão. A gravata estava frouxa. O jornal estava aberto na bandeja, mas ele mantinha os olhos nos demais passageiros embarcando. Senti uma atração magnética quando nos vimos.

"Ela estava arrastando a bagagem de mão pelo corredor do avião", Richard dizia, esticando a história. "Uma bela visão."

Levei minha mala azul até a fileira vinte. Acomodei-me no assento e fiz meu ritual de sempre antes da decolagem: tirei meus tênis, fechei a janelinha e enrolei um cachecol em torno do pescoço.

"Ela estava sentada ao lado de um militar", Richard continuava, dando uma piscadinha para mim. "De repente me senti muito patriota."

A comissária apareceu dizendo que um passageiro da primeira classe tinha se oferecido para trocar de lugar com o homem ao meu lado. "Maravilha!", ele dissera.

Por algum motivo, eu sabia que era Richard.

Quando o avião decolou, eu me agarrei ao braço do assento e engoli em seco.

Ele me ofereceu sua bebida. Não tinha aliança. Fiquei surpresa por não ser casado — era um homem de trinta e seis anos —, porém mais tarde descobri que havia morado com a ex, uma mulher de cabelos escuros. Ela ficara bem chateada com o divórcio.

Depois que Richard me pediu em casamento, a existência dela virou um tormento para mim. Sentia sua presença em todo lugar. E estava certa — tinha alguém me seguindo. Só que não era ela.

"Ofereci minha bebida a ela", Richard dizia ao ouvinte da vez. "Achei que assim seria mais fácil conseguir seu telefone."

Dei um gole na vodca com tônica que ele me passou, sentindo o calor de seu corpo junto ao meu.

"Sou Richard."

"Vanessa."

Era a parte da história em que Richard tirava os olhos dos ouvintes e voltava o rosto carinhoso para mim. "Ela não tem cara de Vanessa, né?"

Ele sorriu para mim naquele dia no avião. "Você é meiga demais para ter um nome tão sério."

"Que tipo de nome eu deveria ter, então?"

Outra turbulência começou. Respirei fundo.

"É como passar de carro por cima de um buraco. Não tem perigo nenhum."

Tomei um gole enorme da bebida, e ele caiu na risada.

"Você é como uma menininha assustada." A voz dele saiu inesperadamente suave. "Deveria ter um apelido de acordo, como Nellie."

A verdade é que sempre odiei o apelido. Achava que parecia antiquado. Mas nunca disse a Richard. Só ele me chamava assim.

Continuamos conversando o resto do voo.

Não consegui acreditar que um homem como ele estivesse interessado em mim. Quando tirou o paletó, senti um cheiro cítrico que a partir de então sempre associaria a ele. Durante o procedimento de pouso, Richard pediu meu telefone. Enquanto eu escrevia, ele passou a mão no meu cabelo. Senti um arrepio. Foi um gesto tão íntimo como um beijo.

"É lindo", ele comentou. "Nunca corte."

Desse dia em diante — durante o vertiginoso namoro em Nova York, o casamento no resort na Flórida, os anos que passamos na casa que Richard comprou em Westchester —, sempre fui sua Nellie.

Pensava que minha vida ia transcorrer sem sustos. Pensava que ele ia sempre garantir minha segurança. Eu ia me tornar mãe e voltar a lecionar quando nossos filhos crescessem. Sonhava com a valsa nas nossas bodas de prata.

Mas, obviamente, nada disso aconteceu.

E agora Nellie se foi para sempre.

Sou apenas Vanessa.

"O que você está fazendo aqui?", pergunta minha substituta.

Percebo que ela está avaliando se consegue fugir de mim correndo pela rua.

Mas está usando sandálias de salto alto e tiras, além de uma saia apertada. Sei que vai provar o vestido de noiva hoje; não foi difícil descobrir sua programação.

"Só preciso de dois minutinhos seus." Abro as mãos vazias para tentar convencê-la de que não quero machucá-la.

Ela fica hesitante e olha de novo de um lado para o outro. Tem algumas pessoas passando, mas ninguém para. O que há para ver ali? Apenas duas mulheres bem-vestidas diante de um prédio em uma rua movimentada, perto de uma lanchonete e de um ponto de ônibus.

"Richard já vai chegar. Só está trancando o apartamento."

"Richard foi embora vinte minutos atrás." Tive medo de que ele fosse levá-la para provar o vestido, mas me tranquilizei quando ele pegou um táxi.

"Por favor, só me escuta", digo para a linda jovem com rosto em formato de coração por quem Richard me trocou. Ela precisa conhecer a história da transformação da simpática e tagarela Nellie na mulher que sou hoje. "Preciso contar a verdade sobre ele."

PARTE DOIS

19

O nome dela é Emma.

"Eu era você", começo, olhando para a jovem à minha frente.

Seus olhos azuis se arregalam ao examinar minha aparência. Ela analisa meus cabelos tingidos, o vestido largo sobre o corpo magro. Não é capaz de relacionar nossas imagens.

Fiquei deitada na cama ensaiando o que diria muitas vezes. Ela era assistente de Richard; os dois tinham se conhecido assim. Menos de um ano depois de contratá-la para substituir Diane, ele me trocou por ela.

Não preciso recorrer à cópia impressa do discurso na bolsa, que trouxe por garantia, caso as palavras me faltassem. "Se casar com Richard, você vai se arrepender. Ele vai te machucar."

Emma franze a testa. "Vanessa." Seu tom de voz é tranquilo e comedido. Como se estivesse falando com uma criança. É o tom que eu usava quando pedia aos meus alunos para guardar um brinquedo ou terminar o lanche. "Sei que o divórcio foi difícil para você. Para Richard também foi. Eu o via todos os dias; ele tentou de verdade fazer as coisas darem certo. Sei que vocês tiveram seus problemas, mas ele fez tudo o que pôde." Sinto certo ar de acusação em seu olhar; ela acha que a culpa é minha.

"Você pensa que o conhece", interrompo. Isso não está no roteiro, mas sigo em frente. "O Richard para quem trabalhava não é o verdadeiro. Ele é cauteloso, Emma. Não deixa as pessoas se aproximarem. Se for em frente com esse casamento…"

É ela quem me interrompe agora: "Eu me sinto muito mal por tudo o que aconteceu. Quero que saiba que nos aproximamos como colegas, amigos. Não sou do tipo que teria um caso. A gente não esperava se apaixonar".

Nisso eu acredito. Vi a atração dos dois surgir logo depois de Richard contratá-la para receber seus telefonemas, revisar sua correspondência e gerenciar sua agenda.

"Simplesmente aconteceu. Desculpa." Os olhos redondos de Emma são sinceros. Ela estende a mão e toca de leve meu braço. Eu me encolho toda. "Mas eu o conheço, sim. Passo dez horas por dia com ele, cinco dias por semana. Já o vi interagir com clientes e colegas. Já o vi interagir com seus assistentes. E com você, quando eram casados. Ele é um homem bom."

Emma faz uma pausa, como se estivesse em dúvida sobre continuar falando. Seu olhar permanece atraído para a cor mais clara dos meus cabelos. Minhas raízes loiras naturais enfim combinam com o restante dos fios. "Talvez seja você que não o conheça." Seu tom revela uma ligeira irritação.

"Você precisa me escutar!" Estou tremendo agora, desesperada para tentar convencê-la. "É isso que Richard faz! Ele confunde a gente para que não consiga enxergar a verdade!"

"Ele me disse que você tentaria algo do tipo." O desprezo substituiu a compaixão na voz dela. Emma cruza os braços, e sinto que a estou perdendo. "Ele me avisou que era ciumenta, mas isso já passou dos limites. Eu vi você na frente do meu prédio na semana passada. Richard falou que, se fizesse isso de novo, íamos entrar com uma ordem de restrição."

O suor escorre pelas minhas costas e também pelo rosto, se acumulando sobre meus lábios. Meu vestido de manga longa é quente demais para o dia de hoje. Pensei que tinha planejado tudo com cautela, mas pisei na bola, e agora meus pensamentos estão lentos e arrastados como esta manhã de junho.

"Você está tentando engravidar?", pergunto. "Ele fica dizendo que quer ter filhos?"

Emma dá um passo para trás e depois para o lado para se desvencilhar de mim. Vai até o meio-fio e acena para um táxi.

"Já chega", ela diz, sem virar para mim.

"Pergunte a ele sobre nossa última festa em casa." Meu estado de humor exaltado torna minha voz mais aguda. "Você estava lá. Lembra que o pessoal do bufê chegou atrasado e que não tinha Raveneau nenhum? Foi culpa do Richard... ele não encomendou. Por isso não entregaram!"

Um táxi diminui a velocidade. Emma vira para mim. "Eu estava lá. E sei que o vinho foi entregue. Sou assistente do Richard. Quem você acha que fez a encomenda?"

Por essa eu não esperava. Ela abre a porta do táxi antes que eu consiga me recuperar do choque.

"Ele pôs a culpa em mim", grito. "Depois da festa, a coisa ficou feia!"

"Você precisa mesmo se tratar." Emma bate a porta do carro.

Vejo o táxi arrancar, afastando-a de perto.

Fico parada na calçada do prédio dela, como já fiz antes, mas pela primeira vez realmente me pergunto se tudo o que Richard falou de mim não é verdade. Talvez eu seja louca como minha mãe, que lutou contra seus problemas psicológicos a vida toda — às vezes com sucesso, às vezes não.

Minhas unhas estão cravadas nas mãos. Não consigo suportar a ideia de que eles vão passar esta noite juntos. Ela vai contar tudo o que falei. Ele vai pôr as pernas dela sobre as suas, fazer uma massagem nos seus pés e prometer mantê-la a salvo. De mim.

Espero que ela me ouça. Que acredite em mim.

Mas Richard desconfiava que eu tentaria algo do tipo. Ele a avisou.

Conheço meu ex-marido melhor que ninguém. Deveria ter me lembrado de que ele também me conhece.

Choveu na manhã do nosso casamento.

"É sinal de boa sorte", meu pai teria dito.

Quando caminhei sobre o tapete estendido no pátio do resort, ao lado de minha mãe e de tia Charlotte, o céu já tinha clareado. O sol acariciava meus braços descobertos. As ondas do mar proporcionavam uma melodia suave.

Passei por Sam, Josie e Marnie, sentadas em cadeiras com laços de seda branca, e por Hillary, George e outros sócios de Richard. Lá na frente, sob a arcada enfeitada com rosas, Maureen estava ao lado dele, como madrinha. Usava o colar de contas que eu lhe dera.

Richard mantinha os olhos cravados em mim. Eu não conseguia parar de sorrir. Sua expressão era determinada; seus olhos pareciam quase pretos.

Depois que demos as mãos e o celebrante nos declarou marido e mulher, vi os lábios dele tremerem de emoção ao se inclinar para me beijar.

O fotógrafo capturou todo o encanto da noite: Richard colocando a aliança no meu dedo, nosso abraço no fim da cerimônia, nossa dança lenta ao som de "It Had to Be You". O álbum que mandei fazer tem fotos de Maureen ajeitando a gravata-borboleta do irmão, Sam levantando sua taça de champanhe, minha mãe caminhando descalça pela praia ao pôr do sol, tia Charlotte me dando um abraço de despedida no fim da noite.

Minha vida até então tinha sido tão cheia de incerteza e turbulência — com o divórcio dos meus pais, os problemas da minha mãe, a morte do meu pai e, claro, o motivo que me fez ir embora —, mas naquela noite meu futuro parecia tranquilo e perfeito, como o tapete azul que me levara até Richard.

No dia seguinte viajamos para Antígua. Nós nos acomodamos nas poltronas reclináveis da primeira classe e Richard pediu mimosas antes mesmo da decolagem. Meus maiores pesadelos nunca se concretizaram.

Não era de voar que eu precisava ter medo.

Não fizemos um álbum da lua de mel, mas, quando penso a respeito, é assim que me lembro dela: como uma sequência de imagens.

Richard abrindo a lagosta e me lançando um sorriso malicioso enquanto eu sugava a carne com uma pinça.

Nós dois recebendo massagens, deitados lado a lado na praia.

Richard de pé atrás de mim, segurando minha mão, enquanto eu ajudava a içar a vela do barco que alugamos.

Todas as noites, nossa camareira particular preparava um banho de água perfumada com pétalas de rosas e acendia velas ao redor da banheira. Uma vez, saímos para a praia ao luar e fizemos amor em uma das tendas, escondidos pelas cortinas que bloqueavam o sol durante o dia. Relaxávamos na jacuzzi privativa, bebíamos drinques com rum na piscina em frente ao mar, tirávamos cochilos na rede para casal.

No último dia, Richard marcou uma sessão de mergulho. Não tínhamos habilitação, mas o pessoal do resort disse que, depois de uma aula na piscina, podíamos mergulhar em águas rasas com um instrutor.

Eu não gostava de nadar, mas me saí bem nas águas calmas e cheias de cloro. Outros hóspedes brincavam por perto, o sol iluminava a superfície logo acima da minha cabeça, e a borda estava a poucas braçadas de distância.

Respirei fundo quando subimos na lancha e tentei soar tranquila e despreocupada ao falar. "Quanto tempo vamos ficar embaixo d'água?", perguntei a Eric, que estudava no campus de Santa Barbara da Universidade da Califórnia e trabalhava como instrutor nas férias.

"Quarenta e cinco minutos. Tem oxigênio para mais tempo no cilindro, então podemos esticar um pouco se quiserem."

Fiz um sinal de positivo com o polegar, mas, à medida que nos afastávamos da terra firme em direção ao recife de corais, meu peito foi ficando mais apertado. O pesado cilindro de oxigênio estava preso nas minhas costas, e os pés de pato eram incômodos nos meus pés.

Olhei para a máscara de Richard e senti a minha puxando os cabelos finos perto das têmporas. Eric desligou o motor, e o silêncio que se fez foi amplo e absoluto como a vastidão da água que nos cercava.

O instrutor saltou da beirada do barco, afastando os cabelos compridos do rosto quando reapareceu na superfície. "O recife fica a uns vinte metros de distância. Nadem atrás de mim."

"Está pronta, amor?" Richard parecia empolgadíssimo para ver os acarás azuis e amarelos, os peixes-papagaios multicoloridos e os inofensivos tubarões-lixa. Ele posicionou a máscara. Tentei sorrir ao fazer o mesmo, sentindo a pressão da borracha em torno dos olhos.

Posso voltar quando quiser, pensei ao começar a descer a escadinha. *Não vou ficar presa lá embaixo.*

Instantes depois, submergi na água fria e salgada do mar, e todo o resto desapareceu.

Só podia ouvir minha respiração.

Não estava enxergando nada. Eric tinha avisado que a máscara poderia ficar embaçada, mas bastaria levantar um pouco o visor para deixar a água limpar a condensação. "Levante uma das mãos se alguma coisa estiver errada; esse vai ser o sinal de emergência", ele dissera. Mas só consegui me debater e espernear, tentando subir. As alças que prendiam o equipamento comprimiam meu corpo, pressionavam meu peito. Tentei continuar mandando oxigênio para os pulmões enquanto a máscara ficava cada vez mais embaçada.

O barulho era terrível. Até hoje consigo ouvir a difícil respiração entrecortada e sentir o aperto no peito.

Não conseguia encontrar Eric nem Richard. Estava sozinha no meio do mar, debatendo-me, com um grito sufocado nos pulmões.

Foi quando alguém me segurou pelo braço, e senti que estava sendo puxada. Fiquei imóvel.

Chegando à superfície, cuspi o respirador e arranquei a máscara, sentindo uma pontada de dor quando a borracha puxou meus cabelos.

Ofegante e tossindo, eu tentava puxar mais ar para os pulmões.

"O barco está bem ali", Eric falou. "Estou segurando você. É só boiar."

Estendi a mão e segurei um dos degraus da escadinha. Estava fraca demais para subir, mas Eric entrou no barco primeiro e estendeu a mão para me ajudar. Despenquei sobre um banquinho, tão zonza que precisei colocar a cabeça entre as pernas.

Ouvi a voz de Richard da água. "Você está bem. Olha aqui pra mim."

A pressão nos meus ouvidos fez a voz dele soar estranha.

Abri os olhos, mas Richard ainda estava flutuando na água, e a ondulação azul me deixou enjoada.

Eric se ajoelhou ao meu lado, soltando as alças do equipamento do meu corpo. "Você vai ficar bem. Foi só um momento de pânico. Acontece às vezes."

"Não conseguia enxergar", murmurei.

Richard subiu a escadinha e saltou a amurada. O equipamento de mergulho produziu um baque forte ao bater contra o convés. "Estou aqui. Ah, amor, você está tremendo. Desculpa, Nellie. Eu deveria saber."

A máscara tinha deixado uma mancha vermelha em torno dos olhos dele.

"Pode deixar", ele disse para Eric, que terminou de soltar meu cilindro e se afastou. "É melhor a gente voltar."

Richard me abraçou com força enquanto o barco atravessava as ondas. Voltamos ao resort em silêncio. Depois que atracou, Eric pegou uma garrafa de água para mim no cooler. "Como está se sentindo?"

"Muito melhor", menti. Ainda estava tremendo, e a garrafa na minha mão evidenciava aquilo. "Richard, você pode ir fazer o mergulho..."

Ele sacudiu a cabeça. "Sem chance."

"Vamos descer", Eric falou. Ele saltou no atracadouro, e Richard foi atrás. Eric estendeu a mão para mim outra vez. "Aqui." Minhas pernas estavam trêmulas, mas consegui estender o braço para que me segurasse.

"Pode deixar comigo", Richard falou. Ele me segurou pelo braço e me tirou do barco. Fiz uma careta ao sentir o aperto forte de seus dedos para me estabilizar.

"Vamos para o quarto", Richard disse a Eric. "Você pode devolver os equipamentos?"

"Sem problemas." Eric parecia preocupado, talvez por causa do tom de ligeira irritação na voz de Richard. Eu sabia que meu marido só estava pensando no meu bem-estar, mas o instrutor talvez estivesse com medo de que fizéssemos uma reclamação para a gerência.

"Obrigada por me ajudar", eu disse a ele. "Desculpa por ter surtado."

Richard pôs uma toalha nos meus ombros e saímos do atracadouro para a areia macia, na direção do quarto.

Comecei a me sentir melhor quando tirei o biquíni molhado e vesti um roupão branco e macio. Quando Richard sugeriu que voltássemos à praia, aleguei que estava com dor de cabeça, mas falei para ele ir.

"Vou ficar aqui descansando um pouco."

Minhas têmporas latejavam de leve — efeito do mergulho, ou talvez da tensão. Assim que ouvi a porta se fechar atrás de Richard, fui até o banheiro para pegar um Advil na nécessaire, então hesitei. Ao lado do analgésico havia um frasco de Frontal que eu tinha comprado caso a viagem de avião fosse muito longa. Fiquei em dúvida, pensando na minha mãe, como sempre fazia antes de tomar um medicamento, então peguei um dos comprimidos brancos ovalados e tomei com a água que a camareira repunha duas vezes por dia. Fechei as cortinas pesadas para bloquear o sol e fui para a cama esperar o remédio fazer efeito.

Quando estava pegando no sono, ouvi uma batida na porta. Pensando que fosse a camareira, gritei: "Volte mais tarde, por favor".

"É o Eric. Estou com seus óculos escuros. Vou deixar aqui na frente."

Eu sabia que precisava levantar para agradecer, mas meu corpo estava tão pesado que não consegui. "Ótimo, obrigada."

Meu celular tocou um instante depois. Eu o apanhei no criado-mudo. "Alô?"

157

Não houve resposta.

"Richard?" Minha fala saiu arrastada por causa do calmante.

Mais uma vez, não houve resposta.

Eu sabia o que veria no identificador de chamadas antes mesmo de olhar para a tela: número não identificado.

Sentei na hora, agarrando o aparelho, de repente me sentindo bem desperta. Só conseguia ouvir o barulho do vento entrando pela janela do quarto.

Eu estava a mais de mil quilômetros de casa, mas alguém ainda estava me monitorando.

Finalizei a chamada e saí da cama. Abri as cortinas e olhei pelas portas de vidro da varanda. Não havia ninguém lá. Olhei para dentro do quarto, para a porta fechada do closet. Não estava aberta quando saímos?

Fui até lá e a abri.

Nada.

Olhei para o celular na cama, com a tela acesa. Peguei o aparelho e joguei contra o piso de porcelana no chão. Uma peça se soltou, mas a tela continuava iluminada. Eu o apanhei e coloquei no balde de gelo, afundando a mão até sentir o choque da água geladíssima.

Não podia deixá-lo ali; a camareira ia encontrá-lo. Enfiei a mão no gelo de novo, tirei o celular e olhei freneticamente em torno do quarto, até encontrar o cesto de lixo com o jornal do dia e alguns lenços de papel. Enrolei o aparelho no caderno de esportes e enfiei tudo de volta no lixo.

O pessoal da limpeza jogaria fora sem olhar. Meu celular acabaria em um contêiner com o lixo de uma centena de outros hóspedes. Eu diria para Richard que o havia perdido, que devia ter caído da bolsa. Fora ele quem me dera, assim que ficamos noivos, dizendo que eu deveria ter o dispositivo mais moderno disponível. Com certeza ia me comprar outro. Eu já tinha atrapalhado a viagem o suficiente; não havia por que deixá-lo ainda mais preocupado.

Minha respiração se acalmou; o comprimido era mais forte que o medo. A suíte era arejada e espaçosa, com orquídeas roxas em um vaso baixo sobre uma mesa de vidro, piso de porcelana azul e paredes brancas. Fui de novo até o closet, escolhi um vestidinho laranja e uma sandália dourada de salto alto. Pendurei a peça atrás da porta e posicionei as sandálias embaixo; era a roupa que eu usaria naquela noite. Havia uma garrafa de champanhe no frigobar. Eu a peguei e coloquei no balde de gelo, posicionando duas taças ao lado.

Minhas pálpebras estavam pesadas. Dei uma última olhada ao redor. Estava tudo lindo; tudo em ordem. Voltei para debaixo das cobertas. Virei de lado e senti uma pontada de dor. Quando olhei para meu braço esquerdo, vi uma marca vermelha no ponto em que Richard tinha me segurado para descer do barco. Ia ficar roxa.

Eu tinha um casaquinho fino que combinava com o vestido. Podia usar para esconder a marca.

Virei para o outro lado. Um cochilo rápido, pensei comigo mesma, e quando Richard voltasse eu sugeriria abrir a champanhe enquanto nos preparávamos para o jantar.

Voltaríamos a Nova York no dia seguinte; a lua de mel estava quase no fim. Eu precisava apagar a lembrança daquela tarde. Queria mais uma noite perfeita antes de voltar para casa.

20

Vejo a atendente servir vodca no copo e complementar com água tônica. Ela põe um limão na borda, desliza a bebida pelo balcão de madeira lisa e recolhe o copo vazio à minha frente.

"Quer um copo d'água também?"

Faço que não com a cabeça. Sinto mechas molhadas de cabelos grudadas na nuca. Minhas coxas suadas grudam no assento de vinil. Meus pés descalços estão apoiados no chão.

Depois que Emma me dispensou e pegou o táxi, fiquei um tempão parada na esquina, sem saber para onde ir. Não havia ninguém a quem pudesse recorrer. Ninguém que entenderia o tamanho do meu fracasso.

Então, como não conseguia pensar em uma alternativa, comecei a andar. A cada passo, a agonia crescia, como um bocejo impossível de conter. Alguns quarteirões depois, avistei o bar do Robertson Hotel.

A atendente coloca outro copo à minha frente sem dizer nada. Água. Ergo os olhos, perguntando se tinha mesmo recusado ou se fora só imaginação, mas ela evita meu olhar e se afasta, indo ajeitar a pilha de jornais em um canto do balcão.

Vejo meu reflexo no espelho atrás dela, refletindo as fileiras de Absolut, Johnnie Walker, Hendrick's e tequila.

Agora vejo o que Emma viu.

Sinto-me em uma casa dos espelhos de parque de diversões. A imagem que quero projetar — a pessoa que eu era, a Nellie de Richard — está distorcida. Meus cabelos estão ressecados por causa do excesso de química. Meus olhos parecem fundos no rosto magro. A maquiagem que passei com tanto cuidado está borrada. Não é à toa que a atendente quer me manter sóbria; estou no saguão de um hotel elegante, que recebe gente de todo o mundo viajando a trabalho e serve doses de uísque de duzentos dólares.

Sinto o celular vibrar de novo. Obrigo-me a tirá-lo da bolsa e vejo cinco ligações perdidas. Três da Saks, a partir das dez da manhã. Duas de tia Charlotte na última meia hora.

Só uma coisa é capaz de me tirar da letargia provocada pela dor que me envolve: a ideia de que ela está preocupada. Por isso atendo.

"Vanessa? Está tudo bem?"

Não tenho ideia de como responder.

"Onde você está?"

"No trabalho."

"Lucille me ligou dizendo que você não apareceu." Minha tia é meu contato de emergência. Coloquei o nome dela na ficha de inscrição.

"Eu só precisava... vou me atrasar."

"Onde você está?", minha tia repete, com o tom de voz firme.

Eu deveria dizer que estou voltando para casa, que a gripe voltou. Eu deveria inventar uma desculpa para que ela não se preocupasse. Mas o som de sua voz — o único porto seguro que tenho — derruba minhas defesas. Passo para ela o nome do hotel.

"Não saia daí", ela diz antes de desligar.

A esta altura, Emma já chegou para a prova do vestido. Fico me perguntando se ligou para Richard para contar que a abordei. Lembro como a pena em seus olhos se transformou em desprezo; não sei o que faz com que eu me sinta pior. Revejo a imagem de suas pernas bem torneadas desaparecendo no táxi, a porta se fechando, o carro se afastando.

Fico me perguntando se Richard vai me procurar.

Antes que possa pedir outra bebida, escuto o som das sandálias de tia Charlotte batucando o chão atrás de mim. Ela examina a nova coloração dos meus cabelos, meu copo vazio e meus pés descalços.

Espero que diga alguma coisa, mas apenas se acomoda na banqueta ao meu lado.

"Quer beber alguma coisa?", a atendente pergunta.

Tia Charlotte examina o cardápio de drinques. "Um sidecar, por favor."

"Não está no menu, mas posso preparar um, claro."

Tia Charlotte espera que ela sirva o conhaque e o licor de laranja sobre o gelo, então esprema o limão.

Ela toma um gole e baixa a taça gelada. Tento me preparar para o interrogatório, que não vem.

"Não posso obrigar você a me contar o que está acontecendo. Mas, por favor, pare de mentir para mim." Tem uma mancha de tinta amarela na junta de seu dedo indicador — um pontinho minúsculo —, e meus olhos se concentram nela.

"Quem eu era depois que me casei?", pergunto após um momento de silêncio. "O que você via em mim?"

Tia Charlotte se recosta na banqueta e cruza as pernas. "Você mudou. Senti sua falta."

Eu também tinha sentido. Ela só conheceu Richard pouco antes do casamento, porque estava passando um ano em Paris. Depois que voltou a Nova York, começamos a nos ver mais — com mais frequência no começo, e muito menos conforme os anos foram passando.

"Acho que notei a diferença pela primeira vez no seu aniversário. Você não parecia mais ser quem era."

Sei exatamente a quando se refere. Foi pouco depois de nosso primeiro aniversário de casamento. Assinto. "Eu tinha feito vinte e nove anos." Só alguns anos a mais do que Emma tem hoje. "Você me levou um buquê de bocas-de-leão cor-de-rosa."

Ela me deu uma pequena pintura também, do tamanho de um livro. Era uma imagem minha no dia do casamento. Tia Charlotte me retratara de costas, caminhando para o altar, para Richard. O formato de sino do vestido e o véu transparente se destacavam contra o céu de um azul vívido da Flórida; era quase como se eu estivesse caminhando rumo ao infinito.

Nós a tínhamos convidado para um drinque na nossa casa em Westchester, seguido de um jantar no clube. Eu já havia começado o tratamento de fertilidade, e não consegui fechar o zíper da saia de seda que pretendia usar. Era um dos vários novos itens que preenchiam meu closet enorme. Eu tinha tirado um cochilo à tarde — o Clomid me deixava sonolenta — e estava atrasada. Quando desci, depois de colocar um vestido mais confortável, Richard já tinha recebido tia Charlotte e servido uma taça de vinho para ela.

Ouvi os dois conversando ao me aproximar da biblioteca. "Sempre foram minhas flores favoritas", tia Charlotte ia dizendo.

"Sério?", Richard falou.

Quando entrei, tia Charlotte colocou o buquê envolto em celofane em uma mesinha para ir me abraçar.

"Vou pôr em um vaso." Richard discretamente pegou um guardanapo de linho e enxugou uma gota d'água da superfície de mangueira maciça; o móvel tinha sido comprado fazia um mês. "Tem água mineral para você, querida", ele me disse.

Agora, pego o copo d'água no balcão do bar e dou um grande gole. Tia Charlotte sorrira ao ouvir o que Richard dissera, e percebi que poderia ter entendido errado o motivo da minha barriga inchada e da preferência pela água.

Sacudi a cabeça de leve, sem querer dizer em voz alta as palavras que corrigiriam a impressão equivocada. Pelo menos não na frente de Richard.

"Um lugar tão bonito", tia Charlotte comenta no bar, mas estou perdida na conversa. Está falando da minha antiga casa ou do clube?

Tudo na minha vida parecia bonito na época: os móveis novos que havia escolhido com a ajuda de uma decoradora, os brincos de safira que tinha ganhado de Richard no dia anterior, a entrada para carros do clube, entre gramados verdejantes e um lago artificial com patos, a explosão de arbustos, flores e frutas silvestres que cercavam as colunas brancas.

"As outras pessoas no clube pareciam todas..." Minha tia hesita. "Acomodadas, acho. Enquanto suas amigas na cidade eram tão jovens e cheias de energia."

As palavras de tia Charlotte são gentis, mas entendo o que ela quer dizer. Os homens jantavam de paletó — era uma regra do restaurante —, e as mulheres pareciam seguir regras tácitas de vestimenta e comportamento. A maioria dos casais era composta de gente bem mais velha que eu, mas essa não era a única razão por que não me sentia em casa lá.

"Sentamos em uma mesa de canto", tia Charlotte continua. Richard e eu frequentávamos vários eventos do clube — a queima de fogos de

Quatro de Julho, o churrasco do Dia do Trabalho, o baile de fim de ano. A mesa no canto era a favorita dele, por proporcionar uma visão completa do salão, em um ambiente mais silencioso.

"Fiquei surpresa com as aulas de golfe", tia Charlotte comenta.

Faço que sim com a cabeça. Também fiquei. Foi um presente de Richard, claro. Ele queria que jogássemos juntos, e sugeriu uma viagem a Pebble Beach quando meu jogo tivesse evoluído. À mesa, eu comentei que tinha aprendido a distinguir o taco sete do nove, que sempre acabava lançando bolas tortas se não desse algumas tacadas para me aquecer e que me divertia dirigindo o carrinho de golfe. Mas devia saber que tia Charlotte conseguiria ver o que havia por trás daquela tagarelice animada.

"Quando o garçom apareceu, você pediu uma taça de chardonnay", tia Charlotte relembra. "Vi que Richard segurou sua mão, e você trocou para água."

"Eu estava tentando engravidar. Não podia beber."

"Eu sei, mas aconteceu outra coisa." Tia Charlotte dá um gole em sua bebida, segurando a taça de vidro grosso com as duas mãos e colocando-a com cuidado de volta sobre o balcão. Fico com a impressão de que ela está relutante em continuar falando, mas preciso saber o que é.

"O garçom trouxe sua salada caesar." O tom de voz dela é suave. "Você reclamou que queria o molho à parte. Não era nada de mais, mas fez questão de afirmar que tinha pedido assim. Achei estranho, porque você foi garçonete. Sabe que esse tipo de erro acontece toda hora."

Ela faz uma pausa. "A questão é: você estava errada. Eu pedi uma salada caesar também, e você só disse que seriam duas então. Não fez nenhum comentário sobre o molho."

Sinto minha testa se enrugar. "Só isso? Eu me enganei?"

Tia Charlotte faz que não com a cabeça. Sei que vai ser sincera comigo. E sei que posso não gostar do que vou ouvir a seguir.

"Foi o jeito como você falou. Parecia... agitada. O garçom se desculpou, mas você criou caso. Pôs a culpa nele por um erro seu."

"O que Richard fez?"

"Depois de um tempo, disse para não esquentar a cabeça, que viriam com outra salada em um minuto."

Não me lembro exatamente da conversa com o garçom — apesar de me lembrar de outras idas mais agitadas a restaurantes durante o casamento —, mas de uma coisa tenho certeza: minha tia tem uma excelente memória. Passou a vida inteira registrando detalhes.

Fico me perguntando sobre outros momentos desagradáveis que ela testemunhou e não comentou para me poupar.

Apesar de estar recém-casada àquela altura, minha transformação já havia começado.

21

Eu sempre soube que minha nova vida com Richard teria pouco a ver com a antiga.

Mas imaginei que as mudanças seriam externas — acréscimos àquilo que eu já era, ao que já tinha. Eu ia me tornar uma esposa. Uma mãe. Seria dona de casa. Faria novas amizades em um novo bairro.

Mas, na ausência da correria que marcava meus dias em Manhattan, ficava fácil demais me concentrar no que estava faltando. Eu deveria estar acordando três vezes por noite para amamentar, frequentando atividades recreativas para bebês. Deveria estar fazendo papinha de cenoura e lendo livros infantis à noite. Deveria estar lavando macacões e colocando mordedores no congelador para aliviar o inchaço nas gengivas.

Minha vida estava em modo de espera. Eu me sentia suspensa entre o passado e o futuro.

Antes eu me apavorava com o saldo da minha conta-corrente, com passos atrás de mim na rua à noite, e corria para entrar no metrô antes que as portas se fechassem para conseguir chegar na hora no Gibson. Eu me preocupava com uma menininha na minha classe que roía unhas, apesar de só ter três anos, ficava ansiosa para saber se o cara para quem tinha passado meu telefone ia ligar, se Sam havia se lembrado de desligar a chapinha depois de usar.

Acho que pensei que o casamento com Richard fosse fazer minhas preocupações desaparecerem.

Mas minhas antigas ansiedades só deram lugar a novas. O movimento e o barulho da cidade foram substituídos pelo turbilhão de pensamentos. O ambiente tranquilo não pacificou meu mundo interior. Minha insônia reapareceu. Eu me via voltando para casa para me certificar de que havia trancado a porta. Fui embora do consultório do dentista antes de terminar a limpeza com a certeza de que tinha deixado o forno ligado. Abria o closet mais uma vez porque cismava que tinha esquecido as luzes acesas. A faxineira que limpava a casa toda semana deixava tudo impecável, e Richard era uma pessoa ordeira por natureza, mas mesmo assim eu vagava pelos cômodos procurando uma folha seca para tirar de um vaso de planta, um livro desalinhado na prateleira, uma toalha mal dobrada no armário.

Aprendi a esticar uma tarefa simples para que me ocupasse pelo maior tempo possível; era capaz de planejar meu dia inteiro em torno de uma reunião do comitê de voluntários do clube. Estava sempre olhando no relógio, contando as horas para Richard chegar em casa.

Pouco depois do meu aniversário de vinte e nove anos e do jantar no clube com tia Charlotte, fui ao supermercado comprar peito de frango para o jantar.

O Halloween estava chegando, minha época do ano favorita quando professora. Muito provavelmente não haveria crianças pedindo doces na nossa porta — no ano anterior a campainha não tocara —, já que as casas no condomínio eram muito distantes umas das outras. Mesmo assim, comprei alguns pacotinhos de Kit Kat e m&m's, mais interessada em comer do que em distribuir. Também coloquei no carrinho do mercado uma caixa de absorvente interno. Quando passei sem querer pelo corredor das fraldas e papinhas de bebê, dei meia-volta às pressas e fiz o caminho mais longo até o caixa.

Depois que coloquei a mesa para o jantar, com apenas dois pratos no canto da enorme mesa de mogno, a solidão bateu forte. Servi uma taça de vinho e liguei para Sam. Richard não gostava de me ver bebendo, mas durante alguns dias do mês eu precisava daquele consolo — por isso escovava bem os dentes depois e escondia a garrafa no fundo da lixeira de recicláveis. Sam me contou que ia sair pela terceira vez com um cara e pareceu bem animada. Eu até conseguia imaginá-la vestindo sua calça jeans favorita, a que eu não podia mais pegar emprestada, e passando batom vermelho.

Bebi meu chablis enquanto escutava sua conversa alegre e sugeri que nos víssemos na cidade em breve. Sam só tinha ido me ver uma vez depois do casamento. Eu entendia por quê: Westchester era um lugar entediante para uma mulher solteira. Eu ia a Manhattan com mais frequência e tentava encontrá-la perto da escola para almoçarmos juntas.

Só que havia precisado adiar nosso último almoço por causa de uma indisposição estomacal, e Sam tivera que cancelar o anterior porque esquecera de que era a festa de aniversário de noventa anos de sua avó.

Fazia um tempão que não nos víamos.

Prometi que manteria contato com ela depois do casamento, mas as noites e os fins de semana — o tempo que Sam tinha livre — eram minhas únicas oportunidades de ficar com Richard.

Ele nunca interferia na minha agenda. Uma vez, num domingo em que foi me buscar na estação de trem, depois de um brunch com Sam no Balthazar, Richard me perguntou se tinha sido divertido.

"Sam é sempre divertida", respondi, dando risada ao contar para ele que cruzamos com a cena de um filme sendo gravada a alguns quarteirões de distância do restaurante, e Sam me pegou pela mão e me puxou para o meio dos figurantes. No fim pediram para irmos embora, mas não antes de minha amiga pegar um punhado de castanhas da mesa do bufê.

Richard deu risada. No jantar daquela noite, comentou que ia trabalhar até tarde quase todos os dias naquela semana.

Ainda ao telefone, Sam falou de marcar um horário para nos encontrarmos. "Vamos tomar tequila e sair pra dançar como fazíamos antes."

Hesitei. "Me deixa ver a agenda do Richard. Se ele estiver viajando, melhor."

"Está pensando em levar um cara para casa?", Sam perguntou.

"Ou mais de um...", brinquei, tentando mudar o foco, e ela deu risada.

Eu estava na cozinha poucos minutos depois, picando tomates para a salada, quando o alarme antifurto começou a tocar.

Richard tinha instalado um sistema sofisticado pouco antes de mudarmos. Aquilo me reconfortava durante o dia, enquanto ele trabalhava, e principalmente nas noites em que ele estava viajando.

"Olá?", chamei. Fui até o corredor, fazendo careta diante dos apitos agudos do alarme preenchendo o ar. A pesada porta de carvalho permanecia fechada.

O homem que instalara o alarme dissera que a casa tinha quatro pontos vulneráveis, mostrando quatro dedos para enfatizar o que dizia.

A porta da frente, a entrada do porão, a janela grande da cozinha e, principalmente, a porta de vidro que dava para o jardim.

Aquelas quatro entradas eram monitoradas. Corri até a porta de vidro e olhei para fora. Não consegui ver nada, o que não significava que não havia alguém lá, escondido entre as sombras. Caso estivessem tentando entrar, eu jamais ouviria, por causa do barulho escandaloso do alarme. Instintivamente, corri para o andar de cima, com a faca que estava usando para cortar os tomates na mão.

Peguei o celular no criado-mudo. Por sorte estava carregado. Enquanto me enfiava no fundo do closet, atrás de uma fileira de calças, liguei para Richard.

"Nellie? O que aconteceu?"

Segurei o telefone com força, encolhida no chão do closet. "Acho que tem alguém tentando entrar aqui", murmurei.

"Estou ouvindo o alarme." O tom de voz de Richard era tenso e urgente. "Onde você está?"

"No closet", murmurei.

"Vou chamar a polícia. Espera um pouco."

Imaginei meu marido passando nosso endereço e pedindo um atendimento urgente, porque eu estava sozinha em casa. Sabia que a empresa do alarme também alertaria a polícia.

O telefone da casa começou a tocar. Meu coração estava disparado, e eu ouvia minha própria pulsação. Tantos barulhos — como ia saber se não tinha alguém à porta do closet, virando a maçaneta?

"A polícia vai chegar a qualquer momento", Richard falou. "Já estou no trem, em Mount Kisco. Chego em quinze minutos."

Os quinze minutos duraram uma eternidade. Eu me encolhi ainda mais e comecei a contar, forçando-me a ir devagar, pronunciando os números em um volume inaudível. *Com certeza a polícia vai chegar antes do duzentos*, pensava, permanecendo imóvel e mantendo a respiração rasa, para que a pessoa do outro lado da porta do closet, caso houvesse mesmo alguém lá, não detectasse minha presença.

O tempo se arrastava. Eu estava atenta a cada detalhe nos arredores, com os sentidos em alerta máximo. Via a poeira nas prateleiras, notava cada variação no piso de madeira, além da leve vibração que minha respiração produzia nas calças pretas penduradas a poucos centímetros do meu rosto.

"Aguenta firme, amor", Richard falou quando cheguei a duzentos e oitenta e sete. "Estou descendo do trem."

Então a polícia finalmente chegou.

Os policiais revistaram a casa, mas não encontraram nenhum sinal de invasão — não havia nada faltando, nenhuma porta forçada, nenhuma janela quebrada. Eu me aninhei ao lado de Richard no sofá, tomando chá de camomila. Os alarmes falsos não eram raros, eles disseram. Problema na fiação, um animal que disparava o sensor, uma falha no sistema eram motivos comuns.

"Com certeza não foi nada", Richard concordou. Mas então hesitou e ficou olhando para os dois policiais. "Uma coisa não deve ter relação com a outra, mas quando saí hoje de manhã vi uma picape desconhecida parada no fim da rua. Pensei que fosse de uma empresa de jardinagem ou coisa do tipo."

Senti meu coração disparar.

"Você pegou a placa?", perguntou o policial mais velho, que assumia a palavra na maioria das vezes.

"Não, mas vou ficar de olho daqui para a frente." Richard me puxou para mais perto. "Ah, amor, você está tremendo. Prometo que não vou deixar que nada aconteça com você."

"Viu alguém perto da casa?", o policial insistiu.

As luzes vermelhas e azuis girando no teto da viatura entravam pela janela. Fechei os olhos, mas só conseguia visualizar aquelas cores percorrendo a escuridão freneticamente, levando-me de volta a uma noite muito tempo antes, no meu último ano de faculdade.

"Não, eu não vi ninguém."

Mas não era exatamente verdade.

Eu tinha visto um rosto, mas não pela janela. Era visível apenas na minha memória, e pertencia a alguém que tinha visto pela última vez na Flórida, alguém que me culpara — e quisera me castigar — pelos acontecimentos cataclísmicos daquela noite de outono.

Eu tinha um novo nome. Um novo endereço. Até mudara o número do celular.

Mas sempre temia que não fosse suficiente.

A tragédia começou a se desenrolar em um dia lindo do mês de outubro. Eu era muito jovem, tinha acabado de começar o último ano de faculdade. O calor abrasador do verão da Flórida havia se transformado em um frescor agradável; as garotas da irmandade usavam vestidinhos leves ou blusinhas e shorts com CHI ÔMEGA estampado na bunda. A casa estava cheia de energia e alegria; as candidatas aprovadas seriam iniciadas depois que anoitecesse. Como diretora de eventos, eu tinha providenciado os *jelly shots*, as vendas para os olhos, as velas e o mergulho surpresa no mar.

Acordei aquele dia me sentindo exausta e enjoada. Comi uma barrinha de cereal e fui para a aula de desenvolvimento na primeira infância. Quando abri o caderno para anotar a tarefa para a semana seguinte, dei-me conta de que minha menstruação estava atrasada, e o lápis se manteve parado sobre o papel. Eu não estava doente. Estava grávida.

Ergui os olhos novamente e notei que os outros alunos já tinham recolhido suas coisas e estavam saindo da sala. Eu tinha ficado alguns minutos fora do ar, em choque.

Faltei à aula seguinte para ir até a farmácia, onde comprei chiclete, uma revista *People*, algumas canetas e um teste de gravidez, como se fosse um item aleatório de uma lista de compras. Havia um McDonald's ali ao lado. Fui até o banheiro e entrei em uma cabine, de onde escutei duas pré-adolescentes conversando diante do espelho sobre o show da Britney Spears. O teste deu positivo, confirmando minhas suspeitas.

Tenho só vinte e um anos, passou pela minha cabeça. Nem terminara meus estudos ainda. Namorava Daniel havia poucos meses.

Saí da cabine e fui até a pia, jogando água fria nos pulsos. Levantei a cabeça, e as duas meninas arrumando os cabelos ficaram olhando para minha cara em silêncio.

A aula de sociologia de Daniel terminava ao meio-dia e meia; eu sabia de cor seu horário. Corri até o prédio e fiquei andando de um lado para o outro na calçada enquanto esperava. Havia alguns alunos sentados nos degraus da frente fumando, enquanto outros se espalhavam pelo gramado ali perto — alguns comendo, outros em uma roda de frisbee. Uma garota estava com a cabeça apoiada nas pernas de um cara, os cabelos compridos cobrindo as coxas dele como um cobertor. Grateful Dead tocava em um som portátil.

Até duas horas antes, eu era um deles.

Os alunos começaram a sair, e eu esquadrinhei seus rostos, procurando freneticamente por Daniel. Não era o garoto de chinelos e camiseta da universidade, ou o que carregava um saxofone, ou o que tinha uma mochila no ombro.

Não era parecido com nenhum deles.

Depois que a multidão se dispersou, ele apareceu no alto dos degraus, guardando os óculos no bolso da camisa social, com a bolsa carteiro pendurada em diagonal no peito. Levantei a mão e acenei. Quando me viu ele hesitou, mas continuou descendo na direção de onde eu estava.

"Professor Barton!" Uma garota o abordou, provavelmente para perguntar alguma coisa sobre a aula. Ou talvez fosse dar em cima dele.

Ele tinha trinta e poucos anos, e fazia os garotos espalhados pelo gramado jogando frisbee parecerem crianças, com seus pulos e gritos ao apanhar o disco. Daniel lançava olhares para mim enquanto conversava com a garota. Sua preocupação era perceptível. Eu havia quebrado nossa regra de ignorar um ao outro no campus.

Ele poderia ser demitido. Tinha me dado nota máxima no ano anterior, algumas semanas antes de começarmos a nos ver. Eu mereci a nota — nunca tivemos conversas pessoais, muito menos contato físico, até o dia em que o encontrei em um show do Dave Matthews Band na praia, depois de ter me perdido das minhas amigas. Mas quem ia acreditar?

Quando por fim chegou perto de mim, ele murmurou: "Agora não. Ligo mais tarde".

"Me pega no lugar de sempre, na rua 15."

Ele fez que não com a cabeça. "Hoje não dá. Amanhã." Seu tom de voz brusco me deixou chateada.

"É importante."

Mas ele já havia passado por mim, com as mãos nos bolsos do jeans, na direção do velho Alfa Romeo em que íamos à praia nas noites enluaradas. Fiquei observando sua partida, chateada e me sentindo profundamente traída. Eu sempre havia mantido nosso acordo; ele deveria ter percebido que era urgente. Daniel jogou a bolsa no assento do passageiro — meu assento — e arrancou com o carro.

Cruzei os braços sobre a barriga enquanto o via virar a esquina. Então fui caminhando sem pressa até a irmandade, onde estavam todas ocupadas com os preparativos.

Só preciso sobreviver ao restante do dia, pensei comigo mesma, piscando com força para segurar as lágrimas que enchiam meus olhos.

"Onde você estava?", perguntou a presidente assim que passei pela porta, mas ela nem esperou pela resposta. Vinte candidatas aprovadas se juntariam oficialmente à irmandade naquela noite. A programação começaria com um jantar e os rituais de praxe: a música da casa e um jogo de perguntas e respostas sobre nossas fundadoras e nossas datas mais importantes. Em seguida cada garota seguraria uma vela e repetiria os votos sagrados. Eu ficaria atrás da minha "irmã mais nova", Maggie, a qual acompanharia durante aquele ano. O trote começaria às dez horas. Demoraria, mas nada de ruim seria feito com as garotas. Nada perigoso. Ninguém ia se machucar.

Eu sabia daquilo porque era a responsável por planejar tudo.

As garrafas de vodca para os *jelly shots* estavam enfileiradas na mesa de jantar, junto com os ingredientes do ponche. *Precisamos mesmo de tanta bebida?*, pensei. Eu me lembro bem disso por causa de tudo o que aconteceu depois. As luzes giratórias azuis e vermelhas dos carros de polícia. Os gritos agudos que pareciam um alarme tocando.

Quando subi para o quarto, aquele era só um pensamento passageiro, como uma mariposa em volta de um abajur, e logo foi substituído pela preocupação com a gravidez. A sensação aterradora irradiava de mim, envolvendo-me por inteiro.

Daniel não me lançara um simples olhar antes de ir embora. Eu não conseguia esquecer a maneira como passara por mim, murmurando "Agora não". Tratara-me com muito menos atenção do que dedicara à aluna que o abordara antes de mim.

Entrei no quarto, fechei a porta e peguei o celular. Sentei na cama, com os joelhos colados ao peito, e liguei para ele. No quarto toque, ouvi a mensagem do correio de voz. Na segunda vez, a ligação caiu direto na caixa postal.

Podia ver Daniel olhando para a tela ao ver o codinome que havia inventado para mim — Victor — aparecer no identificador de chamadas, seus dedos compridos e finos — que acariciavam minha perna sempre que me sentava ao seu lado — apanhando o telefone e apertando o botão de recusa da chamada.

Já o tinha visto fazer aquilo quando outras pessoas ligavam, porém jamais imaginara que pudesse acontecer comigo.

Liguei outra vez, torcendo para que percebesse que o assunto era urgente, que eu estava desesperada. Mas ele me ignorou.

Meu sofrimento foi substituído pela raiva. Daniel devia ter entendido que havia alguma coisa errada. *Ele disse que gosta de mim, então por que não se dá ao trabalho de atender a porra do celular?*, pensei.

Eu nunca tinha ido à casa dele, porque morava com outros dois professores em lugar disponibilizado pela universidade. Mas sabia o endereço.

Amanhã não serve, pensei.

22

Volto para casa com tia Charlotte e tomo um banho frio para tirar o suor e a maquiagem. Queria poder me livrar do peso do dia com a mesma facilidade e ter uma nova chance com Emma.

Planejei minhas palavras com muito cuidado, prevendo que ela se mostrasse cética a princípio. Aconteceu o mesmo comigo — ainda lembro como me irritava quando Sam mostrava desconfiança em relação a Richard, ou quando minha mãe expressava sua preocupação com o fato de eu estar perdendo minha identidade.

Mas achei que Emma fosse pelo menos me ouvir. Que eu teria a oportunidade de plantar dúvidas para incentivá-la a examinar mais de perto o homem com quem pretendia passar o resto da vida.

No entanto, ela já tinha uma opinião formada a meu respeito: de que não sou digna de confiança.

Agora reconheço que fui tola ao pensar que poderia encerrar essa história tão facilmente.

Vou ter que arrumar outra forma de fazê-la entender.

Percebo que meu braço esquerdo está vermelho e um pouco dolorido no local onde fiquei esfregando a esponja de forma meio agressiva. Desligo o chuveiro e passo um hidratante na pele sensível.

Tia Charlotte bate na porta do meu quarto. "Que tal uma caminhada?"

"Claro." Não estou a fim, mas é minha tentativa meio inadequada de compensar a preocupação que causei a ela.

Vamos ao Riverside Park. Em geral tia Charlotte caminha depressa, mas hoje avança a passos lentos. O movimento lento e repetitivo das pernas e dos braços, aliado à brisa suave do rio Hudson, ajuda a me sentir mais equilibrada.

"Quer continuar nossa conversa?", tia Charlotte pergunta.

Penso no pedido que ela me fez, para que deixasse de mentir.

Só que, antes de dizer a verdade a tia Charlotte, preciso descobri-la primeiro.

Seguro a mão dela. "No futuro, sim, mas ainda não estou pronta."

No bar, dissecamos uma única noite do meu casamento, o que já aliviou um pouco da tensão acumulada dentro de mim. A trama completa é intrincada e complexa demais para ser revelada em uma tarde. Pela primeira vez, porém, posso me valer das recordações de mais alguém, e não apenas das minhas. Posso contar com alguém de confiança para assimilar as sequelas da minha vida com Richard.

Convido tia Charlotte para jantar num restaurante italiano perto do apartamento. Pedimos minestrone. Depois que o garçom traz o pão quentinho e crocante e eu bebo três copos de água gelada, percebo que estava desidratada. Conversamos sobre a biografia de Matisse que ela está lendo e sobre um filme que finjo querer ver.

Fisicamente, estou um pouco melhor. Jogar conversa fora com minha tia me distrai. Mas, assim que volto ao quarto e fecho a cortina, minha substituta volta à mente. É uma visita indesejável que não tenho como mandar embora.

Eu a visualizo provando o vestido, dando voltinhas em frente ao espelho, o diamante da aliança reluzindo no dedo. Eu a imagino servindo uma bebida para Richard e beijando-o ao entregá-la.

Percebo que estou andando de um lado para o outro do quarto minúsculo.

Vou até a escrivaninha e pego um bloco de papel na gaveta. Levo-o para a cama com uma caneta e fico olhando para as folhas vazias.

Começo a escrever o nome dela, caprichando nas curvas: *Emma*.

Preciso usar as palavras certas. Tenho que conseguir fazê-la entender.

Percebo que estou apertando tanto a caneta no papel que a tinta vazou para a página seguinte.

Não sei o que escrever depois de seu nome. Não sei como começar.

Se pelo menos soubesse localizar onde minha derrocada começou, teria como explicar para ela. Foi com os problemas psicológicos da minha mãe? Com a morte do meu pai? Com minha impossibilidade de engravidar?

Fico cada vez mais certa de que a origem de tudo está naquela noite de outubro na Flórida.

Só que não posso contar a Emma sobre ela. A única parte da minha história que precisa entender é o papel desempenhado por Richard.

Arranco a página e recomeço.

Desta vez, escrevo "Querida Emma".

Então ouço a voz dele.

Por um instante, fico me perguntando se não é apenas na minha mente, até que me dou conta de que ele está no apartamento. Tia Charlotte me chama para atendê-lo.

Fico de pé em um pulo e me olho no espelho. O sol da tarde e a caminhada me deixaram corada. Meus cabelos estão presos em um rabo de cavalo. Estou usando um short de lycra e uma blusa. Minhas olheiras estão fundas, mas a luz suave e pouco reveladora favorece os ângulos retos do meu corpo. Mais cedo, eu me arrumei para Emma, mas no momento estou mais parecida com a Nellie por quem meu marido se apaixonou.

Saio descalça para a sala de jantar, e meu corpo reage por instinto: minha visão se afunila e não consigo enxergar nada além dele. Seus ombros continuam largos e seu corpo de corredor ganhou músculos ao longo dos anos em que fomos casados. É o tipo do homem que fica mais atraente com a idade.

"Vanessa", ele diz, com a voz grave que ainda ouço nos meus sonhos o tempo todo. "Queria conversar com você."

Ele se vira para tia Charlotte. "Podemos ter um momento a sós?"

Ela olha para mim, e faço que sim com a cabeça. Minha boca está seca. "Claro", minha tia diz, e se retira para a cozinha.

"Emma me disse que você foi falar com ela hoje." Richard está usando uma camisa que não conheço. Deve ter comprado depois que fui embora. Ou então Emma a deu. O rosto dele está bronzeado, como sempre fica no verão, porque corre ao ar livre quando o tempo está bom.

Confirmo com um aceno de cabeça, ciente de que é inútil negar.

Inesperadamente, sua expressão se atenua. Ele dá um passo na minha direção. "Você parece apavorada. Só estou aqui porque fiquei preocupado."

Aponto para o sofá. Minhas pernas estão trêmulas. "Podemos sentar?"

As almofadas estão empilhadas nas pontas, o que nos obriga a sentar razoavelmente perto. Sinto seu cheiro cítrico. Seu calor.

"Eu vou me casar com Emma. Você precisa aceitar isso."

Não preciso fazer nada, penso. *Não preciso aceitar que você vai se casar com ninguém.* Mas só digo: "Aconteceu tudo tão rápido. Por que a pressa?".

Richard não se digna a responder minha pergunta. "Todo mundo me perguntava por que fiquei com você todos esses anos. Reclamava que ficava muito tempo sozinha em casa, mas nos eventos sociais... Na noite da festa... Enfim, as pessoas ainda comentam."

Só percebo que estou chorando quando ele limpa minhas lágrimas com um gesto suave.

Seu toque provoca uma explosão de sensações dentro de mim; fazia meses que não sentia isso. Meu corpo fica tenso.

"Fiquei pensando a respeito por um bom tempo. Nunca quis falar nada porque sabia que você ia ficar chateada. Mas depois de hoje... não tenho outra escolha. Acho que você precisa de ajuda. De uma internação, de repente lá onde sua mãe ficou. Não vai querer terminar como ela."

"Já estou melhor, Richard." Sinto uma parte das minhas forças retornando. "Tenho um emprego. Estou saindo mais, encontrando pessoas..." Minha voz falha. A verdade é evidente para ele. "Não sou como minha mãe."

Já tivemos essa conversa antes. Está na cara que ele não acredita em mim.

"Ela teve uma overdose de medicamentos controlados", Richard diz com um tom de voz suave.

"Não dá para ter certeza disso!", protesto. "Pode ter sido acidental. Ela pode ter confundido os remédios."

Richard solta um suspiro. "Antes de morrer, ela falou para você e sua tia que estava melhor. Então, quando você me disse isso... Escuta, você tem uma caneta?"

Fico paralisada, tentando entender como ele sabia o que eu estava fazendo antes de sua chegada.

"Uma caneta", ele repete, franzindo a testa ao ver minha reação. "Me empresta uma?"

Faço que sim com a cabeça, levanto e volto para o quarto, onde está o bloco de papel com o nome de Emma escrito. Olho por cima do ombro, tomada por um medo repentino de que tenha me seguido. Mas não. Viro para a cama e pego a caneta, então percebo que nosso álbum de casamento ainda está aberto no chão. Eu o coloco no armário e volto para a sala.

Meu joelho bate de leve no de Richard quando me sento ao seu lado.

Ele se vira para mim no sofá para pegar a carteira, de onde tira uma folha de cheque em branco que sempre leva consigo. Fico observando enquanto escreve um número e acrescenta vários zeros.

A cifra me surpreende. "O que é isso?"

"Você não ficou com o suficiente no acordo do divórcio." Ele coloca o cheque sobre a mesinha de centro. "Liquidei umas ações para você, e avisei no banco que um cheque significativo ia cair. Por favor, use isso para procurar ajuda. Eu não conseguiria ter paz se alguma coisa acontecesse com você."

"Não quero seu dinheiro, Richard." Ele crava os olhos em mim. "Nunca quis."

Já conheci gente com olhos cor de mel que pareciam mudar para verde ou castanho de acordo com a luz ou com a roupa que vestiam. Mas Richard é o único que já vi com íris azuis que variam — de cor do brim ao mar caribenho.

Agora estão na minha coloração favorita, um índigo suave.

"Nellie" — é a primeira vez que ele me chama assim desde a separação —, "estou apaixonado por Emma."

Sinto uma pontada de dor no peito.

"Mas nunca vou amar ninguém como amei você", ele complementa.

Continuo encarando-o por um tempo, depois desvio o olhar. Estou chocada com essa confissão. A verdade, porém, é que sinto a mesma coisa. O silêncio paira no ar como uma camada superficial de gelo prestes a se romper.

Ele se inclina para a frente de novo, e o susto me impede de formar algum pensamento coerente quando seus lábios macios tocam os meus. Suas mãos me seguram pela nuca, puxando-me para mais perto. Por apenas alguns segundos, volto a ser Nellie, e ele é o homem por quem me apaixonei.

Mas então volto à realidade. Eu o afasto, limpando a boca com as costas da mão. "Você não deveria ter feito isso."

Richard fica me encarando por um bom tempo. Em seguida se levanta e vai embora sem dizer nada.

23

O sono mais uma vez não vem, e fico repassando cada detalhe do meu reencontro com Richard.

Quando finalmente consigo dormir, ele me visita em meus sonhos também.

Aproxima-se de mim enquanto estou deitada. Seus dedos traçam o contorno dos meus lábios, e ele me beija com ternura, devagar, primeiro na boca, depois descendo pelo pescoço. Então levanta minha camisola e sua boca vai descendo. Meus quadris começam a se mover de forma involuntária. Sufoco um gemido ao notar que meu corpo está me traindo, ficando todo quente e tenso.

Ele me imobiliza no colchão, esmagando meu corpo com o seu, prendendo meus pulsos com as mãos. Tento afastá-lo, fazê-lo parar, mas é mais forte que eu.

De repente, percebo que não sou eu embaixo de Richard — não são minhas mãos sendo seguradas, ou meus lábios se afastando.

É Emma.

Acordo assustada e sento na cama. Minha respiração está ofegante. Olho ao redor, desesperada.

Vou correndo até o banheiro e jogo água fria no rosto para apagar as sensações residuais do sonho. Agarro-me na pia até sentir minha respiração aos poucos voltar ao normal.

Volto para a cama, pensando em como meu coração disparou e minha pele se arrepiou com o sonho. Ainda sinto as consequências da minha reação traidora à presença dele.

Como posso ficar excitada por causa de Richard, mesmo que em sonho?

Então me lembro de um podcast que ouvi há pouco tempo, sobre a parte do cérebro que processa as emoções.

"O corpo humano muitas vezes reage da mesma maneira a dois tipos de estados emocionais dolorosos: a excitação romântica e o medo", um cientista explicou. Fecho os olhos e tento recordar suas palavras. "É só pensar no coração disparado, nas pupilas dilatadas e na pressão sanguínea elevada. São sensações que surgem diante do terror e da excitação."

Disso eu sei muito bem.

O especialista disse mais algumas coisas sobre como nosso processo mental muda em meio a esses estados. Quando estamos em um surto de amor romântico, por exemplo, o maquinário neurológico responsável por fazer avaliações críticas de outras pessoas pode ficar comprometido.

É por isso que Emma está passando?, pergunto-me. *Será que foi o que aconteceu comigo também?*

Estou chocada demais para voltar a dormir.

Fico deitada na cama, repassando mentalmente as imagens da visita de Richard. As lembranças são ao mesmo tempo vívidas e fugidias, como uma miragem. À medida que a noite vai passando, começo a me perguntar se aquilo de fato aconteceu ou se foi apenas uma parte do meu sonho.

Alguma coisa na noite passada foi real?, questiono.

Levanto com o primeiro raio de luz da manhã, como se estivesse em um estado de transe, e vou até o armário. Abro a gaveta de cima. O cheque está guardado entre minhas meias.

Quando a fecho, olho para baixo e vejo a capa de cetim branco do nosso álbum. É o único registro físico do meu casamento de que disponho.

Não consigo imaginar que no futuro vou querer olhar para essas imagens de novo, mas preciso vê-las uma última vez. Nossas outras fotos estão todas na casa de Westchester, a não ser que Richard já as tenha levado para o depósito de seu apartamento na cidade ou destruído, o que deve ser o caso. Richard deve ter eliminado cada vestígio meu para que Emma não deparasse com lembranças incômodas.

Tia Charlotte me contou um pouco do que testemunhou durante meu casamento. Sam também me falou o que viu durante nossa última conversa — que acabou virando uma briga muito pior do que eu poderia ter imaginado. Mas agora quero olhar para mim mesma com novos olhos.

Sento na cama com as pernas cruzadas e abro o álbum na primeira página. Estou no quarto do hotel, prendendo o fecho de uma pulseira de pérolas, que peguei de tia Charlotte. Atrás de mim, ela envolve habilidosamente o buquê de flores com o lenço azul do meu pai. Viro outra página e vejo nós duas e minha mãe caminhando juntas para o altar. Meus dedos estão entrelaçados com os da minha mãe, enquanto tia Charlotte segura meu braço do outro lado, já que minha mão está ocupada com o buquê de rosas brancas. Seu rosto está vermelho, e seus olhos estão marejados. A expressão da minha mãe é difícil de decifrar, apesar de estar sorrindo para a câmera. Parece um pouco afastada de mim e de tia Charlotte; se não estivéssemos de mãos dadas, seria possível cortá-la da foto.

Se eu mostrasse essa imagem para desconhecidos, provavelmente achariam que tia Charlotte é minha mãe, ainda que a semelhança física não fosse tão forte.

Sempre afirmei para mim mesma que havia herdado apenas traços superficiais da minha mãe, como o pescoço comprido e os olhos azuis. Que, por dentro, eu era como meu pai; mais parecida com minha tia.

Mas agora as palavras de Richard voltam como um bumerangue.

Durante nosso casamento, quando ele me dizia que eu não estava sendo racional, que estava sendo incoerente ou, em momentos mais acalorados, quando gritava "Você é louca", eu negava.

"Ele está enganado", murmurava para mim mesma enquanto dava uma volta pela vizinhança, com o corpo todo tenso, batendo os pés com força no cimento.

Eu pisava forte com o pé esquerdo — *Ele* — e depois com o direito — *está errado.*

Ele está errado. Está errado. Está errado. As palavras eram repetidas dezenas de vezes, às vezes até centenas. Talvez eu achasse que assim seria capaz de afastar a preocupação constante que atormentava minha mente: a de que talvez ele estivesse certo.

Passo para outra foto e vejo minha mãe se levantando para um brinde. Na mesa à frente está nosso bolo de casamento de três andares com o enfeite herdado por Richard. O sorriso pintado no rosto da noiva de porcelana é sereno, mas eu me lembro de ter ficado aflita na hora. Por sorte, o discurso da minha mãe tinha sido coerente, apesar de meio longo demais. Os remédios estavam fazendo efeito.

Talvez eu tenha herdado mais dela do que quero admitir.

Cresci com uma mulher que habitava um mundo diferente das mães das minhas amigas, que levavam as filhas de carro para toda parte e faziam queijo quente para as visitas. Os sentimentos da minha mãe eram tingidos de cores intensas — vermelhos furiosos, tons suaves de cor-de-rosa e paletas mais escuras de cinza. Sua casca era grossa, mas por dentro ela era mole. Uma vez, quando o gerente da farmácia deu bronca em uma operadora de caixa mais velha por estar trabalhando devagar demais, minha mãe gritou com ele, chamando-o de tirano, e ganhou aplausos das outras pessoas na fila. Em outra ocasião, ajoelhou na calçada e caiu em prantos por causa de uma borboleta com a asa quebrada, que não podia mais voar.

Será que absorvi alguma coisa dessa visão aguçada e dessas reações impulsivas e dramáticas? Será que os genes que ditaram meu destino foram mais influenciados por ela ou pelo temperamento estável e paciente do meu pai? Eu queria desesperadamente saber que atributos invisíveis tinha herdado de cada um deles.

Durante meu casamento, fui arrebatada por um desejo intenso de capturar a verdade. Eu a perseguia nos meus sonhos. Tinha medo de que minhas memórias desbotassem como uma foto exposta a uma fonte de luz constante, então fazia de tudo para mantê-las vivas. Comecei a escrever uma espécie de diário — em um moleskine preto que escondia debaixo do colchão do quarto de hóspedes.

Isso parece irônico agora, porque eu só me cerquei de mentiras. Às vezes fico tentada a me render a elas. Deve ser mais simples assim, afundar na realidade alternativa que criei, como se fosse areia movediça. Desaparecer sob sua superfície.

Seria muito mais fácil deixar acontecer, penso.

Mas não posso. Por causa dela.

Deixo o álbum de lado e vou até a escrivaninha no canto. Pego o bloco de papel, a caneta, e recomeço.

Querida Emma,

Eu jamais daria ouvidos a alguém que me dissesse para não me casar com Richard. Por isso entendo sua resistência. É difícil saber por onde começar, e não consegui ser clara e direta.

Escrevo até preencher toda a página. Penso em acrescentar uma última frase — *Richard veio me visitar ontem à noite* —, mas deixo isso de fora porque me dou conta de que ela pode pensar que estou tentando provocar ciúme, plantar a semente da dúvida em sua cabeça.

Então simplesmente dobro a carta em três e enfio na gaveta para ler mais uma vez antes de entregá-la.

Um pouco mais tarde, tomo um banho e me visto. Quando estou passando o batom para cobrir os vestígios do toque de Richard, ouço tia Charlotte dar um grito. Vou correndo até a cozinha.

A fumaça preta sobe até o teto. Tia Charlotte está batendo com um pano de prato nas chamas alaranjadas que dançam sobre o fogão.

"Bicarbonato!", ela grita.

Pego o pote no armário e despejo o conteúdo sobre as chamas, sufocando-as. Minha tia larga o pano de prato e abre a torneira. Vejo uma marca bem vermelha em seu antebraço sob a água corrente.

Tiro a frigideira com o bacon queimado do fogão e pego no freezer um saco de ervilhas congeladas. "Aqui." Ela tira o braço da pia, e eu fecho a torneira. "O que aconteceu? Está tudo bem?"

"Eu estava despejando a banha do bacon e errei na mira." Puxo uma banqueta, e ela se senta pesadamente. "Aí ela pegou fogo."

"Quer ir ao médico?"

Minha tia afasta o gelo e examina o braço. A queimadura tem a largura de um dedo e uns cinco centímetros de comprimento. Não formou bolhas. "Não é nada grave", ela diz.

Vejo um pote de açúcar tombado na bancada, os grãos esparramados na direção do fogão.

"Joguei açúcar no fogo por engano. Acho que piorou as coisas."

"Vou buscar uma pomada." Vou correndo até o banheiro e pego o tubo no armarinho, ao lado de óculos com armação de tartaruga e um frasco de ibuprofeno. Levo os analgésicos para a cozinha também, pego três comprimidos e entrego para ela.

Tia Charlotte solta um suspiro ao passar a pomada. "Isso ajuda." Sirvo um copo d'água para que tome os comprimidos.

Olho para os óculos de lentes grossas sobre o nariz dela e me sento na banqueta ao lado.

Como posso não ter reparado?

Estava tão obcecada por pistas sobre o relacionamento de Richard e Emma que não percebi algo que estava acontecendo bem diante dos meus olhos.

A falta de jeito dela, as dores de cabeça. Seu compromisso com "M" — de médico. Os móveis mudados de lugar, para facilitar a movimentação pelo apartamento. Ela olhando o cardápio no bar e pedindo algo que não estava ali. O pote de açúcar, que não parecia em nada com o de bicarbonato de sódio. Só para alguém tentando apanhá-lo através de um fino véu de fumaça.

Alguém perdendo a visão.

Um suspiro comprime minha garganta. Mas não sou eu quem deve chorar e ser consolada. Estendo o braço e seguro sua mão, com a pele fina como papel.

"Estou ficando cega", tia Charlotte diz baixinho. "Acabei de fazer uma segunda consulta para confirmar. Degeneração macular. Eu ia contar. Mas não de uma forma tão dramática."

Lembro que certa vez ela passou uma semana inteira acrescentando centenas de pinceladas de tinta a uma tela para reproduzir a textura de uma madeira antiga. Lembro quando me levou à praia durante os dias de luzes apagadas da minha mãe e nós duas deitamos e ficamos olhando para o céu, então ela me explicou que, apesar de vermos a luz do sol como branca, na verdade ela era composta de todas as cores do arco-íris.

"Sinto muito", sussurro.

Ainda estou pensando naquele dia — nos sanduíches de peito de peru com queijo e na garrafa térmica com limonada, no baralho com que pretendia me ensinar a jogar buraco — quando ela volta a falar.

"Lembra quando lemos *Mulherzinhas* juntas?"

Assinto com a cabeça. "Lembro." Já estou me perguntando o que ela ainda consegue ver e o que não consegue mais.

"No livro, Amy diz: 'Não tenho medo de tempestades, porque estou aprendendo a navegar meu barco à vela'. Bom, nunca fui de temer tempo ruim."

Em seguida minha tia dá uma das maiores demonstrações de coragem que já vi. Ela sorri.

24

Detesto ficar sem enxergar.

Maggie, a candidata tímida de dezessete anos de Jacksonville, tinha dito exatamente aquilo para mim na noite da iniciação na irmandade.

Mas não dei ouvidos. Estava obcecada pela maneira como Daniel tinha me dispensado. *Amanhã não serve*, foi o que pensei quando minha raiva chegou ao ápice.

De alguma forma, consegui participar dos rituais da noite. Fiquei atrás de Maggie quando ela se posicionou na roda aberta pelas garotas na sala de estar, com o rosto iluminado por velas. Depois da semana de testes, quando todas as garotas se reuniram para votar, Maggie não estava na lista das vinte selecionadas. As outras candidatas eram bonitas, extrovertidas e divertidas — do tipo que costumavam ser convidadas para festas nas fraternidades e que elevavam o ânimo da casa. Maggie era diferente. Quando conversamos durante um dos nossos eventos, fiquei sabendo que nos tempos de colégio criara um programa destinado a ajudar animais abandonados em um abrigo perto da casa dos pais.

"Não tinha muitos amigos nessa época", ela me falou, dando de ombros. "Era meio que uma estranha no ninho." Maggie sorriu, mas a vulnerabilidade era evidente em seus olhos. "Acho que ajudar os animais era um jeito de não ficar tão sozinha."

"Que incrível. Como foi que você começou o programa? Queria que a irmandade se envolvesse mais com trabalhos sociais."

Seu rosto se iluminou quando falou do dachshund de três patas chamado Ike que inspirara a ideia. Decidi que, por mais que as outras garotas da casa fossem contra, faria Maggie ser aprovada.

Mas, enquanto estava atrás dela, ouvindo as vozes das outras garotas cantando, fiquei me perguntando se não havia sido um erro. Maggie estava com uma blusinha branca com estampa de cereja meio infantil e short. Mal tinha aberto a boca a noite toda. Ela me dissera que estava buscando um recomeço na faculdade, que queria criar uma conexão com as outras meninas. Mas não estava fazendo nenhum esforço para se entrosar. Não havia aprendido nosso hino; dava para ver que só fingia cantar. Ela deu um gole no ponche batizado e o cuspiu de volta no copo. "Eca", ela disse, deixando-o na mesa em vez de jogar fora antes de pegar um *jelly shot*.

Era meu dever vigiá-la, garantir que cumpriria as tarefas, inclusive a caça ao tesouro dentro da casa. E, principalmente, ficar de olho nela durante o mergulho no mar. Até mesmo nós, um bando de universitárias, sabíamos que beber e entrar na água agitada podia ser traiçoeiro.

Mas eu não conseguia me concentrar em Maggie. Estava preocupada demais com a transformação no meu corpo, com o celular silencioso no meu bolso. Quando ela reclamou que não conseguia localizar o galo de metal que chamávamos em tom de brincadeira de nosso mascote, dei de ombros e o tirei da lista. "Encontre o que puder", falei, verificando o celular de novo. Daniel ainda não tinha ligado.

Eram quase dez horas quando a presidente da irmandade encaminhou todo mundo à praia para o último ritual de iniciação. As garotas estavam vendadas e se seguravam umas às outras dando risadinhas embriagadas.

Vi Maggie espiando por baixo da venda, quebrando mais uma regra. "Detesto ficar sem enxergar. Me sinto claustrofóbica."

"Põe a venda de volta", instruí. "É só por uns minutinhos."

Quando passamos pelas casas das fraternidades, os caras aplaudiram e incentivaram. "Vai, Chi O!"

Jessica, a mais doidinha da irmandade, levantou a camiseta e mostrou o sutiã rosa-choque, ganhando aplausos de pé. Com certeza dormiria fora de casa naquela noite; ela estava bebendo o mesmo tanto que as candidatas.

Ao meu lado estava Leslie, uma das minhas amigas mais próximas. Estávamos de braços dados, e ela cantava "Noventa e nove garrafas de cerveja na parede" com as outras meninas. Normalmente eu as estaria acompanhando, mas não tinha bebido uma gota de álcool. Como poderia, sabendo que havia outra vida dentro de mim?

Fiquei pensando sobre a praia. O local onde provavelmente acontecera a concepção. Eu não podia ir para lá.

"Ei", murmurei. "Estou um caco. Pode me fazer um favor? Fica de olho na Maggie no mar para mim?"

Leslie fez uma careta. "Ela é bem sem graça. Por que você insistiu que fosse escolhida?"

"Maggie só é tímida. Vai se virar bem. E sabe nadar, já perguntei."

"Então tá. Melhoras. Mas agora você me deve uma."

Fui até Maggie e disse que estava passando mal. Ela levantou a venda de novo, mas deixei passar.

"Aonde você vai? Não me deixa aqui sozinha."

"Vai dar tudo certo." Sua reclamação me irritou. "Leslie vai ficar de olho em você. Se precisar de alguma coisa, avisa para ela."

"Qual das loiras magrelas é a Leslie mesmo?"

Revirei os olhos e apontei na direção dela. "Ela é a vice-presidente."

Eu me afastei quando elas viraram a esquina para percorrer os últimos dois quarteirões até o mar. As moradias do corpo docente ficavam do outro lado do campus, uma caminhada de quinze minutos se eu cortasse caminho pelo gramado central. Tentei ligar para Daniel uma última vez. Caiu direto na caixa postal. Fiquei me perguntando se o celular estava desligado.

Pensei na garota que o abordara depois da aula. Eu estava tão concentrada em Daniel que não prestara atenção nela. Mas agora era como se estivesse em um filme e a câmera se afastasse para enquadrá-la também. Eu a vi com novos olhos. Era bem bonita. Parecia ter chegado perto demais dele.

Daniel me dissera que eu era a primeira estudante com quem se envolvia. E eu nunca tivera motivo para duvidar.

Ele poderia muito bem estar com ela.

Só percebi como estava andando depressa quando minha respiração ficou mais pesada por causa do esforço.

As moradias do corpo docente eram todas na mesma rua, assim como as repúblicas que abrigavam as fraternidades e irmandades. Ficavam na extremidade do campus, atrás da estufa da Faculdade de Agronomia. Os sobrados de tijolos vermelhos não eram chiques, mas não era preciso pagar aluguel — um atrativo e tanto para professores.

O Alfa Romeo dele estava estacionado na entrada da garagem da casa número nove.

Minha intenção era bater na porta e perguntar onde Daniel — não, o professor Barton — morava. Eu ia dizer que tinha entregado a versão errada de um trabalho mais cedo na aula. Mas o carro eliminou a necessidade. Agora eu sabia exatamente onde ele morava. E sabia que estava lá.

Apertei a campainha, e uma mulher atendeu. "Pois não?" Ela pôs uma mecha de cabelos dourados atrás da orelha. Uma gata tricolor enfiou a cabeça para fora e se esfregou no tornozelo dela.

"O professor Barton está? Acabei de me dar conta de que fiz uma besteira. Eu, hã, entreguei para ele uma versão..."

Ela se virou para olhar para alguém que descia a escada. "Querido? Tem uma aluna sua aqui."

Ele desceu os últimos degraus quase correndo. "Vanessa! O que está fazendo na minha casa? E assim tão tarde?"

"Eu... eu entreguei o trabalho errado na aula." Sabia que meus olhos estavam arregalados, alternando-se entre Daniel e a mulher que o chamara de "querido".

"Ah, não tem problema", Daniel se apressou em dizer, com um sorriso exagerado no rosto. "É só entregar a outra versão amanhã."

"Mas eu..." Pisquei várias vezes para conter as lágrimas enquanto ele fechava a porta.

"Espera aí." A mulher segurou a porta, e foi nesse momento que vi a aliança em seu dedo. "Você veio até aqui só para falar de um trabalho?"

Fiz que sim com a cabeça. "Você é a mulher dele?" Eu ainda esperava que fosse só uma colega, que tudo não passasse de um engano. Tentei manter o tom de voz tranquilo e casual. Não deu certo.

"Sou, sim. Nicole."

Ela me encarou com ainda mais curiosidade. "Daniel, o que está acontecendo?"

"Nada." Os olhos azuis dele se arregalaram. "Parece que ela entregou a versão errada do trabalho."

"De que matéria?", Nicole perguntou.

"Sociologia familiar", eu me apressei em dizer. Era o curso que tinha feito com ele no semestre anterior. Não menti para protegê-lo, e sim para preservar a mulher diante de mim. Ela estava descalça e sem maquiagem, com uma expressão de cansaço.

Acho que queria acreditar em mim. E talvez tivesse conseguido. Poderia ter fechado a porta e ido fazer pipoca para comer enquanto assistiam a *Arrested Development* sentados no sofá. Daniel poderia ter me despachado como se eu fosse um mosquito a ser espantado. *Essa garotada vive estressada por causa das notas*, ele poderia ter dito. *Quanto tempo falta para eu me aposentar mesmo?*

Mas, no exato momento em que eu disse "sociologia familiar", Daniel disse "seminário final".

Nicole não reagiu de imediato.

"É mesmo!" Daniel estalou os dedos de forma teatral. Esforçando-se demais. "Estou dando cinco matérias diferentes neste semestre. É uma loucura! Enfim, já está tarde. Vamos deixar a pobrezinha ir para casa. Resolvemos isso amanhã. Não se preocupa com essa coisa do trabalho, acontece o tempo todo."

"Daniel!"

Ao ouvir o grito da esposa, ele ficou em silêncio.

Ela apontou para mim. "Fica longe do meu marido." Seu lábio inferior tremia.

"Amor", Daniel implorou. Ele não estava olhando para mim; mal notava minha presença. Havia duas mulheres de coração partido à sua frente, mas ele só se importava com uma.

"Desculpa", murmurei. "Eu não sabia."

A porta bateu, e escutei os gritos dela lá dentro. Enquanto descia os degraus da porta da frente, tive que me segurar no corrimão para me equilibrar ao ver um triciclo amarelo no gramado. Uma árvore havia bloqueado a minha visão. Logo ao lado havia uma corda cor-de-rosa.

Daniel tinha filhos.

Muito tempo depois que voltei para a irmandade xingando, chorando e esbravejando, depois de Daniel me levar um buquê com uma desculpa tão barata quanto as flores, dizendo que amava sua família e não podia iniciar uma comigo, depois de eu ir sozinha a uma clínica que ficava a uma hora de viagem, uma experiência tão horripilante que nunca tive coragem de discutir com ninguém, depois de concluir o último ano de faculdade com honras e me mudar para Nova York, desesperada para deixar a Flórida para trás, mesmo depois de tudo isso, quando meus pensamentos se voltam para aquela noite quente de outubro, a recordação mais vívida que tenho é outra.

Quando as candidatas saíram do mar, Maggie não estava entre elas.

Maggie e Emma não têm nada em comum. A não ser eu. Essas duas jovens alteraram para sempre o curso da minha existência. Uma delas, porém, não faz mais parte da minha vida, enquanto a outra se faz presente o tempo todo.

Eu costumava passar um tempão pensando em Maggie, do mesmo jeito como agora penso em Emma. Talvez seja por isso que elas estão começando a se misturar na minha mente.

Mas Emma não tem nada a ver com Maggie, me esforço para lembrar.

Minha substituta é linda e confiante. Tem um brilho que salta aos olhos.

Na primeira vez que a vi, ela se levantou de trás da mesa para me cumprimentar com movimentos fluidos e elegantes. "Sra. Thompson! Que alegria *finalmente* conhecer a senhora!"

Já havíamos falado ao telefone, mas sua voz rouca não tinha me preparado para sua beleza e juventude.

"Ah, pode me chamar de Vanessa." Eu me senti uma velha, apesar de só ter trinta e poucos anos.

Era dezembro, a noite da festa de fim de ano do escritório de Richard. Estávamos casados fazia sete anos. Eu usava um vestido preto, em uma tentativa de esconder os quilinhos que tinha ganhado. Parecia vestida para um funeral, perto do macacão vermelho-vivo de Emma.

Richard saiu de sua sala e me deu um beijo no rosto.

"Já está subindo?", ele perguntou a Emma.

"Se meu chefe me liberar!"

"Seu chefe está ordenando", brincou Richard. Nós três pegamos o elevador juntos para o quadragésimo quinto andar.

"Adorei seu vestido, sra... quer dizer, Vanessa." Emma abriu um sorriso digno de comercial de pasta de dente.

Olhei para meu vestido liso. "Obrigada."

Muitas mulheres se sentiriam ameaçadas por Emma: as horas extras no escritório, pedindo comida chinesa e tirando garrafas de vodca dos frigobares, as viagens a trabalho para visitar clientes, a proximidade da sala do chefe.

Mas nunca me senti ameaçada. Nem mesmo quando Richard me ligava para dizer que ia trabalhar até mais tarde e dormir no apartamento na cidade.

Quando namorávamos — quando eu era a Nellie de Richard —, lembro-me de ter estranhado a aparência estéril daquele apartamento. Outra mulher havia vivido lá com ele antes. Tudo o que me contou a respeito da ex foi que ela ainda morava na cidade e estava sempre atrasada. Parei de encará-la como uma espécie de ameaça quando casamos; ela nunca se meteu na nossa vida, apesar de eu ficar cada vez mais curiosa a seu respeito à medida que os anos passavam.

Porém tampouco deixei minha marca no apartamento. Tudo continuou como era na época de solteiro de Richard: o sofá de camurça marrom, o sistema complicado de iluminação, as fotografias alinhadas na parede do corredor, às quais foi acrescentada uma do nosso casamento, em uma moldura simples que combinava com as demais.

Durante os meses em que Richard e Emma tiveram um caso — quando ele a levava ao apartamento e frequentava o dela —, eu via sua ausência como um alívio. Significava que não ia precisar tirar a calça de moletom. Que eu poderia esvaziar uma garrafa de vinho sem me preocupar em esconder os vestígios. Não precisava inventar uma história sobre o que tinha feito naquele dia, nem arrumar um pretexto para não transar.

O caso dele foi um respiro para mim. Férias, na verdade.

Se pelo menos tivesse continuado sendo só isso... um caso.

Passei a maior parte da manhã conversando com tia Charlotte. Ela permitiu que eu a acompanhasse em sua próxima consulta médica para saber como poderia ajudá-la, mas fez questão de ir se encontrar com uma amiga para uma palestra no MoMA, conforme planejado.

"Minha vida não pode parar", disse, recusando minha proposta de matar um dia de trabalho e ir com ela, ou pelo menos pedir um táxi.

Depois de limpar a cozinha, abro o laptop e digito as palavras "degeneração macular". O que eu leio é: *Doença causada pela deterioração da parte central da retina.* Se o olho for visto como uma câmera, a mácula é a porção central e mais sensível do que podemos chamar de filme, explica o site. Uma mácula funcional captura imagens altamente detalhadas no centro do campo de visão e as envia para o nervo óptico, e dali para o cérebro. Quando as células que compõem a mácula se deterioram, as imagens não são recebidas da forma correta.

Tudo me parece clínico demais. Estéril demais. Como se palavras pudessem dar conta do fato de que minha tia não vai mais poder misturar tons de azul, vermelho, amarelo e marrom para reproduzir a pele de uma mãe, as veias e as rugas, o relevo das articulações.

Fecho o laptop e vou buscar o cheque de Richard, que guardei na carteira para descontar ainda esta semana. Ele me falou para usar para conseguir ajuda, e vou fazer isso. Só que não para mim. Vou pagar as despesas médicas e tudo o que ela quiser, como audiobooks.

Também pego a carta na gaveta da escrivaninha e leio uma última vez.

Querida Emma,

Eu jamais daria ouvidos a alguém que me dissesse para não me casar com Richard. Por isso entendo sua resistência. É difícil saber por onde começar, e não consegui ser clara e direta.

Poderia contar o que realmente aconteceu na noite da festa, quando não tinha nenhum Raveneau na adega. Mas com certeza Richard vai apagar qualquer dúvida que eu crie. Então, se não quiser falar comigo, se não quiser me ver, por favor acredite em mim quando digo que uma parte de você já sabe quem ele é.

Nosso cérebro sempre nos alerta sobre o perigo. E você já o deve estar sentindo. Mas o ignora. Eu fiz a mesma coisa. Você está criando justificativas. Eu também criei. Mas, quando estiver sozinha, por favor, escute essa voz; escute. Ignorei muitas pistas durante o nosso casamento; deixei minhas hesitações de lado. Não cometa o mesmo erro que eu.

Não tive como me salvar. Mas para você ainda não é tarde demais.

Dobro a carta de novo e vou procurar um envelope.

25

Uma das primeiras pistas veio à tona antes de nos casarmos. Estava na minha mão. Sam viu. Assim como todo mundo na cerimônia de casamento.

Uma noiva loira e seu noivo elegante, congelados em um momento perfeito.

"Nossa, eles são bem parecidos com vocês", Sam dissera quando mostrei o enfeite do bolo.

Quando Richard o tirou do depósito de seu apartamento na cidade, tinha dito que era de seus pais. Na época, não vi motivos para questionar.

Mas, um ano e meio depois do casamento, em uma noite em que saí para encontrar com Sam em Manhattan, duas coisas aconteceram. Percebi como minha melhor amiga e eu tínhamos nos tornado distantes. E comecei a encontrar motivos para duvidar do meu marido.

Eu estava ansiosíssima para revê-la. Parecia que uma eternidade tinha se passado depois que havíamos nos encontrado pela última vez para um almoço rápido. Marcamos de nos ver em uma sexta-feira à noite em que Richard estaria em uma conferência em Hong Kong. O evento duraria apenas três dias, por isso, quando ele me convidou para ir junto, concordamos que não fazia muito sentido. "Antes mesmo de se recuperar do jet lag, já vai estar na hora de voltar", Richard dissera. Ele se adaptava com facilidade a mudanças de fuso, como a tudo na vida. Mas eu sabia que, com a combinação do Frontal que precisaria tomar para encarar a longa viagem de avião e do Clomid que já estava tomando para engravidar, ficaria tão grogue que não aproveitaria em nada minha breve passagem pela Ásia.

Por impulso, reservei uma mesa em um restaurante fino com a intenção de fazer um agrado para Sam. Peguei o trem pensando em passar a noite no apartamento de Richard na cidade. Mesmo depois de tantos meses, apesar de manter alguns artigos de banheiro e algumas mudas de roupa lá, ainda considerava o apartamento só dele.

Sam e eu combinamos de nos encontrar na casa dela. Minha amiga me cumprimentou na porta e me deu um abraço. Então me soltou, mas continuei grudada a ela por mais um instante, sentindo seu calor. Estava com mais saudade do que imaginava.

Ela estava com um vestido de camurça justo e botas de cano alto. Seus cabelos estavam com mais luzes do que da última vez que a havia visto, e os músculos de seus braços estavam mais definidos do que nunca.

"Tara está?" Segui Sam pelo pequeno hall de entrada até o quarto dela, passando pela cozinha. Mais adiante, a porta do meu antigo quarto — agora de Tara — estava fechada.

"Está no banho", Sam disse, enquanto eu subia na cama. "Ela acabou de voltar do estúdio."

Dava para ouvir o barulho do encanamento velho, pelo qual a água quente chegava sem aviso, tendo me queimado algumas vezes. As luzinhas de Natal ainda estavam na cabeceira da cama de Sam, e havia roupas espalhadas pelo chão. Tudo exatamente como antes, só que diferente. O apartamento parecia menor e mais desgastado; experimentei a mesma sensação de estranhamento de quando visitei depois de muito tempo a escola em que estudara quando adolescente.

"Já estou vendo a vantagem de morar com uma instrutora de pilates. Você está incrível."

"Obrigada." Ela pegou uma pulseira na cômoda, uma corrente grossa, e fechou em torno do punho. "Não me leve a mal, mas você... como dizer isso sem ofender? Você está meio ridícula."

Peguei um travesseiro e atirei nela. "Existe um jeito de dizer isso sem ofender?" Meu tom de voz era brincalhão, mas tinha ficado chateada.

"Ah, para com isso, você ainda está linda. Mas o que é isso que está usando? Adorei o colar, mas você parece vestida para uma reunião de pais."

Olhei para minha calça social preta (que me deixava mais magra) e a camisa cinza de chiffon com renda. Um colar de contas de cores vivas complementava o visual.

Sam examinou minha blusa mais de perto. "Ai, meu Deus..." Ela deu uma risadinha. "Essa camisa..."

"O que é que tem?"

Sam caiu na gargalhada. "A sra. Potter estava usando uma igualzinha na última festa lá na escola!", ela disse por fim.

"A mãe do Jonah?" Eu me lembrei da mulher arrumadinha que aparecera na minha sala de aula com batom combinando com o vestido cor-de-rosa. "Estava nada!"

"Juro pra você." Sam limpou as lágrimas dos olhos. "A irmã do Jonah está na minha classe. Me lembro bem porque uma criança sujou a roupa dela com a cobertura do bolo e tive que ajudar a limpar. Não vamos tomar chá no Ritz, qual é?" Ela começou a remexer em uma pilha de roupas no encosto de uma cadeira. "Comprei uma jegging nova na Anthropologie... Vai ficar ótima em você." Ela encontrou a calça e a jogou para mim, além de uma blusinha de gola redonda.

Sam já tinha me visto sem roupa um monte de vezes. Nunca tivera vergonha dela, mas naquela noite fiquei acanhada. Eu sabia que a calça não ia me servir, por maior que fosse a quantidade de lycra daquele jeans.

"Estou bem assim." Abracei os joelhos com os braços, ciente de que estava tentando esconder o corpo. "Não estou procurando chamar a atenção de ninguém mesmo."

Sam deu de ombros. "Tudo bem. Quer tomar uma tacinha de vinho antes de sair?"

"Claro." Levantei em um pulo e fui com ela para a cozinha. Os armários ainda estavam da cor com que os tínhamos pintado quando mudamos, mas a tinta estava desbotada e havia alguns descascados em volta dos puxadores. As bancadas estavam repletas de caixas de chás: camomila, lavanda, hortelã, urtiga. O mel também continuava lá, como sempre, mas agora ela usava uma bisnaga.

"Que avanço", comentei.

Quando Sam abriu a geladeira, notei os potinhos de homus e os sacos com cenouras e aipo. Não havia nenhuma embalagem quase vazia de comida chinesa à vista. Costumavam ser uma presença constante ali, inclusive bem depois da data em que deveriam ter ido para o lixo.

Sam pegou duas taças no armário, serviu a bebida e entregou uma para mim.

"Eu ia trazer um vinho", falei, me lembrando de repente da garrafa que tinha deixado no hall de casa.

"Eu tenho bastante." Brindamos e tomamos um gole. "Mas não deve ser tão bom quanto o que você bebe com o príncipe, né?"

Pisquei algumas vezes, confusa. "Que príncipe?"

Sam hesitou. "Richard." Ela fez outra pausa. "Seu príncipe encantado."

"Você diz isso como se fosse uma coisa ruim."

"Claro que não. Ele é seu príncipe mesmo, não?"

Baixei os olhos para a taça de vinho. O gosto era estranho, e fiquei me perguntando quanto tempo fazia que estava aberto na geladeira. Parecia mais um suco de maçã do que a bebida que eu tinha me acostumado a degustar. A camisa que eu estava usando, aquela de que Sam zombara, custava mais caro do que o aluguel que eu pagava na época em que morava ali.

"Não tem mais Coca diet." Apontei para o espaço vazio na porta. "Só está bebendo chá de urtiga agora?"

"Ainda não consegui fazer com que ela experimentasse", disse uma voz suave e tranquila. Eu me virei e dei de cara com Tara. As fotos que Sam me mostrara no celular não faziam jus a ela. Tara exalava saúde — os dentes eram brancos e alinhados, a pele brilhava e os olhos reluziam. Dava para ver o formato dos músculos das coxas sob o tecido da legging. Ela não usava nem um pingo de maquiagem. Nem precisava.

"Tara leu para mim os ingredientes da Coca diet", Sam disse. "Lembra?"

Tara deu risada. "Quando cheguei ao benzoato de potássio, ela tapou os ouvidos."

Sam continuou a história: "Eu estava de ressaca, e ouvir aquilo quase me fez vomitar".

Dei uma risadinha. "Você costumava beber litros dessa coisa. A gente sempre tropeçava nas caixas, lembra?"

"Ela bebe água agora." Tara prendeu os cabelos molhados em um coque acima da cabeça. "Faço uma infusão de salsinha. Ajuda com o processo inflamatório natural do corpo."

"Então é por isso que seus braços estão tão bonitos", eu disse para Sam.

"Você deveria experimentar", ela falou.

Porque estou inchada? Eu me apressei para terminar o vinho. "Está pronta? Temos uma reserva..."

Sam lavou as taças e colocou no escorredor, algo que não existia na cozinha quando eu morava lá. "Vamos nessa." Ela virou para Tara e disse: "Me manda uma mensagem se quiser beber alguma coisa com a gente mais tarde".

"É, seria legal", acrescentei, mas na verdade não queria a companhia de Tara, falando sobre água com salsinha e rindo com Sam.

Pegamos um táxi até o restaurante e dei meu nome para o maître. Fomos conduzidas pelo saguão acarpetado até o salão. Quase todas as mesas estavam ocupadas. Eu o havia escolhido por causa das ótimas críticas no *New York Times*.

"Que bacana", Sam comentou quando o garçom puxou a cadeira para ela. "Você fez bem em não vestir a jegging."

Dei risada, mas, olhando ao redor, percebi que aquele tipo de restaurante — com sua carta de vinhos de dez páginas e seus guardanapos dobrados de forma elaborada em cima dos pratos — era um lugar que Richard escolheria para me levar. Não fazia o estilo de Sam. De repente, eu me arrependi de não ter sugerido ficar no apartamento e pedir rolinhos primavera e frango xadrez para comer na cama, como costumávamos fazer.

"Pode pedir o que quiser", eu disse quando abrimos os cardápios. "Esta noite é por minha conta. Vamos dividir uma garrafa de borgonha?"

"Claro. Você que sabe."

Eu me encarreguei do ritual de aprovação do vinho, e decidimos compartilhar uma torta integral de queijo de cabra e tomate e uma salada de agrião com toranja como entrada. Como prato principal pedi um filé-mignon ao ponto para malpassado, com molho à parte. Sam escolheu salmão.

Um garçom apareceu com um cestinho com quatro variedades de pão em um belíssimo arranjo. Ele descreveu cada um dos tipos, e meu estômago roncou. O cheiro de pão fresco sempre tinha sido minha criptonita.

"Não vou querer", falei.

"Eu como o dela. Quero a focaccia de alecrim e o multigrãos."

"Tara come pão?"

Sam molhou um pedaço de pão no azeite. "Claro. Por que a pergunta?"

Encolhi os ombros. "Ela parece ser tão saudável."

"Ah, sim, mas não é uma fanática nem nada do tipo. Inclusive bebe e fuma maconha de vez em quando. Da última vez, a gente foi até o Central Park e andou no carrossel."

"Espera aí, agora você fuma?"

"Tipo uma vez por mês, sei lá. Nada muito frequente." Sam levou o pão à boca, e reparei mais uma vez em seus bíceps bem definidos.

Depois de uma pequena espera, o garçom trouxe a salada e a torta, e nós nos servimos.

"Então, ainda está saindo com aquele cara? O designer gráfico?", perguntei.

"Não. Mas amanhã à noite tenho um encontro às cegas com o irmão de um cliente da Tara."

"Ah, é?" Dei uma garfada na salada. "O que você sabe dele?"

"Chama Tom. Pareceu legal pelo telefone. Tem seu próprio negócio..."

Tentei mostrar entusiasmo enquanto Sam falava sobre ele. Mas eu sabia que ele logo não passaria de uma vaga memória.

Sam pegou uma colher e se serviu de mais um pedaço de torta. "Você não está comendo muito."

"Não estou com muita fome."

Sam me encarou. "Então por que a gente veio aqui?"

Sempre adorei e odiei ao mesmo tempo seu jeito direto. "Porque eu queria pagar um jantar legal para você", disse com um tom de voz leve.

A colher de Sam tilintou ao ser largada no prato com força. "Eu não estou precisando de caridade. Posso pagar minha própria comida."

"Não foi isso que eu quis dizer, e você sabe." Dei risada, mas, pela primeira vez, as coisas pareceram estranhas.

O garçom se aproximou da mesa e completou nossas taças. Bebi um pouco mais de bom grado e senti meu telefone vibrar. Era uma mensagem de Richard: *O que está aprontando, amor?*

Jantando com a Sam, respondi. *E você?*

Indo jogar golfe com os clientes. Você vai de carro para casa, né? Não se esquece de acionar o alarme antes de ir para a cama.

Pode deixar. Te amo! Não mencionei que pretendia dormir na cidade, não sei muito bem por quê. Talvez por achar que desconfiaria que eu estava planejando uma noite de bebedeira, como costumava fazer antes de conhecê-lo.

"Desculpa." Pus o telefone em cima da mesa, mas com a tela virada para baixo. "Era o Richard... Só queria se certificar de que eu ia chegar bem em casa."

"No apartamento?"

Fiz que não com a cabeça. "Não contei que talvez dormisse aqui... Ele está em Hong Kong, então... não me pareceu importante."

Percebi que Sam registrou a informação sem fazer nenhum comentário a respeito.

"Então!" Até eu conseguia ouvir a falsidade no meu tom de voz alegre. Por sorte, o garçom apareceu para recolher as entradas e trazer os pratos principais.

"Como está Richard? O que vocês têm feito?"

"Bom... ele viaja bastante."

"E você está bebendo, então não está grávida."

"Pois é." Senti meus olhos se encherem de lágrimas e bebi mais vinho para ganhar tempo para me recompor.

"Tudo bem?"

"Claro." Tentei sorrir. "Só está demorando mais do que a gente pensava, acho." Senti uma pontada de nostalgia pelo filho que não tinha.

Olhei para os demais clientes — casais debruçados por cima das mesas para cochichar, grupos mais numerosos tagarelando animadamente. Queria conversar com Sam como sempre fazíamos, mas não sabia por onde começar. Podia falar da decoradora que me ajudara a escolher um novo tecido para o estofado das cadeiras da mesa de jantar. Podia mencionar a banheira de hidromassagem que Richard queria instalar no quintal. Podia revelar os detalhes mais invejáveis da minha vida, coisas superficiais pelas quais Sam não teria o menor interesse.

Sam e eu já tínhamos brigado antes — por bobagens, como na vez em que perdi um de seus brincos de argolas preferidos, ou quando ela se esqueceu de pôr o cheque do aluguel no correio. Mas naquela noite não estávamos brigando. Era pior. Havia uma distância entre nós que não era causada apenas pelo tempo e pelo afastamento geográfico.

"Me conta mais sobre os alunos deste ano." Cortei um pedaço de carne e vi o sangue escorrer. Richard sempre pedia a carne ao ponto para malpassada, mas na verdade eu preferia bem passada.

"A maioria é muito legal. James Bond é o meu favorito: aquele garoto tem estilo. Mas acabei com o Soneca e o Zangado também."

"Poderia ser pior, se tivesse caído com as irmãs da Cinderela."

O apelido que Sam inventou para Richard voltara à minha mente. O príncipe. O bonitão que chega em um cavalo branco para salvar a mocinha e oferecer a ela uma vida luxuosa.

"É assim que você vê Richard? Como meu salvador?"

"Quê?"

"Você o chamou de príncipe." Larguei o garfo. De repente, perdi a fome. "Sempre quis saber se tinha dado um apelido para ele." Minha camisa caríssima, o vinho que estávamos bebendo, minha bolsa Prada pendurada na cadeira, de repente tudo aquilo começou a me incomodar.

Sam deu de ombros. "Não quer dizer nada, não se preocupa." Ela baixou os olhos para o prato e se concentrou em moer a pimenta sobre o salmão.

"Por que você nunca vai à minha casa?" Fiquei me perguntando por que ela escolhera aquele momento para deixar de ser sincera e direta. Na única vez que me visitara, fora recebida por Richard com um abraço. Ele fizera hambúrgueres na grelha. Lembrara que Sam detestava pão com gergelim. "Admite de uma vez. Você não gosta dele."

"Não é que eu não goste. É que... sinto que nem o conheço."

"E você por acaso quer conhecer? Ele é meu marido, Sam. Você é minha melhor amiga. É importante para mim."

"Tudo bem." Ela encerrou a conversa por aí, de modo que eu sabia que havia alguma coisa que não queria me dizer. Sam e Richard nunca haviam se dado bem como eu esperava. Tentei dizer a mim mesma que os dois eram muito diferentes. Quase insisti para que falasse mais, mas não estava disposta a ouvir a verdade.

Sam baixou a cabeça para pegar uma garfada de salmão. Talvez o problema não fosse Richard. Talvez estivesse *me* evitando. No papel da mulher dele.

"Enfim, vamos pensar em um lugar para ir depois", Sam falou. "Está a fim de dançar? Vou mandar uma mensagem para Tara dizendo que estamos terminando."

Eu não quis ir com elas, no fim das contas. Quando paguei a conta, estava me sentindo exausta, apesar de não ter feito nada naquela tarde além de esperar o encanador para consertar uma torneira vazando e dobrar as roupas lavadas, enquanto Sam trabalhara o dia todo e ainda fizera uma aula de spinning. Além disso, eu não estava vestida para dançar — como Sam dissera, parecia a caminho de uma reunião de pais.

Eu me despedi de Sam na porta da casa noturna onde Tara a aguardava, então peguei um táxi para o apartamento de Richard. Eram quase dez horas. *Decidimos encerrar a noite mais cedo. Estou indo para a cama*, escrevi para Richard. Não era mentira.

Havia um novo porteiro no prédio, e me apresentei a ele. Em seguida peguei o elevador, passei silenciosamente pela porta da vizinha enxerida, a sra. Keene, e entrei no apartamento usando a chave que ele me dera muito tempo antes. Ao atravessar o corredor, vi as fotos de família que enfeitavam a parede.

Nunca contara a Sam sobre as origens de Richard, sobre sua mãe ter sido dona de casa e seu pai, contador. Ele fizera aquela revelação em um momento íntimo, e não achei que coubesse a mim repassar a história. Caso Sam se desse ao trabalho de tentar conhecê-lo em vez de julgá-lo, talvez o visse de forma diferente.

Ela não gostava de quem eu era quando estava com Richard — aquilo estava claro. Mas eu também sabia que Richard não gostava da maneira como me comportava quando estava com Sam.

Fui até a sala de estar e percebi que a configuração da iluminação — a penumbra do cômodo aliada à lâmpada acesa da cozinha atrás de mim — transformava as janelas de parede inteira com vista para o Central Park em um espelho. Vi minha imagem borrada, etérea e insubstancial como uma nuvem. Era como se eu fosse uma figura presa em um globo de neve.

Com minhas roupas escuras, eu parecia uma pessoa sem cor. Parecia alguém que estava se apagando.

Arrependi-me de não ter acompanhado Richard em sua viagem. Queria ter lidado melhor com Sam no jantar. Precisava desesperadamente de alguma coisa sólida a que me agarrar. Alguma coisa que fosse mais real ao toque do que as superfícies impecáveis e reluzentes da mobília do apartamento.

Fui até a cozinha e abri a geladeira. Não tinha nada além de algumas garrafas de Perrier e uma de Veuve Clicquot. Sabia que tinha macarrão no armário, algumas latas de atum e cápsulas de café expresso. Na sala de estar, as edições mais recentes das revistas *New Yorker* e *Economist* estavam sobre a mesinha de centro. As prateleiras do escritório continham dezenas de livros, a maioria biografias, e alguns clássicos de Steinbeck, Faulkner e Hemingway.

Atravessei o corredor para me deitar. Passei de novo pelas fotos de família.

Então me detive.

Havia uma faltando.

Onde estava a foto dos pais de Richard no dia do casamento? Ainda dava para ver o buraco do prego.

Eu sabia que não estava na casa de Westchester. Olhei nas outras paredes do apartamento, procurei até no banheiro. A moldura era grande demais para caber em uma gaveta, mas procurei mesmo assim. Não estava em lugar nenhum.

Será que Richard guardou no depósito?, pensei. Havia outras fotografias lá, inclusive algumas de Richard quando criança.

Eu não estava cansada, não mais. Peguei a chave na bolsa e voltei para o elevador.

Os depósitos de cada morador ficavam no subsolo. Eu tinha ido até lá com Richard uma vez, pouco antes do casamento, quando levei umas caixas de mudança para guardar. O dele era o quinto à esquerda. Depois de colocar o código de abertura do cadeado grosso e guardar minhas coisas, ele abrira algumas das caixas plásticas azuis empilhadas junto à parede. Pegara umas dez fotos, mais ou menos, impressas e guardadas em um envelope amarelo com logotipo da Kodak. Tinham sido todas tiradas no mesmo dia, em um treino de beisebol. A pessoa que fotografara parecia estar tentando capturar o momento da rebatida, mas errara no clique todas as vezes.

"Quantos anos você tinha nessa época?", eu perguntara.

"Uns dez ou onze. Foi Maureen quem tirou."

"Posso ficar com uma?" Tinha adorado a expressão determinada no rosto de Richard, seu narizinho franzido de concentração.

Ele dera risada. "Eu estava passando por uma fase meio esquisita. Vou encontrar uma foto melhor."

205

Mas não encontrou, não naquele dia. Estávamos com pressa porque tínhamos um brunch com George e Hillary, então Richard guardou as fotos em cima de uma pilha de envelopes idênticos, recolocou o cadeado e pegamos o elevador para subir.

Talvez ele tivesse guardado a foto do casamento dos pais naquela caixa. Quando peguei o elevador, disse para mim mesma que estava agindo movida apenas pela curiosidade.

Agora, olhando para trás, fico me perguntando se não era meu subconsciente me guiando. Se não estava me incentivando a descobrir mais sobre meu marido em uma noite em que ele não tinha ideia de onde eu estava. Em uma noite em que estava fisicamente distante, muito distante.

Mesmo de dia, o subsolo era um local desolador, com as entranhas da estrutura elegante mais acima. Era bem iluminado e estava limpo, mas as paredes eram cinza, e as unidades de cada apartamento eram separadas por cercas grossas. Parecia uma prisão para os pertences de que as pessoas não necessitavam no dia a dia.

A combinação de Richard era o aniversário de Maureen. Era o mesmo código que ele inseria nos cofres dos hotéis quando viajava, então eu o conhecia bem. Girei o disco frio e pesado, e a porta abriu.

Entrei no depósito. As unidades de ambos os lados estavam cheias de objetos aleatórios — móveis, esquis, uma árvore de Natal. Mas as coisas de Richard estavam bem organizadas, o que não era surpresa. Além dos trenós de plástico verde que tínhamos usado no nosso segundo encontro, continha apenas meia dúzia de caixas plásticas azuis idênticas, empilhadas de duas em duas contra a parede.

Eu me ajoelhei, sentindo o chão áspero de cimento sob meus joelhos, e abri a primeira caixa. Anuários escolares, um troféu de beisebol com a tinta dourada descascando do corpo do jogador, uma pasta com boletins escolares — ele tinha dificuldade com a letra cursiva, mas era um aluno comportado, segundo sua professora do segundo ano — e uma pilha de cartões de aniversário, todos assinados por Maureen. Abri um do Snoopy segurando um balão. *Para meu irmão*, ela escreveu. *Você é um astro! Vai ser o melhor ano da sua vida. Te amo.* Eu me perguntei onde estariam os cartões dos pais dele. Comecei a remexer nas caixas, separando os envelopes que queria levar lá para cima e olhar com mais calma. Tomei cuidado de não tirar muita coisa e de gravar exatamente onde estava cada item para devolver na manhã seguinte.

A terceira caixa tinha uma pilha de documentos fiscais, declarações de imposto de renda, o contrato do apartamento anterior de Richard, os documentos de seus carros e mais papelada. Coloquei tudo de volta no lugar e peguei a tampa da caixa seguinte.

Ouvi um ruído à distância, de um mecanismo pesado sendo posto em movimento.

Alguém estava chamando o elevador.

Fiquei paralisada, esperando ouvir a qualquer momento as portas se abrirem. Mas ninguém apareceu.

Provavelmente era algum morador subindo do térreo para o apartamento, concluí.

Eu sabia que precisava voltar lá para cima, e não só porque o porteiro poderia avisar Richard da minha presença.

Sentia também um desejo irresistível de seguir em frente no que estava fazendo.

Quando puxei a tampa da quarta caixa, vi um objeto grande e plano embrulhado em jornal. Afastei a proteção e dei de cara com o rosto dos pais de Richard.

Por que ele trouxe isso aqui para baixo?, eu me questionei.

Observei o corpo esguio e os lábios cheios do pai, e os olhos penetrantes da mãe, herdados por Richard, além de seus cabelos cacheados caindo até os ombros. A data do casamento estava anotada com uma caligrafia ornamentada no canto inferior.

O braço do pai de Richard estava em torno da cintura da esposa. Eu achava que eles haviam tido um casamento feliz, mas a foto parecia tão encenada que não oferecia nenhum vislumbre daquilo. Na ausência de informações reais, minha mente preencheu as lacunas, criando a imagem que eu gostaria de ver.

Richard nunca me falou muita coisa sobre seus pais. Quando eu perguntava, sempre dizia que era doloroso demais falar dos dois. Maureen parecia seguir a mesma regra tácita de se concentrar no presente. Talvez eles conversassem sobre a infância em suas viagens anuais para esquiar, ou quando Richard ia a Boston a trabalho e saía para jantar com ela. Mas, quando Maureen vinha nos visitar, as conversas sempre giravam em torno do trabalho dos dois, de seus hábitos de corrida, seus planos de viagens e do noticiário.

Falar sobre meu pai fazia com que eu me sentisse ligada a ele, mas em seus últimos momentos tive a chance de me despedir dele, de dizer que o amava. Dava para entender por que Richard e Maureen queriam bloquear as lembranças da morte súbita e violenta de seus pais em um acidente de carro.

No que dizia respeito às partes mais obscuras e dolorosas do meu passado, também havia deixado de fora alguns detalhes ao contá-lo a meu marido. Compus a narrativa com cautela, excluindo os detalhes que eu sabia que ele consideraria sórdidos. Mesmo depois que Richard ficou sabendo que eu tinha engravidado na faculdade, nunca revelei que tinha sido de um professor casado. Não queria que ele achasse que havia sido boba, que poderia ser culpada de alguma forma. E não fui sincera sobre como a gestação terminou.

Ajoelhada naquele depósito, eu me perguntei se não tinha sido tudo um erro. Entendi que o casamento não significava o fim de uma história, o "felizes para sempre" na última página, palavras que ecoavam até o infinito. Mas a mais íntima das relações não deveria ser um porto seguro, em que a pessoa conhecia todos os segredos e os defeitos da outra e a amava mesmo assim?

Um leve ruído agudo interrompeu meus pensamentos.

Virei a cabeça e olhei ao redor sob a luz fraca. A unidade ao lado estava lotada de malas, que bloqueavam minha visão.

Era um edifício antigo, uma construção de antes da guerra, justifiquei para mim mesma. Tinha sido só um cano rangendo. Mesmo assim, virei para a porta do depósito para ver se tinha alguém se aproximando.

Embrulhei às pressas a fotografia. Já tinha encontrado o que procurava; era melhor ir embora. Mas senti um impulso irrefreável de ver o que mais havia ali, escondido da órbita do cotidiano de Richard. Queria continuar escavando seu passado.

Enfiei a mão na caixa e tirei de lá uma plaqueta de madeira com um coração e a palavra MÃE entalhados no alto. O nome de Richard estava no verso; ele devia ter feito aquilo para ela, talvez em uma aula de marcenaria na escola. Havia também um cobertor amarelo de tricô e um par de sapatinhos de bebê.

Perto do fundo havia um pequeno álbum de fotos. Não reconheci nenhuma pessoa retratada ali, mas vi algo do sorriso de sua mãe em uma das meninas, que segurava a mão de uma mulher de bermuda e blusinha de alças. Talvez o álbum fosse dela, pensei. Então encontrei uma caixa branca com o enfeite do bolo do nosso casamento.

Levantei a tampa e o apanhei. A porcelana era lisa e delicada; as cores, bem suaves.

Já parou para pensar que parece bom demais para ser verdade? Sam tinha feito aquela pergunta no dia em que lhe mostrei o enfeite. Seria melhor se nunca tivesse dito nada.

Olhei para o noivo elegante e a noiva impecável. Distraída, acariciei as figuras e as virei na minha mão.

Foi quando o enfeite escapou dos meus dedos.

Com gestos desesperados, tentei evitar que a estatueta se despedaçasse no chão de concreto.

Consegui pegá-la a cinco centímetros do chão.

Fechei os olhos e respirei fundo.

Fazia quanto tempo que eu estava lá? Alguns minutos ou quase uma hora? Havia perdido totalmente a noção do tempo.

Talvez Richard já tivesse respondido à minha mensagem. Ficaria preocupado se eu não respondesse. Então escutei um barulho distante, mais uma vez à esquerda. Seria o cano? Ou um passo?

De repente me senti presa naquela jaula de metal. Tinha deixado o celular lá em cima, na bolsa. Ninguém sabia onde eu estava.

Se eu gritasse, o som chegaria ao porteiro no térreo?

Prendi a respiração e senti meu pulso acelerar, à espera de que alguém surgisse na minha frente.

Ninguém apareceu.

É só minha imaginação, pensei comigo mesma.

Mesmo assim, minha mão tremia quando fui guardar o enfeite na caixa. Então percebi que havia algo gravado no fundo. Olhando mais de perto, consegui discernir alguns números sob a luz fraca. Uma data: 1985. Provavelmente quando fora feito.

Impossível, pensei.

Peguei a estatueta de novo e olhei os números mais de perto. Não havia como estar enganada.

Mas os pais de Richard já deviam estar casados havia anos àquela altura. Ele devia ser um adolescente em 1985.

O casamento deles acontecera mais de uma década antes da existência do enfeite. Não podiam ser eles.

A mãe pode ter comprado só porque achou bonito, pensei enquanto subia pelo elevador. Ou talvez eu tivesse entendido errado o que Richard me contara.

Quando pus a chave na fechadura, ouvi meu celular tocando lá dentro. Corri para pegar a bolsa, mas o aparelho silenciou antes de eu conseguir encontrá-lo.

Em seguida o telefone fixo do apartamento começou a tocar.

Corri para a cozinha para atender.

"Nellie? Graças a Deus. Eu estava tentando falar com você."

A voz de Richard parecia mais aguda que o normal, com um toque de estresse. Eu sabia que ele estava do outro lado do mundo, mas a conexão estava tão boa que era como se estivesse no cômodo ao lado.

Como ele sabia que eu estava lá?

"Desculpa", eu me apressei em dizer. "Está tudo bem?"

"Pensei que você estivesse em casa."

"Ah, eu ia para lá, mas fiquei tão cansada... pensei que... Achei que seria mais fácil dormir no apartamento", falei.

Um silêncio se instalou entre nós.

"Por que não me falou?"

Eu não tinha resposta. Pelo menos não uma que pudesse compartilhar com ele.

"Eu ia contar...", disse para ganhar tempo. Por alguma razão, meus olhos se encheram de lágrimas, então pisquei com força para suprimi-las. "Mas achei que poderia explicar tudo amanhã, em vez de mandar uma mensagem enquanto estava com seus clientes. Não queria incomodar você."

"Me *incomodar*?" Ele emitiu um ruído que não era exatamente uma risada. "Pois incomodou. Fiquei imaginando que tinha acontecido alguma coisa com você."

"Desculpa. Você tem razão, claro. Eu deveria ter contado."

Ele ficou quieto por um instante.

"E por que não atendeu o celular?", ele questionou quando enfim voltou a falar. "Está sozinha aí?"

Eu o deixara irritado. O tom de voz tenso era um indicativo. Dava quase para ver seus olhos se estreitando.

"Eu estava no banho." A mentira saiu da minha boca com a maior naturalidade. "Claro que estou sozinha. Sam saiu para dançar com uma amiga, mas eu não estava a fim, então vim para cá."

Ele soltou o ar bem devagar. "Certo, que bom que você está em segurança. Acho que preciso voltar agora."

"Estou com saudade."

Quando ele voltou a falar, sua voz estava mais suave. "Eu também. Volto logo, logo."

Descer até o porão — e ter sido pega enquanto bisbilhotava — me deixou abalada, percebi quando vesti a camisola. Fui verificar a tranca da porta da frente.

Voltei para o banheiro de Richard e usei sua pasta de dente e uma escova reserva antes de ir para a cama. O cheiro cítrico era tão forte que me deixou inquieta, mas então percebi que vinha do roupão de Richard, que usava quando saía do banho, pendurado em um gancho bem ao meu lado. O cheiro do sabonete dele estava impregnado no tecido.

Apaguei a luz, então hesitei e a acendi de novo, deixando uma fresta para que a luminosidade não chegasse diretamente aos meus olhos. Puxei o edredom branco e macio da cama de Richard, perguntando-me o que ele estaria fazendo naquele exato momento. Provavelmente socializando com clientes importantes. Talvez tivesse um cooler com cervejas geladas no carrinho de golfe, e um intérprete por perto para facilitar a comunicação. Eu conseguia até imaginar Richard se concentrando nas tacadas, com o rosto franzido, com a mesma expressão no rosto de quando era um garotinho jogando beisebol.

Eu revistara aquelas caixas para entender melhor meu marido. Ainda ansiava por respostas.

Quando me deitei sobre os lençóis limpos e bem passados da cama king size, percebi que ele me entendia bem o bastante para saber exatamente onde estaria se não conseguisse falar comigo em casa.

Richard me conhecia melhor do que eu o conhecia.

26

A carta para Emma na minha mão parece pesada, de forma desproporcional a uma única folha de papel. Dobro a página de novo e procuro por um envelope no quarto de tia Charlotte. Lá há a escrivaninha com tampo sanfonado onde gosta de se sentar para lidar com a papelada e pagar contas. Encontro um envelope, mas deixo de lado os selos. Preciso entregar em mãos; não confio no correio para ser lida a tempo.

Em cima da pilha de papéis da escrivaninha vejo também a fotografia de um cachorro. Um pastor-alemão com uma pelagem macia, preta e marrom.

Pego a foto nas mãos. *Duke.*

Obviamente não é ele. É só um cartão-postal promocional de uma organização que disponibiliza cães-guias para cegos.

Mas é parecido demais com o da foto que ainda levo comigo na carteira.

Preciso entregar a carta para Emma. Preciso pesquisar a melhor maneira de ajudar tia Charlotte. Já deveria estar a caminho. Mas só consigo cair na cama dela quando as imagens me chegam com força, atingindo-me como ondas. Arrastando-me para os trilhos da memória outra vez.

Minha insônia voltou quando Richard chegou de Hong Kong.

Ele me encontrou no quarto de hóspedes da casa às duas da manhã, com a luz acesa e um livro aberto no colo. "Não consigo dormir."

"Não gosto de ficar na cama sem você." Ele estendeu a mão e me conduziu de volta ao quarto.

No entanto, sentir seus braços em torno de mim e sua respiração constante e quente na minha orelha não era mais capaz de me ajudar. Comecei a acordar quase todas as noites, saindo da cama em silêncio e atravessando o corredor na ponta dos pés até o quarto de hóspedes, voltando para a cama pouco antes do amanhecer.

Mas Richard devia saber.

Numa manhã gelada de domingo, ele estava na biblioteca lendo o resumo semanal do *New York Times* enquanto eu procurava uma nova receita de cheesecake. Íamos receber minha mãe e Maureen para um jantar na semana seguinte, para comemorar o aniversário de Richard. Minha mãe detestava o frio, e nunca tinha viajado para o norte do país durante o inverno. Ela só visitava tia Charlotte e eu na primavera ou no outono. Durante suas viagens, passava a maior parte do tempo percorrendo galerias de arte e caminhando pela cidade para absorver a atmosfera local, de acordo com suas palavras. Eu não me incomodava com o fato de passarmos tão pouco tempo juntas; lidar com minha mãe exigia doses infinitas de paciência e energia.

Não sabia qual era sua motivação para quebrar o padrão das visitas, mas desconfiava que tinha a ver com uma conversa que tínhamos tido por telefone pouco tempo antes. Ela me pegara em um dia ruim — um dia solitário —, em que nem ao menos saíra de casa. As ruas estavam cobertas de neve e gelo, e, como eu não tinha experiência dirigindo naquele tempo, não me sentia à vontade para tirar da garagem a Mercedes que Richard tinha me comprado. Quando minha mãe ligou, no início da tarde, e perguntou o que eu estava fazendo, resolvi ser sincera. Baixei a guarda.

"Ainda não saí da cama."

"Está doente?"

Percebi que tinha falado demais. "Não dormi muito bem à noite." Pensei que aquilo fosse tranquilizar minha mãe, mas só levou a mais questionamentos.

"Isso vem acontecendo com frequência? Está incomodada com alguma coisa?"

"Não, não. Estou bem."

Houve uma pausa do outro lado da linha. E então: "Sabe de uma coisa? Eu estava pretendendo fazer uma visitinha".

Tentei convencê-la do contrário, mas parecia decidida. Por fim, sugeri que a visita acontecesse no aniversário de Richard. Maureen estaria na cidade para comemorar, como fazia todos os anos, e talvez a presença dela ajudasse a tirar o foco da minha mãe.

Quando a campainha tocou naquele domingo de manhã, a primeira coisa que me passou pela cabeça foi que minha mãe tinha decidido fazer uma surpresa chegando alguns dias antes, ou então confundira as datas. Não seria de estranhar, no caso dela.

Mas Richard pôs o jornal de lado e levantou. "Deve ser o seu presente."

"Meu presente? Quem está prestes a fazer aniversário é você."

Fiquei alguns passos atrás dele. Ouvi Richard cumprimentando alguém, mas seu corpo bloqueava minha visão. Foi quando ele se abaixou. "Olá, garotão."

O pastor-alemão era enorme. Dava para ver a musculatura de seus ombros se flexionando quando Richard o pegou pela guia e o trouxe para dentro da casa, seguido pelo homem que fizera a entrega.

"Nellie? Este é Duke. O melhor segurança que alguém poderia querer."

O cachorro bocejou, revelando os dentes afiados.

"E este aqui é Carl." Richard deu risada. "Um dos treinadores do Duke. Desculpe a falta de jeito."

"Não esquenta, estou acostumado a ver Duke monopolizar as atenções." Carl devia ter percebido meu desconforto, porque disse: "Sei que ele parece ameaçador, e a ideia é mesmo que as outras pessoas o vejam assim. Mas Duke sabe que o trabalho dele é proteger você".

Assenti. O cachorro provavelmente pesava o mesmo que eu. De pé sobre as patas traseiras, devia ter minha altura.

"Ele passou um ano na Academia Canina Sherman. Entende uma série de comandos. Vejam só... vou pedir para ele sentar." Carl deu a ordem e o cachorro obedeceu na hora. "De pé", ele mandou, e o cão se levantou com um movimento fluido.

"Tenta você, querida", incentivou Richard.

"Senta." Minha voz saiu esganiçada. Eu não acreditava que o cachorro fosse obedecer, mas ele cravou os olhos castanhos em mim e pôs o traseiro no chão.

Desviei o olhar. Em um nível racional, sabia que era um cão de guarda treinado para seguir ordens. Mas não havia sido condicionado a atacar quando percebesse uma ameaça? Cachorros sabiam quando as pessoas estavam com medo, lembrei, encostando na parede.

Eu não tinha problema nenhum com cachorros pequenos, ou com as raças fofinhas tão comuns em Nova York. Eles às vezes eram colocados em bolsas ou passeavam com os donos em coleiras coloridas. Às vezes eu até parava para fazer carinho em um ou outro, e nunca me incomodei de entrar no elevador do prédio de Richard com a sra. Keene e seu bichon frisé.

Cães de grande porte como aquele eram raros na cidade; o tamanho dos apartamentos simplesmente impossibilitava sua criação. Eu não via um pastor-alemão fazia anos.

Quando era criança, meus vizinhos na Flórida tinham dois rottweilers. Eles ficavam em um canil e, sempre que eu passava por perto com minha bicicleta, se arremessavam contra a cerca de alambrado para latir para mim, como se quisessem derrubá-la. Meu pai me falou que eles só estavam agitados, que eram mansos. Mas aqueles latidos grossos e guturais e o barulho do alambrado sendo sacudido me deixavam apavorada.

Eu ficava ainda mais aflita com a imobilidade quase antinatural de Duke.

"Quer fazer um carinho nele?", Carl perguntou. "Duke adora que cocem atrás de suas orelhas."

"Claro. Oi, Duke." Estendi a mão e fiz uma carícia rápida. Sua pelagem marrom e preta era mais macia do que eu esperava.

"Vou buscar as coisas dele." Carl saiu e foi até sua picape branca.

Richard abriu um sorriso para me tranquilizar. "Lembra o que aquele especialista em segurança falou? Os cachorros são o melhor remédio contra invasores. Mais que qualquer sistema de segurança. Você vai conseguir dormir tranquila com ele por perto."

Duke ainda estava sentado no chão, olhando para mim. Estaria esperando que eu o mandasse se levantar de novo? O único animal que tive na vida havia sido um gato, nos meus tempos de menina.

Carl voltou, com os braços ocupados com um pacote de ração, uma cama e potes para pôr água e comida. "Qual seria o melhor lugar para ele se instalar?"

"Acho que na cozinha", Richard falou. "É por aqui."

Com mais uma palavra rápida de Carl, o cão o seguiu, com suas patas enormes pisando quase sem produzir ruído no piso de madeira. Carl foi embora alguns minutos mais tarde, deixando seu cartão e uma lista plastificada das palavras que Duke conhecia. *Vem. Fica. Ataca.* Ele explicou que Duke só reagiria a elas quando Richard ou eu a disséssemos com um tom impositivo.

"É um animal bem inteligente." Carl fez carinho na cabeça de Duke. "Vocês escolheram bem."

Abri um sorriso amarelo, temendo pela manhã seguinte, quando Richard sairia para trabalhar e eu ficaria sozinha com o cachorro que supostamente deveria fazer com que me sentisse segura.

Eu me mantive do outro lado da casa nos primeiros dias, entrando na cozinha apenas para pegar uma banana ou colocar comida para ele. Carl nos instruiu a passear com Duke três vezes por dia, mas eu não queria mexer na coleira no pescoço do cachorro. Então simplesmente abria a porta dos fundos e dizia *Vai* — outro dos comandos que ele conhecia —, deixando para limpar a sujeira quando Richard chegasse.

No terceiro dia, eu estava lendo na biblioteca e, quando ergui os olhos do livro, vi Duke entrando silenciosamente, observando-me. Eu nem tinha ouvido sua chegada. Ainda tinha medo de encará-lo — os cães não entendiam os olhares fixos como um desafio? —, então voltei a ler, torcendo para que ele fosse embora. Todas as noites, antes de ir para a cama, Richard levava Duke para um passeio rápido. O cachorro tinha comida de sobra, água fresca e uma cama confortável. Eu não precisava me sentir culpada. Duke tinha uma vida mansa, com tudo o que poderia querer.

Ele foi se deitar ao meu lado no chão, apoiando a cabeça sobre as patas enormes. Em seguida olhou para cima e suspirou. Era um som quase humano.

Dei uma espiada por cima do meu romance e vi rugas se formando sobre seus olhos castanhos. Ele parecia triste. Fiquei me perguntando se não estava acostumado a conviver com outros cães, em um lugar cheio de movimento e barulho. *Nossa casa deve parecer estranha demais para ele*, pensei. Com hesitação, estendi a mão para acariciá-lo atrás da orelha, como o treinador falou que ele gostava. O rabo peludo bateu uma vez no chão, mas logo em seguida ele ficou imóvel, como se não quisesse causar muita agitação.

"Você gosta, né? Tudo bem, menino. Pode balançar o rabo à vontade."

Desci da poltrona para me sentar ao lado dele, ainda acariciando sua cabeça, num ritmo que pareceu ter agradado. Era gostoso sentir os dedos deslizando por aquela pelagem quente e espessa.

Algum tempo depois, levantei e fui até a cozinha, onde estava a guia. Duke veio comigo.

"Vou colocar em você. Fica bonzinho e *senta*, tá bom?"

Pela primeira vez, a imobilidade dele me pareceu um gesto de gentileza. Mesmo assim, prendi o fecho prateado da guia na coleira o mais rápido possível, para afastar logo minha mão de seus dentes.

O ar gelado do inverno fez meu nariz e minhas orelhas arderem assim que pisamos na rua, mas não estava tão frio a ponto de me fazer querer voltar correndo para casa. Duke e eu andamos quase cinco quilômetros naquele dia, explorando partes da vizinhança que nem eu conhecia. Ele andava no meu ritmo, mantendo-se ao meu lado o tempo todo, parando apenas para farejar o chão ou se aliviar.

Soltar a guia quando voltamos para casa me pareceu muito menos intimidador. Enchi o pote de água e peguei para mim um copo de chá gelado, que bebi rapidamente. Minhas pernas estavam pesadas por causa da caminhada, mas de um jeito agradável, e percebi que estava precisando do exercício tanto quanto Duke. Parei à porta da biblioteca e olhei para trás.

"*Vem*."

Duke veio até mim e se sentou ao meu lado.

"Você é um menino muito bonzinho."

No aniversário de Richard, fomos buscar minha mãe no aeroporto. Quando Maureen chegou em casa, algumas horas depois, minha mãe já tinha largado seus pertences em vários cômodos — a bolsa na cozinha, o xale no encosto de uma cadeira da sala de jantar, um livro aberto em cima do pufe favorito de Richard —, além de ter aumentado a temperatura do aquecedor em alguns bons graus. Dava para ver que aquilo deixava Richard irritado, apesar de ele não dizer nada.

O jantar transcorreu tranquilamente, ainda que minha mãe passasse pedaços de carne para Duke por baixo da mesa o tempo todo — àquela altura ela já havia abandonado o vegetarianismo.

"Ele é um cachorro muito intuitivo", ela declarou.

Maureen afastou a cadeira de Duke e da minha mãe, depois fez algumas perguntas a Richard sobre umas ações que estava pensando em comprar. Não era muito chegada a cachorros, ela explicou, apesar de ter feito um carinho rápido nele.

Depois que servi o cheesecake, fomos todos para a sala entregar os presentes. Richard abriu o meu primeiro. Eu tinha comprado uma camisa dos Rangers autografada por todos os jogadores e mandado emoldurar. Também comprei uma coleira do time para Duke.

Minha mãe deu o livro de autoajuda mais recente de Deepak Chopra. "Sei que você trabalha bastante, mas pode ler no trem, não é?"

Ele abriu por educação e deu uma folheada. "Acho que estou precisando mesmo." Quando minha mãe foi procurar o cartão, que tinha deixado na bolsa, ele deu uma piscadinha para mim.

"Vou comprar uma versão resumida para você, caso ela faça perguntas", brinquei baixinho.

Maureen deu a ele dois ingressos para ver os jogos dos Knicks na beira da quadra na noite seguinte. "O tema deste ano é esporte", ela comentou aos risos. Os dois eram fãs de basquete.

"Você deveria ir com Maureen ao jogo", falei.

"Era essa minha ideia desde o começo", ela respondeu em um tom brincalhão. "Lembro que, quando Richard tentou explicar a regra da bola descendente, você quase pegou no sono."

"É verdade."

Os olhos da minha mãe se alternaram entre Richard e Maureen, então pousaram sobre mim. "Então ainda bem que estou aqui. Caso contrário você ficaria em casa sozinha. Por que não passamos o dia na cidade e aproveitamos para jantar com sua tia?"

"Claro." Dava para perceber que minha mãe estava surpresa por Maureen não ter comprado três ingressos. Talvez ela tivesse achado que eu havia sido deixada de fora, mas a verdade era que ficava contente por Richard passar um tempo com a irmã. Ele não tinha mais nenhum familiar vivo.

Minha mãe ficou por mais dois dias, e, apesar de eu estar sempre preparada para seus comentários inconvenientes, eles não vieram. Ela ia junto quando eu levava o cachorro para passear e até sugeriu que déssemos um banho nele. Duke suportou a provação com a dignidade de costume, apesar de seu olhar de reprovação constante, e depois se vingou se sacudindo e espirrando água em nós. As risadas que demos foi o ponto alto da visita para mim. Acho que para minha mãe também.

Quando nos despedimos no aeroporto, ela me abraçou por muito mais tempo do que de costume.

"Te amo, Vanessa. Gostaria que a gente se visse mais. Que tal ir à Flórida daqui a um ou dois meses?"

Eu não queria, mas me vi surpreendentemente reconfortada pelo abraço. "Vou tentar."

E era verdade. Mas então tudo mudou outra vez.

Logo me acostumei à presença de Duke na casa, a nossas caminhadas matinais, a falar com ele enquanto cozinhava. Escovava seus pelos um tempão, com sua cabeça deitada no meu colo, perguntando-me como podia ter sentido medo dele. Quando eu tomava banho, Duke ficava a postos como uma sentinela na porta do banheiro. Quando eu chegava em casa, ele estava sempre bem diante da porta, com as orelhas de pé. Parecia aliviado em me ver de novo lá.

Minha gratidão a Richard era imensa. Ele devia saber que o cachorro ia me proporcionar mais que segurança. Na ausência do bebê que queríamos tão desesperadamente, Duke se tornou meu companheiro.

"Gosto tanto do Duke", falei para Richard algumas semanas depois. "Você tinha razão. Me sinto mais segura com ele por perto." Contei para ele de quando Duke e eu estávamos passeando pela calçada, a alguns metros de casa, e o carteiro surgiu de repente do meio da cerca viva de uma casa vizinha. Duke logo se posicionou entre mim e o homem, e ouvi seu rosnado baixinho. O carteiro se afastou e prosseguiu seu caminho, assim como nós. "Foi a única vez que vi esse outro lado dele."

Richard assentiu e pegou uma faca para passar manteiga no pão. "É sempre bom lembrar que esse lado existe."

Quando Richard fez uma viagem rápida a trabalho na semana seguinte, levei a cama de Duke para o andar de cima e coloquei ao lado da minha. Naquela noite, ao acordar, espiei para ver se ele também estava acordado. Pus o braço esquerdo para fora da cama para poder tocar sua cabeça, e caí no sono logo em seguida. Foi um sono profundo e sem sonhos, como não tinha havia meses.

Contei para Richard que estava passeando bastante com Duke para eliminar os quilos a mais que ganhara depois de me mudar da cidade. Não eram só os remédios do tratamento de fertilidade. Em Manhattan, eu andava facilmente mais de cinco quilômetros por dia, mas agora até para comprar um litro de leite precisava de carro. Além disso, jantávamos sempre muito tarde. Richard nunca falara nada sobre meu peso, mas subia na balança todos os dias e se exercitava cinco vezes por semana. Eu queria ficar bonita para ele.

Quando meu marido voltou, não tive coragem de mudar Duke de volta lá para baixo, para nossa cozinha fria e estéril. Richard mal conseguia acreditar na minha mudança de postura em relação ao cachorro. "Às vezes parece que você gosta mais dele do que de mim", brincou.

Dei risada. "Ele é meu amigo. Me faz companhia quando você não está por perto." A verdade era que meu afeto por Duke era do tipo mais puro e descomplicado que eu já havia sentido.

Ele era mais que um animal de estimação. Tornou-se minha mediação com o mundo. Um corredor com quem cruzávamos pela manhã parou para perguntar se podia fazer carinho nele, e acabamos batendo um papo. Os jardineiros guardaram um osso para dar a ele, e me perguntaram timidamente se não havia problema. Até o carteiro passou a gostar dele, quando eu disse que o homem era um *amigo* — mais uma das palavras que Duke entendia. Nos telefonemas semanais para minha mãe, eu ficava tagarelando sobre nossas mais recentes aventuras.

Então, em um dia de primavera em que todos os arbustos e árvores pareciam ter florido ao mesmo tempo, levei Duke para fazer uma trilha a alguns quilômetros de casa.

Em retrospecto, acho que foi nosso último grande dia. Quando sentamos em uma pedra grande e lisa, e eu alisei sua pelagem sob o sol, pareceu uma tarde perfeita.

Na volta para casa, meu celular tocou. "Querida, você passou na lavanderia?"

Eu tinha esquecido que Richard me pedira para ir buscar suas camisas. "Ai, droga. Só preciso pagar os jardineiros e já vou."

Eles tinham se afeiçoado bastante a Duke, e às vezes, quando o tempo estava bom, os três ficavam até mais tarde brincando com ele no quintal.

Fiquei fora por trinta minutos, no máximo quarenta e cinco. Quando voltei, a picape dos jardineiros não estava mais lá. Assim que abri a porta, senti um frio na barriga.

"Duke", chamei.

Nada.

"Duke!", gritei de novo, com a voz trêmula.

Corri para o quintal à procura dele. Nada. Liguei para a empresa de jardinagem. Os funcionários juraram que tinham fechado o portão dos fundos. Saí correndo pelo bairro, chamando por Duke, depois liguei para as ONGs locais que resgatavam animais e para as clínicas veterinárias da região. Richard voltou correndo para casa e percorremos as ruas de carro, gritando o nome dele pelas janelas abertas até ficarmos roucos. No dia seguinte, Richard não foi trabalhar. Ficou me abraçando enquanto eu chorava. Espalhamos cartazes. Oferecemos uma recompensa generosa. Eu ficava na frente de casa todas as noites, chamando por Duke. Pensei que alguém o tivesse roubado, ou que tivesse pulado a cerca para perseguir um invasor. Procurei até nos sites que monitoravam a fauna selvagem da área, para ver se havia notícia de algum cão atacado por um predador.

Uma vizinha afirmou tê-lo visto na Orchard Street. Outra achava que cruzara com ele na Willow. Alguém ligara para o número que colocamos no cartaz e aparecera com um cachorro, mas não era Duke. Liguei inclusive para uma mulher que dizia fazer contato com animais. Ela disse que Duke estava em um abrigo na Filadélfia. Nenhuma das pistas deu em nada. Era como se o cachorro de mais de quarenta quilos tivesse desaparecido da face da terra com a mesma facilidade com que surgira na minha vida.

Duke era muitíssimo bem treinado; ele jamais fugiria. E teria atacado qualquer um que tivesse tentado roubá-lo. Afinal, era um cão de guarda.

Mas não foi naquilo que pensei às três da manhã, enquanto andava na ponta dos pés pelo corredor para me afastar do meu marido.

Pouco antes do desaparecimento de Duke, Richard havia ligado para me perguntar sobre as camisas. Pensei que estivesse no trabalho, mas não tinha como verificar aquilo; ele nunca tinha me passado a senha do celular e do BlackBerry, e eu tampouco pedira, de modo que não podia verificar os registros de chamadas.

Quando eu passara na lavanderia, a sra. Lee me recebera com a simpatia habitual: "Que bom rever você! Seu marido ligou agora há pouco, e eu falei que as camisas estavam prontinhas e engomadas, como sempre".

Por que Richard telefonaria para a lavanderia para se certificar de que eu não havia pegado as camisas ainda e depois me perguntado se eu tinha lembrado?

Não perguntei aquilo a ele de imediato. Mas em pouco tempo não conseguiria pensar em outra coisa.

Minhas olheiras ficaram pesadas por causa da insônia. Nas noites em que conseguia dormir um pouco, muitas vezes acordava com o braço para fora da cama, com os dedos no espaço vazio onde Duke costumava se deitar. Na maior parte do tempo, sentia-me anestesiada. Levantava com Richard e fazia café, bebendo várias canecas. Dava um beijo de despedida nele e ficava observando enquanto caminhava até o carro, cantarolando.

Algumas semanas depois do desaparecimento de Duke, eu estava plantando umas flores distraidamente no quintal quando encontrei um de seus brinquedos favoritos, um jacaré verde de borracha que ele adorava morder. Agarrei o brinquedo junto ao peito e caí em prantos de um jeito que não acontecia desde o enterro do meu pai.

Quando enfim controlei as lágrimas, voltei para dentro de casa. Fiquei parada em silêncio, com o jacaré ainda na mão. Atravessei a sala sem me preocupar com as manchas de terra no tapete impecável e deixei o brinquedo sobre a mesinha onde Richard punha suas chaves ao chegar. Queria que ele visse assim que entrasse em casa.

Então não troquei minhas roupas sujas, não recolhi o jornal, não dobrei a roupa lavada, não guardei as ferramentas de jardinagem, não preparei o peixe, as ervilhas e o tortellini que pretendia fazer para o jantar.

Em vez disso, fiz vodca com tônica e fui me sentar na sala de TV. Esperei até a noite chegar. Então peguei mais vodca, dessa vez sem a tônica. Ainda não estava acostumada a beber muita coisa além de uma ou outra tacinha de vinho. Dava para sentir o álcool se espalhando pelo meu corpo.

Quando Richard entrou, eu não disse nada.

"Nellie!", ele chamou.

Pela primeira vez no nosso casamento, não respondi "Oi, querido" nem saí correndo para recebê-lo com um beijo.

"Nellie?" Meu nome saiu como uma interrogação, não uma afirmação.

"Estou aqui", respondi por fim.

Ele apareceu na porta, segurando o jacaré enlameado de Duke pelo rabo roído. "Por que está sentada no escuro?"

Levantei o copo e bebi o resto da vodca.

Vi que ele reparou nas minhas roupas — o jeans desbotado com os joelhos sujos de terra, a camiseta grande e velha. Pus o copo na mesinha, sem me preocupar se a superfície de madeira ficaria molhada.

"Querida, o que aconteceu?" Richard veio até mim e me abraçou.

Ao sentir seu calor, minha determinação começou a perder força. Passara a tarde toda com raiva dele, mas naquele momento o que mais queria era que o homem que causara meu sofrimento me consolasse. As acusações que vinham se formando na minha mente se tornaram confusas. Como Richard poderia ter feito uma coisa daquelas? Nada fazia sentido.

Em vez de dizer o que pretendia, simplesmente desabafei: "Preciso de um tempo".

"Um tempo?" Ele se afastou. "De quê?" Sua testa estava franzida.

Eu queria dizer *De tudo*, mas em vez disso falei: "Do Clomid".

"Você está bêbada. Não está falando sério."

"Pois é, acho que estou um pouco alta mesmo, mas estou falando sério. Não vou mais tomar."

"Você não acha que precisamos discutir isso como um casal? Tomar uma decisão conjunta?"

"Se livrar do Duke foi uma decisão conjunta?"

Quando eu disse aquilo, soube que transformaria nosso relacionamento para sempre.

O que me surpreendeu foi que me senti bem ao fazer aquilo. Nosso casamento, como qualquer outro, tinha suas regras tácitas, e eu havia quebrado uma das mais importantes: não desafiar Richard.

Hoje percebo que foi minha obediência àquela regra que me impediu de questionar o motivo por que ele comprara uma casa sem me mostrar antes, por que nunca quisera falar sobre a infância, e por que eu mesma fizera de tudo para afastar outras questões da minha mente.

Richard impusera aquela regra, e eu a aceitara de bom grado. Era muito mais fácil deixar meu marido — o homem com quem me sentia segura — determinar o rumo da nossa vida.

Só que eu não estava mais me sentindo segura.

"Do que está falando?" O tom de voz de Richard era frio e comedido.

"Por que ligou para a sra. Lee perguntando se as camisas estavam prontas? Se sabia que eu não tinha ido buscar, por que fingiu que não? Queria me tirar de casa?"

"Minha nossa!" Richard levantou com um gesto abrupto.

Precisei erguer a cabeça para vê-lo de pé ao lado da poltrona.

"Nellie, você está sendo totalmente irracional." Dava para ver a mão dele apertando o jacaré, deformando o brinquedo. Suas feições estavam tensas, seus olhos se estreitaram e seus lábios se contraíram; era como se meu marido estivesse desaparecendo atrás de uma máscara. "Que porra a lavanderia tem a ver com a história do Duke? Ou do bebê? Por que eu ia querer tirar você de casa?"

Eu estava perdendo a firmeza, mas não podia recuar. "Por que me perguntou se eu tinha pegado as camisas quando sabia que não?" Minha voz saiu bem aguda.

Ele jogou o jacaré no chão. "O que está insinuando? Está parecendo uma louca. A sra. Lee tem idade e está sempre muito ocupada. Deve ter sido um mal-entendido."

Richard fechou os olhos por um instante. Quando abriu, voltou a ser quem sempre era. A máscara tinha desaparecido. "Você está deprimida. Acabamos de sofrer uma tremenda perda. Adorávamos o Duke. E sei que o tratamento de fertilidade não está sendo fácil. Você tem razão. Vamos dar um tempo."

Eu ainda estava brava com ele; por que me sentia como se estivesse sendo perdoada?

"Onde está Duke?", murmurei. "Por favor, só me diz se ele está vivo. Preciso saber se está bem. Nunca mais volto a falar nisso."

"Amor." Richard se ajoelhou ao meu lado e me abraçou. "Claro que ele está bem. É um cachorro forte e inteligente. Deve estar em outro bairro não muito longe daqui, com uma família que o ama tanto quanto nós. Você não consegue imaginar Duke correndo por um quintal, perseguindo uma bolinha de tênis?" Ele enxugou as lágrimas que escorriam pelo meu rosto. "Vamos tirar essas roupas sujas e ir para a cama."

Fiquei observando os lábios cheios de Richard enquanto ele falava; tentei ler seus olhos. Precisava tomar uma decisão, talvez a mais importante da minha vida. Se não deixasse de lado minhas desconfianças, então tudo em que acreditava sobre meu marido e nosso relacionamento era mentira, todos os momentos vividos nos dois anos anteriores tinham sido uma grande encenação. Eu não estaria duvidando só de Richard, estaria indo contra meus instintos, meu juízo, minha verdade mais profunda.

Então decidi aceitar o que ele me falou. Richard amava Duke tanto quanto eu. Ele tinha razão; estava sendo louca por pensar que meu marido faria algum mal ao nosso cachorro.

Toda a tensão no meu corpo se dissipou, e fiquei me sentindo pesada e incapaz de me mover.

"Desculpa", falei enquanto Richard me levava para o andar de cima.

Quando saí do banheiro, depois de me trocar, vi que ele tinha ajeitado as cobertas na cama e colocado um copo d'água no criado-mudo para mim.

"Quer que eu deite com você?"

Fiz que não com a cabeça. "Você deve estar com fome. Estou com a consciência pesada por não ter feito o jantar."

Ele me deu um beijo na testa. "Não se preocupe com isso. Tente descansar um pouco, querida."

Foi como se nada tivesse acontecido.

Na semana seguinte, eu me inscrevi em uma aula de culinária — de comida asiática — e me filiei ao comitê pela alfabetização infantil no clube. Recolhíamos doações de livros e distribuíamos em escolas das regiões mais carentes de Manhattan. As reuniões eram no horário do almoço. Sempre havia vinho para acompanhar as refeições, e com frequência eu era a primeira a esvaziar a taça e pedir mais. Levava um frasco de Advil na bolsa para me prevenir contra as dores de cabeça que a bebedeira diurna às vezes me causava. Ficava ansiosa pelas reuniões, porque podia tirar um cochilo à tarde nesses dias e matar mais algumas horas. Quando Richard chegava em casa, meu hálito estava fresco e o colírio já havia eliminado qualquer vestígio de vermelhidão nos olhos.

Pensei em sugerir que pegássemos outro cachorro, talvez de outra raça. Mas nunca o fiz. Então nosso lar — sem animais, sem crianças — voltou a ser só uma casa.

Comecei a detestar o lugar, com aquele silêncio que nunca era interrompido.

27

Coloco o cartão-postal com o pastor-alemão de volta na escrivaninha de tia Charlotte. Já faltei demais ao trabalho. Não posso faltar de novo. Enfio a carta para Emma no bolso. Vou entregar depois do meu turno na loja. Imagino que vou sentir seu peso quando apoiar a alça no ombro e começar a caminhada para a Midtown.

Na metade do caminho, meu celular toca. Por um breve instante, chego a pensar que pode ser Richard. Quando olho para a tela, vejo o número da Saks.

Fico hesitante, mas atendo e vou logo dizendo: "Estou quase aí. Mais uns quinze minutos no máximo". Acelero o passo.

"Detesto ter que fazer isso, mas...", diz Lucille.

"Desculpa. Eu perdi o celular, e depois..." Ela pigarreia do outro lado da linha. Fico em silêncio.

"Vamos precisar dispensar você."

"Me dá mais uma chance", peço, desesperada. Com a doença de tia Charlotte, vou precisar mais do que nunca de trabalho. "Passei por uma fase difícil, mas prometo que não vou mais... As coisas estão melhorando."

"Os atrasos são um problema. As ausências frequentes também. Mas esconder mercadorias? O que você pretendia fazer com aqueles vestidos?"

Penso em negar, mas alguma coisa na voz dela me diz para nem perder tempo com isso. Talvez alguém tenha me visto tirar os vestidos floridos Alexander McQueen das araras e esconder no estoque.

Não adianta. Não tenho como me defender.

"Vou mandar o cheque com seu último pagamento pelo correio."

"Não posso ir buscar?" Ainda tenho a esperança de conseguir uma última chance conversando com Lucille pessoalmente.

Ela hesita por um instante. "Tudo bem. Estou meio ocupada agora. Venha daqui a uma hora."

"Obrigada. Está perfeito."

Agora tenho tempo para entregar a carta no trabalho de Emma em vez de esperá-la sair e encontrá-la no caminho para casa. Só faz vinte e quatro horas que encontrei a noiva de Richard, o que significa que falta um dia a menos para o casamento.

Eu deveria estar usando o tempo para planejar o que vou dizer para Lucille. Mas só consigo pensar em ficar no saguão do prédio, esperando Emma sair para um café ou fazer alguma coisa na rua. Talvez eu consiga ver em seu rosto se Richard fez algum comentário sobre a visita dele.

A última vez que entrei naquele edifício elegante foi na festa de fim de ano do escritório. A noite em que tudo começou.

Mas também me lembro de ter feito outras coisas neste lugar: de vir até aqui depois de sair da escola para encontrar Richard e vê-lo concluindo uma ligação de negócios, com um tom de voz que de tão firme parecia quase austero, apesar das caretas divertidas que fazia para mim; de vir até aqui de trem de Westchester para encontrar Richard e seus colegas para jantar; de vir até para uma visita de surpresa e ser recebida com um abraço que tirava meus pés do chão.

Passo pela porta giratória e me aproximo da mesa do controle de segurança. São dez horas e o saguão está meio vazio, o que é bom. Não quero cruzar com nenhum conhecido.

Eu me lembro vagamente do segurança, por isso não tiro os óculos escuros. Entrego o envelope com o nome de Emma escrito. "Você pode mandar entregar no trigésimo segundo andar?"

"Só um minuto." Ele põe o dedo na tela à sua frente e digita o nome dela. Depois ergue os olhos para mim. "Ela não trabalha mais aqui", ele informa, empurrando o envelope de volta para mim.

"Quê? Quando foi que ela... que pediu demissão?"

"Não tenho essa informação, senhora."

Há uma entregadora parada atrás de mim, e o segurança volta sua atenção para ela.

Pego o envelope e saio pela porta giratória. No pátio ao lado do prédio há um pequeno banco onde eu pretendia esperar por Emma. Agora desabo sobre o assento, pasma.

Mas não deveria estar tão surpresa. Afinal, Richard não ia querer que sua esposa trabalhasse, em especial para ele. Por um momento me pergunto se teria arrumado outro emprego, mas sei que isso não aconteceria faltando tão pouco para o casamento. E tenho quase certeza de que ela não vai voltar ao trabalho depois de casada.

O mundo dela está começando a encolher.

Preciso encontrá-la agora mesmo. Emma ameaçou chamar a polícia se eu aparecesse em seu prédio de novo, mas no momento não posso ficar me preocupando com as consequências.

Fico de pé para pôr a carta na bolsa. Meus dedos roçam a carteira onde está a foto de Duke.

Tiro a pequena imagem colorida da capinha plástica. A raiva me domina; se Richard estivesse aqui, eu voaria no pescoço dele e arranharia seu rosto inteiro, gritando obscenidades.

Mas me forço a voltar ao segurança.

"Com licença", digo educadamente. "Você teria um envelope?"

Ele me entrega um sem fazer nenhum comentário. Ponho a foto de Duke lá dentro e procuro na bolsa por uma caneta. Acabo encontrando apenas um lápis de olho cinza, com que escrevo RICHARD THOMPSON no envelope. Não está bem apontado e é excessivamente macio, deixando um rastro de pó nas letras cada vez menos legíveis, mas não me importo.

"Trigésimo segundo andar. Ele com certeza ainda trabalha aqui."

O segurança levanta as sobrancelhas, mas permanece impassível, pelo menos até minha saída.

Preciso ir à Saks, mas, como já estou aqui, decido ir primeiro ao apartamento de Emma. Fico me perguntando o que estará fazendo neste exato instante. Encaixotando as coisas para a mudança? Comprando uma camisola sexy para a lua de mel? Tomando um último café com as amigas da cidade, prometendo que vai voltar sempre para revê-las?

Piso com o pé esquerdo na calçada. *Salve*. Então é a vez do direito. *Emma*. Começo a andar cada vez mais rápido, com as palavras ecoando no meu cérebro: *Salve Emma, salve Emma, salve Emma*.

* * *

Já cheguei tarde demais antes, no meu último ano de irmandade na Flórida. Não vai acontecer de novo.

Depois de bater na porta de Daniel, na noite em que Maggie desapareceu, cheguei em casa no momento em que as candidatas estavam voltando, ensopadas e risonhas, com cheiro de mar.

"Pensei que você estivesse passando mal!", Leslie gritou.

Abri caminho aos empurrões e subi para o quarto. Estava arrasada, incapaz de pensar direito. Não sei por que resolvi virar para olhar para as garotas que estavam se secando com toalhas jogadas por alguém do alto das escadas.

Eu me virei. "Onde está Maggie?"

"É mesmo...", Leslie falou. Aquelas palavras ecoavam na minha mente enquanto as garotas esquadrinhavam a sala, com o sorriso desaparecendo de seu rosto, à procura dela.

A história sobre o que aconteceu na praia foi recontada em fragmentos cheios de frenesi; lembranças distorcidas pelo álcool e uma empolgação que se transformou em medo. Alguns garotos da fraternidade acompanharam as meninas no caminho para a praia, talvez atraídos pelo sutiã rosa mostrado no meio da rua. As candidatas tinham tirado a roupa, conforme instruído, e corrido para o mar.

"Procurem no quarto dela!", gritei para a presidente da irmandade. "Vou até a praia."

"Eu vi quando ela saiu da água", Leslie insistia em dizer enquanto caminhávamos para a praia.

Mas os garotos estavam na praia. Enquanto elas haviam entrado na água, os garotos tinham se espalhado pela areia, rindo, gritando, pegando as roupas deixadas no chão e sacudindo-as longe do alcance das meninas nuas. Não contávamos com aquilo.

"Maggie!", gritei enquanto corríamos pela praia.

No trote na praia, mais cedo, as novatas também tinham gritado, e algumas acompanharam as meninas da irmandade, que estavam vestidas, na perseguição aos rapazes. Elas tentavam se cobrir com as peças que os caras deixavam cair na areia. No fim, tinham conseguido recuperar suas roupas e correr de volta para a casa.

"Ela não está aqui!", Leslie gritou para mim. "Vamos voltar para a casa para ver não se perdeu no caminho."

Então eu vi a blusinha com estampa de cerejas e o short largados sobre a areia.

Luzes azuis e vermelhas girando. Mergulhadores vasculhando o mar, arrastando redes pela água. Um holofote dançando entre as ondas.

E o grito agudo quando um corpo foi tirado do oceano. Saído da minha garganta.

A polícia nos interrogou uma a uma, compondo metodicamente uma narrativa. O jornal local preencheu quatro páginas com textos, boxes e fotografias de Maggie. Uma emissora de Miami fez imagens da irmandade e levou ao ar uma reportagem especial sobre os perigos da bebida na semana de trote. Eu era a diretora de eventos; era a responsável por Maggie. Aqueles detalhes foram publicados. Meu nome saiu na imprensa. Minha foto também.

Na minha mente, consigo ver o corpinho magro e sardento voltando para o mar, tentando esconder a nudez. Consigo vê-la indo longe demais, até um ponto onde seus pés não alcançavam mais o chão de areia instável. Uma onda quebra sobre sua cabeça. Talvez ela solte um grito, mas sua voz se mistura aos outros berros. Maggie engole água salgada. Começa a rolar, desorientada, no mar escuro. Não consegue enxergar. Nem respirar. A onda seguinte a arrasta.

Ela desapareceu. O que talvez não tivesse acontecido se eu estivesse lá.

Emma vai desaparecer também, casando-se com Richard. Vai perder suas amigas. Vai se afastar da família. Vai perder o contato consigo mesma, assim como eu havia perdido. E depois vai ser ainda pior.

Salve Emma, minha mente ordena.

28

Entro pela porta de serviço e pego o elevador para o terceiro andar. Encontro Lucille dobrando suéteres. A equipe está desfalcada por minha causa; ela tem que fazer meu trabalho.

"Sinto muito, de verdade." Estendo a mão para a pilha de malhas. "Preciso do emprego, e posso explicar o que está acontecendo..."

Minha voz fica embargada, e ela vira para mim. Tento ler sua expressão enquanto avalia minha aparência. Está perplexa. Achou que eu fosse simplesmente pegar meu cheque e ir embora? Seu olhar se concentra no meu cabelo, e instintivamente me volto para os espelhos. Claro que está surpresa; ela me conheceu morena.

"Vanessa, eu também sinto, mas dei várias chances a você."

Estou disposta a implorar mais um pouco, mas vejo que o andar está cheio. Algumas vendedoras olham para nós. Talvez tenha sido uma delas que contou a Lucille sobre os vestidos.

Não adianta. Tiro a mão das blusas.

Lucille vai buscar meu cheque. "Boa sorte, Vanessa", diz ao entregá-lo.

Na volta para o elevador, vejo os vestidos com intricados padrões em preto e branco pendurados na arara. Prendo a respiração ao passar por eles.

O vestido tinha me servido como uma luva, como se fosse feito sob medida.

Richard e eu estávamos casados fazia anos. Sam e eu não nos falávamos mais. O desaparecimento de Duke nunca tinha sido esclarecido. Minha mãe cancelou de forma inesperada sua visita na primavera, dizendo que tinha planos de ir ao Novo México.

Mas, em vez de me afastar do mundo, comecei a voltar à vida.

Não bebia uma gota de álcool fazia seis meses, e o inchaço deixara meu corpo como o hélio que escapa pouco a pouco de um balão. Comecei a acordar cedo para correr pelas ruas largas e com leves subidas e descidas da vizinhança.

Eu disse para Richard que estava me concentrando em ficar saudável de novo. Pensei que tivesse acreditado em mim, entendido meu novo comportamento como uma mudança positiva. Afinal, ele recebia as contas do clube discriminando tudo o que eu havia consumido antes que fossem debitadas no cartão de crédito. Richard tinha passado a pôr as contas em cima da mesa, com as bebidas alcoólicas grifadas com marca-texto. Eu nem precisava me preocupar com colírio e balas de menta; ele sabia tudo o que eu bebia nos almoços do comitê.

Mas minha mudança recente não se limitava à saúde física. Eu tinha começado a fazer um trabalho comunitário. Toda quarta-feira, pegava o trem com Richard e depois um táxi até o Lower East Side, onde lia para crianças da educação infantil como parte de um programa governamental chamado Head Start. Eu havia conhecido os coordenadores do programa entregando os livros arrecadados pelo comitê do clube. Só trabalhava com as crianças algumas horas por semana, mas aquilo me dera um novo propósito. E voltar a circular pela cidade era revigorante. Eu não me sentia tão conectada comigo mesma desde a lua de mel.

"Abre", ele dissera na noite do evento de gala da companhia de dança Alvin Ailey, quando olhei para a enorme caixa branca com um laço vermelho.

Obedeci. Desde que me casara com Richard, tinha aprendido a apreciar as texturas e os detalhes que diferenciavam minhas antigas roupas de lojas de departamento das peças de grife. Aquele vestido estava entre os mais elegantes que eu já tinha visto. E continha um segredo. À distância, parecia apenas um padrão simples em preto e branco. Mas era uma ilusão. De perto, era possível ver que cada fio era posicionado de forma deliberada, ponto a ponto, criando uma paisagem floral.

"Use hoje à noite", Richard falou. "Vai ficar linda."

Ele vestiu o smoking, mas se atrapalhou com a gravata-borboleta.

"Deixa comigo." Sorri. Alguns homens ficam parecendo garotos a caminho da formatura, com gel nos cabelos e sapatos lustrosos, quando usam black tie. Outros parecem impostores, esforçando-se inutilmente para sugerir que são da classe alta. Mas Richard parecia nascido para usar smoking. Ajeitei a gravata e dei um beijo nele, deixando uma marca de batom cor-de-rosa em seu lábio inferior.

Consigo ver nós dois naquela noite como se estivesse fora do meu corpo: saindo da limusine para a neve que caía fraca, caminhando de mãos dadas até a entrada, encontrando o cartão com os dizeres SR. E SRA. THOMPSON: MESA 16 em caligrafia rebuscada. Posando para uma foto, aos risos. Aceitando taças de champanhe.

E, ah, aquele primeiro gole — as bolhas douradas estourando na minha boca, o calor descendo pela garganta. O gosto de felicidade concentrado em uma taça.

Observamos os bailarinos saltarem e voarem sobre o palco, os braços torneados e as pernas musculosas aos giros, os corpos contorcidos em poses impossíveis ao som da batida incessante. Só percebi que estava me balançando para a frente e para trás e batendo palmas quando Richard me deu um leve aperto no ombro. Estava sorrindo para mim, mas senti uma pontada de vergonha. Ninguém mais se movia ao ritmo da música.

Quando a apresentação terminou, coquetéis e canapés foram servidos. Richard e eu conversamos com alguns de seus colegas, incluindo um senhor de cabelos brancos chamado Paul, que fazia parte do conselho diretor da companhia de dança e tinha comprado uma mesa para o jantar beneficente. Estávamos lá como seus convidados.

Os bailarinos se misturavam entre nós, com seus corpos esculturais e sua aparência de deuses vindos dos céus.

Em geral, eu chegava ao fim daquele tipo de evento com o rosto doendo de tanto sorrir. Tentava parecer envolvida e alegre, para compensar o fato de não ter muito o que dizer, em especial no silêncio doloroso que se seguia à pergunta inevitável, que desconhecidos parecem considerar inofensiva: "Vocês têm filhos?".

Mas Paul era diferente. Quando perguntou o que eu andava fazendo e contei sobre o trabalho voluntário, ele não fez um comentário do tipo

"Que legal" e foi procurar alguém com um currículo mais impressionante para conversar. "Como foi que começou a fazer isso?", perguntou. Acabei contando sobre minha experiência como professora e o que exatamente fazia na Head Start.

"Minha mulher ajudou a levantar fundos para construir uma escola comunitária não muito longe daqui", ele comentou. "Você poderia se envolver também."

"Eu adoraria. Sinto muita falta de lecionar."

Paul enfiou a mão no bolso do paletó e tirou um cartão de visitas. "Me liga na semana que vem." Então se inclinou para murmurar: "Com 'minha mulher ajudou a levantar fundos', quis dizer que ela me obrigou a fazer um cheque polpudo. Eles nos devem um grande favor". Seus olhos se enrugaram com o sorriso que ele abriu, e eu sorri também. Sabia que Paul era um dos homens mais bem-sucedidos no evento e que mantinha um casamento feliz com a namorada da época do colégio, uma mulher de cabelos brancos que estava conversando com Richard.

"Vou apresentar você", continuou Paul. "Aposto que eles arrumam uma vaguinha. Se não agora, no início do próximo ano letivo."

Um garçom ofereceu vinho, e Paul me entregou uma taça. "Um brinde aos novos começos."

Calculei mal a força do impacto. As bordas finas e delicadas das taças colidiram, e fiquei segurando apenas uma haste partida, enquanto o vinho escorria pelo meu braço.

"Desculpe!", falei para o garçom que voltou correndo para mim, entregando-me os guardanapos que levava na bandeja e pegando a haste quebrada da minha mão.

"A culpa foi toda minha", Paul disse. "Não conheço minha própria força. Não se mova, tem vidro no seu vestido."

Fiquei parada enquanto ele pegava alguns cacos do tecido fino e colocava na bandeja do garçom. As conversas ao nosso redor silenciaram por um momento, mas logo recomeçaram. Mesmo assim, eu sentia o olhar de todos sobre mim. Minha vontade era de me enfiar debaixo do tapete.

"Eu ajudo", Richard falou, indo para o meu lado e secando meu vestido molhado. "Ainda bem que não era tinto."

Paul deu risada, mas pareceu forçado. Dava para ver que estava tentando quebrar o constrangimento da situação. "Bom, agora preciso mesmo arrumar um emprego para você." Ele olhou para Richard. "Ela estava me contando que sente falta de lecionar."

Richard amassou o guardanapo úmido na mão, colocou sobre a bandeja do garçom e agradeceu a ele antes de dispensá-lo. Senti seu toque na parte inferior das minhas costas. "Ela é ótima com crianças", ele disse.

A atenção de Paul se voltou para a esposa, que o chamava. "Você já tem meu número", ele me disse. "Falamos em breve."

Assim que ele se afastou, Richard se inclinou para perto de mim. "Quanto você já bebeu, querida?" Suas palavras pareciam inofensivas, mas seu corpo demonstrava uma imobilidade quase antinatural.

"Não muito", eu me apressei em responder.

"Pelas minhas contas foram três taças de champanhe. E bastante vinho." Ele pressionou minhas costas com mais força. "Esqueça o jantar", Richard murmurou no meu ouvido. "Vamos para casa."

"Mas... Paul comprou uma mesa. Nossas cadeiras vão ficar vazias. Prometo beber só água."

"Acho melhor irmos embora", ele insistiu. "Paul vai entender."

Fui buscar meu casaco. Enquanto esperava, vi Richard dizer alguma coisa a ele e dar um tapinha em seu ombro. Pensei que, ainda que estivesse arrumando justificativas para mim, Paul saberia ler nas entrelinhas: Richard precisava ir embora porque eu estava alterada demais para o jantar.

Mas eu não estava bêbada. Ele só queria que todo mundo pensasse que sim.

"Tudo pronto", Richard disse quando voltou. Saímos e pegamos o carro.

A neve caía com mais força àquela altura. O motorista seguia devagar pelas ruas quase vazias, mas senti meu estômago embrulhar. Fechei os olhos e me encostei à porta, o máximo que o cinto de segurança permitia. Fingi dormir, mas Richard devia saber que eu só não queria encará-lo.

Ele teria encerrado o assunto — teria me deixado subir para o quarto e cair na cama em paz.

Mas, enquanto eu subia os degraus da entrada da casa, tropecei e precisei me segurar no corrimão.

"São esses saltos", expliquei, desesperada. "Não estou acostumada com eles."

"Claro que sim", ele falou, sarcástico. "É impossível que seja por causa de toda aquela bebida de estômago vazio. Era um evento de trabalho, Nellie. Uma noite importante para mim."

Fiquei em silêncio atrás dele enquanto destrancava a porta. Quando entramos, eu me sentei no banco estofado e tirei os sapatos, deixando-os bem alinhados. Em seguida tirei o casaco e pendurei.

Richard ainda estava me olhando quando virei. "Você precisa comer alguma coisa. Vamos."

Eu o segui para a cozinha, onde ele me entregou uma garrafa de água mineral sem dizer nada. Depois abriu um armário e pegou uma caixa de bolachas água e sal.

Comi a primeira com pressa. "Já estou melhor. Fez bem em me trazer para casa... Mas você deve estar com fome também. Quer que eu corte uns pedaços de brie? Comprei hoje."

"Estou bem." Dava para ver que o Richard que eu conhecia estava prestes a desaparecer, como em outras discussões que eu me esforçava para esquecer; ele tentava manter a raiva sob controle, não perder totalmente a cabeça.

"Sobre o trabalho", eu me apressei em dizer, tentando acalmá-lo. "Paul só se ofereceu para me apresentar algumas pessoas na escola comunitária. Seria meio período, e não é certo."

Richard assentiu com um gesto lento. "Algum motivo especial para você querer ir à cidade mais vezes?"

Fiquei olhando para ele; de todas as coisas que esperava ouvir, aquela era a mais desconcertante. "Como assim?"

"Um vizinho comentou que viu você na estação de trem um dia desses. Toda arrumada, foi o que ele falou. O engraçado é que você disse que não tinha atendido minha ligação esse dia porque havia ido nadar."

Eu não podia negar; Richard tinha uma mente muito afiada e acabaria por me desmascarar. *Que vizinho?*, eu me perguntei. A estação ficava quase vazia naquela hora do dia.

"Depois de nadar fui ver tia Charlotte. Foi só uma visitinha."

Richard assentiu. "Claro. Mais uma bolachinha? Não?" Ele voltou a fechar a lata. "Não tem nada de mais nisso. Estava tudo bem com ela?"

"Sim", respondi, sentindo meu coração disparado aliviar. Ele ia deixar aquilo passar. Tinha acreditado em mim. "Tomamos chá no apartamento dela."

Richard abriu o armário para guardar as bolachas, e a porta de madeira escondeu seu rosto por um instante.

Quando a fechou, ele me encarou. Estava bem perto de mim. Seus olhos apertados pareciam me perfurar. "O que não entendo é por que esperou que eu saísse para trabalhar, se arrumou toda, pegou o trem sozinha e voltou para casa a tempo de fazer o jantar. Por que comeu uma lasanha comigo sem mencionar uma única vez que tinha visitado sua tia." Ele fez uma pausa. "Aonde você foi de verdade? E com quem?"

Ouvi um gritinho parecido com o piar de um pássaro, então percebi que tinha saído da minha boca. Richard estava apertando meu pulso. E torcendo.

Ele olhou para baixo e largou na hora, mas as marcas brancas onde seus dedos haviam estado permaneceram, como uma queimadura.

"Desculpa." Ele deu um passo atrás. Passou a mão pelos cabelos e respirou fundo. "Mas por que mentir para mim, caralho?"

Como eu poderia dizer a verdade? Dizer que não estava feliz — que tudo o que ele me proporcionava não era suficiente? Que eu queria conversar com alguém sobre minhas preocupações com nosso casamento? A mulher que procurei me ouviu com atenção, fez algumas perguntas que me levaram a pensar, mas eu sabia que uma única sessão não seria suficiente. Pretendia dar uma fugidinha para a cidade para vê-la de novo no mês seguinte.

Mas era tarde demais. Richard tinha me pegado.

Vi sua mão aberta vindo na minha direção. Ela atingiu meu rosto com um estalo bem alto.

Nas duas noites seguintes, mal consegui dormir. Minha cabeça latejava e minha garganta doía de tanto chorar. Cobria os hematomas no pulso usando mangas compridas e usava corretivo para esconder as olheiras. Só conseguia pensar se deveria continuar com Richard ou ir embora.

Enquanto lia na cama, ainda que sem conseguir absorver uma palavra do que estava escrito na página, Richard bateu de leve na porta aberta do quarto de hóspedes. Ergui os olhos para mandá-lo entrar, mas ao ver a expressão em seu rosto minhas palavras se dissolveram.

Ele estava com o telefone sem fio na mão. "É sua mãe." O rosto dele se franziu. "Quer dizer, tia Charlotte. Ela está ligando porque..."

Eram onze horas da noite, bem depois do horário em que minha tia costumava deitar. Da última vez que conversara com a minha mãe, ela dissera que estava bem, mas depois não atendera mais a nenhuma ligação minha.

"Sinto muito, amor." Richard me entregou o telefone.

Estender o braço para pegá-lo foi uma das coisas mais difíceis que eu já fizera na vida.

29

Richard foi tudo o que eu precisava que ele fosse depois que minha mãe morreu.

Pegamos um avião para a Flórida para o enterro, e ele conseguiu quartos conjugados no hotel, para que pudéssemos ficar com tia Charlotte. Eu me lembrei da minha mãe em seus momentos de maior felicidade — na cozinha, mexendo nas panelas ou temperando um prato; nas manhãs boas, cantando músicas absurdas para me acordar; rindo enquanto enxugava o rosto depois de darmos banho em Duke. Tentei imaginá-la na noite do meu casamento, andando descalça na areia, virando o rosto para mim ao pôr do sol quando fui me despedir. Mas uma imagem insistia em interferir: ela no momento de sua morte — sozinha no sofá, com um frasco de comprimidos vazio ao seu lado e a televisão no último volume.

Ela não deixou bilhete, então ficamos com uma série de perguntas que jamais seriam respondidas.

Quando tia Charlotte perdeu as estribeiras no cemitério, culpando a si mesma por não saber que minha mãe tinha piorado, Richard a confortou: "Nada disso é culpa sua; não é culpa de ninguém. Ela estava bem. Você sempre esteve ao lado da sua irmã, e ela reconhecia seu amor".

Ele cuidou da papelada e da venda da pequena casa de tijolos onde eu havia crescido, enquanto tia Charlotte e eu dávamos um fim aos pertences da minha mãe.

A casa estava relativamente em ordem, mas o quarto era uma bagunça, com livros e roupas empilhados por toda parte. Os farelos na cama revelavam que ela vinha fazendo a maior parte das refeições ali. Canecas sujas de café e copos d'água tomavam conta do criado-mudo. Vi quando Richard levantou as sobrancelhas de surpresa diante da desordem, mas a única coisa que disse foi: "Vou contratar uma empresa de limpeza para vir aqui".

Não fiquei com muitas coisas da minha mãe: tia Charlotte sugeriu que pegássemos algumas echarpes, e eu fiquei com algumas bijuterias também. De resto, só queria as fotos de família e dois dos livros de culinária desgastados que ela tanto amava.

Também era preciso tirar algumas coisas do quarto de hóspedes, que uma vez fora o meu. Eu tinha deixado alguns itens bem no fundo do closet, deliberadamente. Enquanto tia Charlotte limpava a geladeira e Richard falava ao telefone com a imobiliária, peguei um banquinho para alcançar o fundo da prateleira empoeirada. Joguei o broche da irmandade no lixo, assim como o anuário da faculdade, alguns cadernos e atividades da escola. Meu diploma ainda estava dentro do canudo, envolto por um laço desbotado.

Joguei fora sem nem olhar.

Perguntei-me por que ainda guardava aquilo, depois de tantos anos.

Era impossível olhar para o broche ou o anuário sem me lembrar de Maggie. Não conseguia encarar o diploma sem pensar no que acontecera no dia da minha formatura.

Eu estava fechando o saco de lixo quando Richard entrou. "Pensei em comprar alguma coisa para comer." Ele olhou para o saco. "Quer que eu ponha lá fora para você?"

Fiquei hesitante, mas acabei entregando para ele. "Claro."

Observei enquanto arrastava para fora os últimos resquícios da minha época de faculdade, e em seguida olhei para o quarto vazio. Ainda havia uma mancha de umidade no teto; se fechasse os olhos, talvez conseguisse ver o gato preto encolhidinho ao meu lado, sobre o edredom listrado de roxo e cor-de-rosa, enquanto eu lia uma aventura de Judy Blume.

Eu sabia que nunca mais veria aquela casa.

Naquela noite, Richard me levou um chá de camomila na banheira do hotel. Aceitei de bom grado. Apesar do calor da Flórida, não conseguia me aquecer.

"Como está se sentindo, querida?" Eu sabia que ele não estava se referindo à morte de minha mãe.

Encolhi os ombros. "Bem."

"Estou preocupado com sua falta de alegria." Richard se ajoelhou ao lado da banheira e pegou uma esponja. "Tudo o que quero é ser um bom marido para você, mas sei que nem sempre consigo. Você se sente solitária porque trabalho demais. E meu temperamento..." A voz de Richard ficou rouca. Ele pigarreou e começou a esfregar suavemente minhas costas. "Desculpa, Nellie. Ando estressado... O mercado está uma loucura, mas nada é tão importante quanto você. Quanto *nós*. Vou dar um jeito de compensar."

Dava para ver que ele estava se esforçando para se reconectar comigo, aproximar nós dois. Mas eu ainda me sentia fria e sozinha.

Fiquei olhando para a água que pingava devagar da torneira da banheira enquanto ele sussurrava: "Quero que você seja feliz, Nellie. Sua mãe nem sempre foi feliz. Bom, nem a minha. Ela tentava fingir que era, por mim e por Maureen, mas nós sabíamos... Não quero que isso aconteça com você".

Virei para ele, mas seus olhos estavam distantes, enevoados. Concentrei-me na cicatriz acima de seu olho direito.

Richard nunca falava sobre os pais. Aquela confissão significava muito mais que todas as suas promessas.

"Meu pai nem sempre tratava minha mãe bem." Sua mão continuava se movendo em círculos nas minhas costas, como quando um pai quer acalmar uma criança chateada. "Consigo aceitar qualquer coisa, menos o fato de que não sou um bom marido... Mas sei que nem sempre sou."

Foi a conversa mais sincera que tivemos. Não consegui entender por que a morte da minha mãe nos colocou naquela situação. Mas talvez não fosse pela overdose. Talvez fosse pelo que acontecera dois dias antes, quando ainda não sabíamos de nada, na volta do evento com a companhia de dança.

"Te amo", Richard disse.

Estendi as mãos para ele, molhando as mangas de sua camisa.

"Somos os dois órfãos agora", Richard disse. "Precisamos ser um para o outro a família que não temos."

Eu o abracei com força. Agarrei-me àquela esperança.

＊ ＊ ＊

Naquela noite fizemos amor pela primeira vez em muito tempo. Richard segurou meu rosto entre as mãos e me olhou nos olhos com uma ternura e um desejo que mexeram com algo dentro de mim. Senti uma espécie de nó se dissolver lá dentro. Quando ele me abraçou depois, fiquei pensando em seu lado gentil.

Lembrei que ele pagava as despesas médicas da minha mãe, comparecia às aberturas das exposições de tia Charlotte em galerias mesmo que precisasse cancelar um jantar com um cliente, e que sempre ia para casa mais cedo no dia do aniversário da morte do meu pai com um pote de sorvete de passas ao rum. Era o sabor favorito do meu pai, o que ele pedia quando saíamos para passear nos dias de luzes apagadas da minha mãe. Richard servia uma bola para cada um, e eu contava detalhes sobre meu pai para que não fossem esquecidos. Por exemplo, que, apesar de suas superstições, ele havia me deixado adotar o gato preto por quem me apaixonara quando era pequena. O sorvete derretia na minha língua, enchendo minha boca de doçura. Pensei nas gorjetas generosas que Richard dava a garçons e taxistas, e em suas doações para entidades beneficentes de todo tipo.

Não era difícil me concentrar na bondade dele. Minha mente se entregava com facilidade às reminiscências, como uma roda voltando confortavelmente para os trilhos.

Deitada em seus braços, olhei para meu marido. Suas feições eram quase invisíveis. "Me promete uma coisa", murmurei.

"Claro, meu amor."

"Promete que as coisas não vão mais ficar ruins entre nós."

"Prometo."

Foi a primeira promessa que ele me fez e não cumpriu. Porque as coisas ficaram ainda piores.

Quando o avião para Nova York decolou na manhã seguinte, fiquei observando pela janela o relevo cada vez menor e mais distante. Eu estava aliviada por deixar a Flórida. Ali, a morte me cercava em anéis concêntricos. Minha mãe. Meu pai. Maggie.

O broche da irmandade que eu havia jogado fora não era meu. Eu deveria dá-lo a Maggie depois que ela se tornasse membro oficial da casa. Mas, em vez do brunch comemorativo que havíamos planejado, o que aconteceu foi um funeral.

Nunca contei para minha mãe o que aconteceu depois do enterro de Maggie; a reação dela era imprevisível. Liguei para tia Charlotte, mas não confessei que estava grávida. Richard só sabia a história pela metade. Uma vez, quando acordei na cama dele depois de um pesadelo, expliquei por que não andava na rua sozinha à noite; por que andava com spray de pimenta na bolsa e dormia com um taco de beisebol ao lado da cama.

Deitada nos braços dele, contei sobre quando fui oferecer meus pêsames à família de Maggie. Os pais dela só assentiram, tão atordoados que pareciam incapazes de formar frases coerentes. Seu irmão Jason, que estava no último ano da Universidade Grant, segurou minha mão estendida. Não para me cumprimentar, para me imobilizar.

"Então é você", ele sussurrou. Estava com hálito de bebida e os olhos vermelhos. Tinha a mesma pele clara de Maggie, as mesmas sardas, os mesmos cabelos ruivos.

"Sinto mu...", comecei a dizer, mas ele apertou minha mão com mais força, comprimindo os ossos. Alguém se aproximou para abraçar Jason. Ele me soltou, mas continuou me seguindo com os olhos. Minhas amigas ficaram para a cerimônia que seria realizada no salão comunitário da igreja, mas eu saí de fininho alguns minutos depois.

Ao passar pela porta, encontrei exatamente quem estava tentando evitar: Jason.

Ele estava sozinho nos degraus da frente da igreja, batendo um maço de Marlboro vermelho contra a palma da mão. Tentei baixar a cabeça e passar direto, mas a voz dele deteve meus passos.

"Ela me contou sobre você." Jason acendeu o isqueiro e deu uma tragada profunda em um cigarro, soltando uma nuvem de fumaça. "Estava com medo dos trotes, mas você falou que estaria lá para ajudar. Era a única amiga dela na irmandade. E onde estava quando morreu? Por que não estava lá?"

Lembro-me de sentir os olhos de Jason me prenderem, assim como fizera antes com a mão.

"Sinto muito", voltei a dizer, mas aquilo não aliviou a raiva em sua expressão. Na verdade, pareceu agravá-la.

Segui em frente com gestos lentos, agarrada ao corrimão. Jason manteve os olhos cravados em mim. Pouco antes de eu chegar à calçada, ele se dirigiu a mim com um tom de voz duro e áspero.

"Você nunca vai se esquecer do que fez com minha irmã." Suas palavras foram como um soco no estômago. "Vou estar por perto para garantir isso."

Mas nenhuma ameaça era necessária para que eu não me esquecesse de Maggie. Ela ficaria para sempre nos meus pensamentos. Nunca mais voltei àquela praia. As atividades da irmandade foram suspensas até o fim do ano, mas não foi por isso que comecei a trabalhar como garçonete em um pub do campus às quintas e sábados à noite. As festas e os bailes das fraternidades não despertavam mais meu interesse. Juntei uma parte das gorjetas e fui atrás do Furry Paws, o abrigo para animais em que Maggie era voluntária. Fiz uma doação no nome dela e prometi a mim mesma que continuaria mandando dinheiro para lá todos os meses.

É claro que nunca esperei que minhas pequenas doações me absolvessem da minha culpa, do meu papel na morte de Maggie. Era algo que eu sempre carregaria comigo. Nunca deixaria de me perguntar o que teria acontecido se não tivesse me desgarrado do grupo de garotas a caminho da praia. Se tivesse esperado mais uma hora para ir confrontar Daniel.

Exatamente um mês depois da morte de Maggie, acordei com os gritos de uma das meninas. Corri lá para baixo de short e camiseta e vi as poltronas tombadas, o abajur quebrado e os xingamentos pichados na parede da sala. *Putas. Vagabundas.*

E a mensagem que eu sabia que se dirigia apenas a mim: *É culpa sua.*

Respirei fundo e olhei para as três palavras que me acusavam diante de todos.

Mais garotas desceram, e a presidente chamou a equipe de segurança do campus. Uma caloura caiu no choro; vi duas outras meninas se afastarem do grupo e começarem a cochichar. Tive a impressão de que seus olhares se voltavam o tempo todo para mim.

Cheiro de cigarro impregnava a sala. Vi uma guimba no chão e me abaixei para olhar. Marlboro vermelho.

Quando o segurança chegou, perguntou se tínhamos algum suspeito. Ele sabia da morte de Maggie — assim como a maioria dos habitantes da Flórida.

Jason, pensei, mas não consegui dizer.

"Talvez um dos amigos dela", alguém especulou. "Ou o irmão. Ele é aluno do último ano, não é?"

O segurança olhou ao redor. "Vou precisar chamar a polícia. É o procedimento. Volto em um minuto."

Ele saiu, mas eu o abordei antes que pegasse o rádio. "Por favor, não pega pesado com ele. Foi o irmão dela, Jason... mas não queremos prestar queixa."

"Acha mesmo que foi ele?"

Fiz que sim com a cabeça. "Tenho certeza."

O segurança bufou. "Arrombamento e invasão, destruição de propriedade privada... é um caso sério. Tranquem sempre as portas dos quartos antes de dormir."

Olhei de novo para a casa. Meu quarto era o segundo à esquerda saindo da escada.

Talvez ser interrogado pela polícia deixasse Jason ainda mais exaltado. E ele poderia me culpar por aquilo.

Depois que a polícia apareceu, tirou fotos e recolheu provas, calcei os sapatos para não cortar os pés no vidro do abajur quebrado e fui ajudar a arrumar a bagunça. Por mais que esfregássemos, as palavras não saíam da parede. Fui com algumas meninas a uma loja de materiais de construção para comprar tinta.

Enquanto elas analisavam as diversas opções de cores, meu celular tocou. Enfiei a mão no bolso. Número não identificado, o que provavelmente significava que a ligação vinha de telefone público. Pus o telefone na orelha.

Só escutei uma respiração pesada.

"Vanessa, o que acha dessa cor?", uma das meninas perguntou.

Meu corpo estava todo rígido e minha boca, seca, mas consegui assentir e dizer: "Parece ótima". Em seguida fui até o corredor ao lado, onde ficavam as trancas. Comprei duas, uma para o quarto e outra para a janela.

Mais tarde naquela semana, uma dupla de policiais apareceu na casa. O mais velho informou que Jason havia sido interrogado e admitira tudo.

"Ele estava bêbado naquela noite e se arrependeu", disse o policial. "Vão fechar um acordo judicial para que tenha acompanhamento psicológico."

"Tudo bem, desde que ele nunca mais apareça aqui", uma das meninas disse.

"Ele não vai aparecer, é parte do acordo. Não pode passar a menos de cem metros daqui."

As meninas pareceram pensar que o assunto estava encerrado. Quando a polícia foi embora, elas se dispersaram, indo à biblioteca, à aula, à casa do namorado.

Permaneci na sala, olhando para a parede bege. Não era mais possível ler as palavras, mas ainda faziam sentido para mim, e sempre fariam.

Reverberariam eternamente na minha cabeça.

É culpa sua.

Meu futuro parecia cheio de possibilidades antes daquele outono. Eu sonhava com as cidades para as quais poderia me mudar depois da formatura, como se fossem um leque de cartas de baralho: Savannah, Denver, Austin, San Diego... Queria ser professora. Queria viajar. Queria uma família.

Mas, em vez de avançar rumo ao futuro, comecei a fazer planos para fugir do passado.

Contava os dias para poder ir embora da Flórida. Nova York, com seus oito milhões de habitantes, se tornou uma opção atraente. Eu conhecia a cidade das visitas a tia Charlotte. Era um lugar onde uma jovem com um passado complicado poderia recomeçar a vida. Músicos faziam letras apaixonadas sobre ela. Escritores a usavam como cenário em seus romances. Atores expressavam sua paixão nas entrevistas dos programas de fim de noite. Era uma cidade de possibilidades. Onde qualquer um poderia desaparecer.

No dia da formatura, em maio do ano seguinte, vesti a beca azul e o capelo. A universidade era tão grande que depois dos discursos os estudantes foram divididos de acordo com as áreas de formação para entrega dos diplomas em grupos menores. Quando subi no palco do auditório Piaget, na Faculdade de Educação, olhei para a plateia e sorri para minha mãe e tia Charlotte. Entre os presentes, um rosto chamou minha atenção. Um jovem de cabelos ruivos, de pé em uma das laterais do palco, afastado dos demais formandos, apesar de também usar uma beca azul reluzente.

Jason.

"Vanessa?" O chefe do departamento colocou o diploma enrolado na minha mão sob o flash de uma câmera. Desci as escadas, piscando por causa da luz forte, e voltei para meu lugar. Senti os olhos de Jason cravados nas minhas costas pelo resto da cerimônia.

Quando terminou, virei para olhar. Ele não estava mais lá.

Mas entendi o recado. Ele também estava só esperando a formatura. Não podia chegar perto de mim na faculdade, mas não havia nada que impedisse que o fizesse depois que eu saísse do campus.

Alguns meses depois da formatura, Leslie me mandou um e-mail com um link de uma notícia. Jason tinha sido preso por dirigir embriagado. As ondas provocadas pelo que eu tinha feito ainda estavam se espalhando. Uma pequena parte de mim, porém, mais egoísta, suspirou de alívio: talvez ele fosse impedido de sair da Flórida e não pudesse ir atrás de mim.

Nunca soube mais detalhes do caso — se ele foi preso, internado para tratamento ou simplesmente recebeu uma advertência. Um ano depois, pouco antes das portas do vagão de metrô onde eu estava se fecharem, vi uma silhueta magra e um tufo de cabelos ruivos correndo no meio da multidão. Parecia ser ele. Eu me misturei às pessoas no trem, tentando me esconder. Lembrei a mim mesma que o telefone do apartamento estava no nome de Sam, que eu não tinha transferido minha carteira de motorista para Nova York e que não havia nenhum documento público que me vinculasse à cidade.

Então, alguns dias depois de minha mãe me surpreender anunciando meu noivado em um jornal na Flórida com meu nome completo, o de Richard e a cidade onde eu estava morando, os telefonemas começaram. Nenhuma palavra era dita. Eu só ouvia uma respiração pesada, o modo de Jason avisar que me encontrara. Um lembrete caso eu tivesse esquecido. Como se fosse possível.

Eu ainda tinha pesadelos com Maggie, mas Jason começou a aparecer nos meus sonhos também, com o rosto contorcido de raiva, estendendo as mãos para me pegar. Era por causa dele que eu nunca ouvia música alta quando corria. Fora o rosto dele que eu vira na noite em que o alarme disparara.

Comecei a prestar muita atenção aos arredores quando estava sozinha. Criei o costume de detectar olhares para não me tornar uma presa. A sensação de arrepio na pele, o movimento instintivo da cabeça em busca de um par de olhos — eram as ferramentas de que me valia para me proteger.

Nunca passou pela minha cabeça que poderia haver outro motivo para meus instintos se tornarem tão apurados imediatamente após meu noivado com Richard. Para eu verificar obsessivamente as trancas e fechaduras, para começar a receber ligações de números bloqueados, para empurrar meu noivo amoroso com tanta força quando ele me imobilizou para fazer cócegas no dia em que assistimos a *Cidadão Kane*.

Os sintomas da excitação e do medo podem se misturar.

E eu estava de olhos vendados, no fim das contas.

30

Saio da Saks pela última vez, evitando o olhar do segurança enquanto revista minha bolsa, então tomo o caminho do apartamento de Emma. Tento dizer a mim mesma que também é a última vez que faço isso. Que vou deixá-la em paz. Seguir em frente.

Seguir em frente para onde?, minha mente questiona.

Mais adiante na calçada, um casal caminha de mãos dadas, com os dedos entrelaçados e os passos sincronizados. Se eu tivesse que avaliar o estado de seu relacionamento com base naquilo, diria que estão felizes. Apaixonados. Mas esses dois sentimentos nem sempre andam juntos.

Começo a pensar em como minha percepção moldou minha vida; como eu só via o que queria — e precisava — durante os anos que passei com Richard. Talvez a paixão crie um filtro na nossa visão; talvez seja assim para todo mundo.

No meu casamento, havia três verdades, três realidades diferentes e às vezes conflitantes. A verdade de Richard, a minha verdade e a verdade pura e simples, que é a mais difícil de reconhecer. Pode ser assim em qualquer relacionamento. Pensamos que estamos em uma linha reta em nossa união com alguém, quando na verdade formamos um triângulo, com uma das pontas sendo um juiz silencioso mas onisciente, o árbitro da realidade.

Enquanto caminho atrás do casal, meu celular toca. Sei quem é antes mesmo de ver o nome de Richard na tela.

"Porra, Vanessa! Como assim?", ele diz assim que atendo.

A fúria que senti mais cedo, quando olhei para a foto de Duke, volta com toda a força. "Você pediu para ela parar de trabalhar, Richard? Disse que cuidaria dela?", retruco.

"Escuta aqui." Meu ex-marido pesa cada palavra. Do outro lado da linha, ouço um carro buzinar ao fundo. Ele obviamente acabou de receber a fotografia, então deve estar na rua, em frente ao prédio. "O segurança me falou que você queria entregar alguma coisa para Emma. Trate de ficar longe dela."

"Já comprou uma casa nova em uma região residencial, Richard?" Não consigo deixar de provocá-lo; é como se eu estivesse colocando para fora tudo o que reprimi durante o casamento. "O que vai acontecer quando ela irritar você pela primeira vez? Quando não for a esposinha perfeita?"

Escuto a porta de um carro bater e os sons de fundo — o barulho da cidade — ficam abafados. Ouço uma voz sussurrada e bastante familiar, que é repetida de tempos em tempos nos televisores dos táxis de Nova York: "Para sua segurança, use o cinto!".

Richard tem o costume de estar sempre um passo à minha frente; deve saber exatamente aonde estou indo. Ele pegou um táxi para chegar a casa de Emma primeiro.

Ainda não é nem meio-dia; o trânsito está tranquilo. Do escritório de Richard até o apartamento de Emma são uns quinze minutos de carro.

Mas estou mais perto que ele, a dez quadras de distância. Se apertar o passo, chego primeiro. Acelero o ritmo e apalpo a carta dentro da bolsa. Ainda está aqui. Uma brisa bate sobre a leve camada de suor no meu corpo.

"Você é louca."

Ignoro o comentário; as palavras dele não têm mais o poder de me abalar. "Contou para ela que me beijou ontem à noite?"

"Quê?", ele grita. "Foi *você* que *me* beijou!"

Por um instante meus passos desaceleram, e me lembro do que falei para Emma na primeira vez que a abordei: *É isso que Richard faz! Ele confunde a gente para que não consiga enxergar a verdade!*

Demorei anos para me dar conta disso. Foi só quando anotei todos os questionamentos que atormentavam minha mente que comecei a ver um padrão.

Começou um ano depois da morte da minha mãe. Passei a manter um diário secreto que escondia debaixo do colchão no quarto de hóspedes. No meu moleskine preto, registrei todas as afirmações de Richard que poderiam ser reinterpretadas de mais de uma maneira. Anotei meus pretensos lapsos de memória — grandes discrepâncias, como querer morar em uma casa em um bairro residencial, ou a manhã seguinte à minha festa de despedida de solteira, quando esqueci que Richard ia para Atlanta, e as pequenas também, como o fato de ter supostamente mencionado querer fazer aulas de pintura ou achar que carneiro à vindaloo era o prato favorito dele.

Também documentei as conversas incômodas com meu marido — por exemplo quando ficara sabendo que eu tinha ido para a cidade para ver alguém sem avisar. Escrevi um pouco do que aconteceu durante aquele primeiro encontro clandestino. Depois de me apresentar, a mulher simpática que me recebeu pediu que eu me sentasse no sofá diante de um aquário cheio de peixinhos coloridos. Ela se sentou na poltrona de costas retas à minha esquerda e pediu para chamá-la de Kate. "Sobre o que você quer falar?", ela perguntou.

"Às vezes sinto que não conheço meu marido", fui logo dizendo.

Ao fim da conversa, ela perguntou: "Por que acha que Richard está tentando prejudicar seu equilíbrio mental? Qual seria a motivação dele para isso?".

Eu tinha pensado naquilo durante os dias longos e vazios que Richard passava no trabalho. Peguei meu caderninho e refleti que as ligações sem respostas no celular tinham começado assim que ficamos noivos, e só aconteciam quando ele não estava por perto. Escrevi que com certeza tinha contado que me arrependera de ter obrigado Maggie a ficar com os olhos vendados, que falei o quanto esse detalhe em particular — tê-la deixado sem enxergar — me incomodava. Aí pensei: *Então como ele pode ter me feito usar uma venda quando viemos pela primeira vez à casa nova?* Relembrei que o enfeite do bolo havia sido fabricado anos depois do casamento dos pais de Richard. As palavras na página ficaram borradas quando recordei o misterioso desaparecimento de Duke.

Quando a insônia batia, eu saía de fininho da cama e andava na ponta dos pés pelo corredor para preencher as páginas com os pensamentos insistentes que invadiam meu cérebro nas horas mais escuras da noite. Minha caligrafia ia piorando à medida que as emoções tomavam conta. Eu grifava certas anotações, desenhava setas para conectar pensamentos, fazia anotações nas margens. Em questão de meses, meu caderninho estava preenchido pela metade.

Passava tantas horas escrevendo que minhas palavras saltavam das páginas, revelando-me meu próprio casamento nesse processo. Era como se meu casamento fosse uma blusa de tricô bonita feita à mão e eu tivesse encontrado um fiozinho solto que atraía meus dedos de forma irresistível. Como se, pouco a pouco, eu o tivesse puxado e retorcido, desfazendo os padrões e as cores, distorcendo o produto com cada questionamento e inconsistência que expunha no diário.

Ele, pé esquerdo no chão, *está errado*, pé direito no chão. As palavras dominam meu cérebro, e minhas pernas trabalham cada vez mais rápido. Preciso chegar até Emma antes de Richard.

"Não. Foi você que me beijou", digo, ainda ao telefone. A única coisa que ele odeia mais do que ser desafiado é estar errado.

Viro a esquina olhando para trás para ver o movimento da rua. Mais de dez táxis amarelos estão vindo. Richard pode estar em qualquer um desses.

"Você está bebendo?", ele pergunta. Richard é bom nisso, em desviar o foco, expor minhas vulnerabilidades e me colocar na defensiva.

Mas só quero mantê-lo falando. Preciso que continue ao telefone comigo, para que não possa avisar a Emma que estou chegando.

"Você contou para ela sobre o colar de diamantes que me deu?", provoco. "Acha que vai ter que comprar um para ela algum dia?"

Sei que essa pergunta é uma bomba, e por isso mesmo a faço. Quero irritar Richard. Quero fazê-lo cerrar os punhos e estreitar os olhos. Assim, caso chegue primeiro, Emma enfim vai entender o que ele faz questão de esconder tão bem. Vai ver por trás da máscara.

"Você poderia muito bem ter passado antes de fechar", ele grita com o taxista. Imagino-o sentado na beirada do assento, fungando no cangote do homem.

"Você contou para ela?", pergunto de novo.

Sua respiração sai pesada; sei por experiência própria que está prestes a perder o controle. "Não vou entrar nessa conversa ridícula. Se chegar perto dela de novo, te coloco na cadeia."

Encerro a ligação, porque estou na frente do prédio de Emma.

* * *

Eu a enganei; aproveitei-me de sua inocência.

Assim como nunca fui a esposa que Richard imaginou, tampouco sou a mulher que Emma acha.

Na noite em que conheci minha substituta, na festa de fim de ano do escritório, ela se levantou de trás da mesa usando um macacão vermelho-vivo. Abriu um sorriso largo e estendeu a mão para mim.

O cenário era elegante como todo o resto na vida de Richard: janelas que iam do teto ao chão com uma vista ampla de Manhattan. Ceviche em colherinhas individuais e raguzinhos de cordeiro com hortelã oferecidos por garçons de smoking. Um bufê de frutos do mar com uma mulher abrindo ostras Kumamoto frescas. Um quarteto de cordas tocando música clássica.

Richard foi até o bar pegar nossas bebidas. "Vodca com água com gás e um toque de limão?", ele perguntou a Emma.

"Você lembra!" Os olhos dela o acompanharam quando se afastou.

Tudo começou naquele momento: um novo futuro se materializou diante de mim.

Durante as horas seguintes, bebi água e conversei educadamente com os colegas de Richard. Hillary e George estavam lá, mas ela já havia começado a se distanciar de mim.

Naquela noite, senti a energia que pairava entre meu marido e sua assistente. Não que eles trocassem sorrisinhos ou passassem o tempo todo juntos; parecia tudo normal. Mas vi os olhos dele se voltando para ela quando sua risada rouca ressoava. *Senti* a atenção que dedicavam um ao outro; havia uma conexão visível entre os dois. No fim da festa, ele chamou um carro para levá-la em segurança para casa, apesar de Emma garantir que poderia pegar um táxi na rua. Saímos juntos e esperamos que chegasse antes de ir para o nosso.

"Ela é um doce", falei para Richard.

"E muito competente."

Quando chegamos em casa, comecei a subir a escada para o quarto, ansiosa para desamarrar a cinta que comprimia minha barriga. Richard apagou a luz e veio atrás de mim. Assim que entrei no quarto, ele me vi-

254

rou para a parede. Beijou minha nuca e começou a se esfregar em mim. Já estava duro.

Em geral Richard era um amante carinhoso e atencioso. No início, ele me saboreava como se eu fosse um banquete. Mas, naquela noite, segurou minhas mãos acima da cabeça. Com a mão livre, arrancou minha meia-calça. Ouvi o som do tecido fino rasgando. Quando ele me penetrou por trás, respirei fundo. Fazia tempo demais, e eu não estava pronta. Richard deu outra estocada, e fiquei olhando para o papel de parede listrado. Ele gozou depressa, com um grunhido gutural que pareceu ecoar pelo quarto. Em seguida encostou o corpo no meu, arfando, e me virou para um beijo superficial nos lábios.

Seus olhos estavam fechados. Perguntei qual rosto estaria vendo em sua mente.

Algumas semanas depois, eu a vi de novo em nossa festa na casa em Westchester. Mais uma vez, estava impecável.

Eu tinha marcado de ir à Filarmônica com Richard pouco depois, mas acabei sentindo uma indisposição estomacal e precisei cancelar no último minuto. Ele foi com Emma. Alan Gilbert estava conduzindo a orquestra; o repertório incluía obras de Beethoven e Prokofiev. Imaginei os dois sentados lado a lado, escutando aquelas melodias líricas e expressivas. No intervalo, provavelmente tomariam um drinque, e Richard explicaria a origem do estilo dissonante de Prokofiev, assim como fizera comigo.

Fui para a cama imaginando os dois juntos. Richard ficou na cidade naquela noite.

Não tenho como confirmar, mas acredito que foi a noite do primeiro beijo deles. Imagino Emma o encarando com seus olhos bem redondos e azuis, agradecendo pela noite maravilhosa. Eles hesitam, ficam relutantes em seguir cada um seu caminho. Um instante de silêncio. Então as pálpebras dela se fecham e ele se inclina para a frente, eliminando a distância entre os dois.

Pouco depois da Filarmônica, Richard foi a uma reunião em Dallas. Eu estava me esforçando para manter um controle maior de sua programação. Aquele era um cliente importante, então Emma ia acompanhá-lo. Isso não me surpreendeu, porque às vezes Diane viajava com ele também.

Mas Richard não me ligou nem me mandou mensagem para dizer boa-noite.

Com certeza o caso se consolidou nessa viagem. É o que minha intuição de esposa me diz. Fui a Manhattan algumas semanas depois. Queria dar mais uma boa olhada em Emma. Fiquei um tempo no pátio do lado de fora do prédio, escondendo meu rosto atrás de um jornal aberto. Foi o dia em que Richard segurou a porta para que ela saísse, tocando de leve a parte inferior de suas costas. Ela usava um vestido cor-de-rosa e levantou o rosto para olhar para meu marido.

Eu poderia ter confrontado os dois. Poderia ter optado por uma abordagem escandalosa, com um entusiasmo fingido, sugerindo que fôssemos almoçar todos juntos. Mas fiquei apenas observando.

Aperto freneticamente todos os botões do interfone do prédio de Emma, torcendo para que alguém libere a porta para mim. Ouço a fechadura ser aberta um instante depois, e entro no hall modesto. Leio os sobrenomes nas caixas de correio e descubro o número de seu apartamento: 5C. Enquanto corro escada acima, pergunto-me se ela vai adotar o nome de Richard. Se vamos ter isso em comum também.

Paro diante do apartamento e bato na porta com força.

"Quem é?", ela pergunta.

Dou um passo para o lado para que não me veja pelo olho mágico. Se Emma reconhecer minha voz, pode não ler a carta. Então simplesmente passo o envelope por baixo da porta. Vejo a carta desaparecer e desço correndo, torcendo para conseguir sair antes de Richard chegar.

Eu a imagino abrindo o envelope, e penso em todas as coisas que a carta não diz.

Como o fato de eu ter fingido uma indisposição na noite da Filarmônica.

"Por que você não leva a Emma?", sugeri a Richard quando liguei para cancelar. Fiz questão de encenar um tom de voz bem debilitado. "Eu me lembro de como é ser uma jovem com pouca grana na cidade. Seria um presentão para ela."

"Tem certeza?"

"Claro. Só quero dormir. Você não precisa perder a apresentação."

Ele concordou.

Assim que desligamos, fui preparar uma xícara de chá enquanto começava a planejar minha próxima ação.

Eu sabia que precisava ser cautelosa. Não podia me dar ao luxo de cometer um único erro. Precisava ser tão meticulosa quanto Richard.

Quando fui para a cama naquela noite, pus um frasco de antiácido no criado-mudo.

Decidi ir com calma. Não falei nela durante semanas. Quando Richard fechou um negócio importante, sugeri que agradecesse a Emma com um vale-presente da Barneys.

Por um instante, fiquei com medo de ter ido longe demais. Ele parou de se barbear e me lançou um olhar cauteloso. "Você nunca sugeriu que eu desse nada a Diane."

Dei de ombros e peguei a escova de cabelo. "Acho que me identifico mais com a Emma", falei, tentando disfarçar. "Diane era casada. Tinha família. Emma me faz lembrar de mim quando cheguei a Nova York. Acho que gostaria de se sentir valorizada."

"Boa ideia."

Soltei a respiração devagar, porque tinha prendido o fôlego.

Imaginei Emma abrindo o vale-presente, erguendo as sobrancelhas, surpresa. Talvez entrasse na sala de Richard para agradecer. De repente, alguns dias depois, poderia usar no escritório um vestido comprado com o vale-presente, para mostrar a ele.

Era uma aposta arriscada. Tentei manter a rotina, mas minha adrenalina estava a mil. Eu me via andando de um lado para o outro o tempo todo. Meu apetite desapareceu, e perdi peso rápido. Ficava deitada ao lado de Richard à noite, revisando mentalmente meu plano, à procura de falhas e pontos fracos. Estava desesperada para apressar as coisas, mas me forcei a ter paciência. Era uma caçadora camuflada, esperando minha presa entrar em posição de abate.

A grande brecha surgiu quando Emma me ligou uma noite de Dallas, dizendo que Richard precisaria voltar mais tarde, porque sua reunião estava se estendendo mais que o previsto.

Eu vinha rezando por uma oportunidade como aquela. Tudo dependia do que aconteceria a seguir; era preciso cumprir meu papel de forma impecável. Emma não imaginava que eu vinha montando um castelo de cartas; que só faltava colocar mais uma no lugar.

"Coitado", comentei. "Ele anda trabalhando tanto. Deve estar exausto."

"Pois é. Esse cliente exige demais!"

"Você também anda trabalhando muito", falei, como se aquilo tivesse acabado de passar pela minha cabeça. "Ele não precisa voltar correndo. Por que não sugere um bom jantar e passar a noite em um hotel? Amanhã vocês voltam. Vai ser melhor." *Por favor, morda a isca*, pensei.

"Tem certeza, Vanessa? Sei que ele quer voltar logo para casa e para você."

"Faço questão." Soltei um bocejo fingido. "Para dizer a verdade, seria ótimo ver umas porcarias na tevê e ficar de bobeira. E ele vai querer ficar falando sobre trabalho."

A esposa desocupada e entediada. Era assim que eu queria que ela me visse.

Richard merecia coisa melhor, não? Precisava de alguém que apreciasse a complexidade de seu trabalho; que soubesse como cuidar dele depois de um dia difícil. Alguém que não o fizesse passar vergonha na frente dos colegas. Alguém que ficasse ansiosa para reencontrá-lo todas as noites.

Uma pessoa exatamente como ela.

Por favor, pensei de novo.

"Tudo bem", Emma respondeu por fim. "Vou ver com ele, então. Se der tudo certo, aviso a que horas vamos chegar amanhã."

"Obrigada."

Quando desliguei o telefone, percebi que, pela primeira vez em muito tempo, estava sorrindo.

Tinha encontrado a substituta perfeita. Em breve Richard desistiria de mim, e eu estaria livre.

Nenhum dos dois sabia o que eu tinha tramado. E ainda não sabem.

PARTE TRÊS

31

Desço as escadas às pressas, mas escorrego ao fazer a curva para o terceiro andar. Bato o quadril ao cair, o que faz uma dor aguda irradiar pelo lado esquerdo do meu corpo. Levanto depressa e volto a descer sem nem parar para respirar. Se Richard decidir subir de escada em vez de elevador, vamos dar de cara um com o outro.

O pensamento me faz apertar o passo. Saio das escadas para o saguão no momento em que as portas do elevador se fecham. Tenho vontade de observar os números no painel para ver se vai parar no andar de Emma. Mas não posso me arriscar. Saio correndo para a rua, onde um táxi se afasta do meio-fio. Dou um tapa no porta-malas, e as luzes de freio se acendem.

Entro muito rápido, desabo no assento e tranco a porta. Abro a boca para passar o endereço de tia Charlotte, mas as palavras ficam presas na garganta.

O cheiro de limão paira no ar. Mistura-se aos meus cabelos e se impregna na minha pele. Ele invade meu nariz e desce até os pulmões. Richard deve ter vindo neste táxi. Quando fica agitado — com as feições crispadas, fazendo o homem que eu amava desaparecer —, seu cheiro parece mais forte.

Quero sair dali, mas não tenho tempo de esperar outro táxi. Abro a janela o máximo possível e passo o endereço ao motorista.

Minha carta só tem uma página; Emma vai demorar menos de um minuto para ler. Espero que o faça antes que Richard bata à sua porta.

O taxista vira a esquina. Depois de uma última olhada pela janela para me certificar de que Richard não está me seguindo, apoio a cabeça no encosto. Fico me perguntando como não percebi a falha no meu plano para escapar dele. Tive muito tempo para formular tudo; depois da festa de fim de ano do escritório, isso se tornou meu trabalho de tempo integral, minha obsessão. Fui tão cautelosa, e mesmo assim cometi o maior erro de cálculo possível.

Não parei para pensar que estaria sacrificando uma jovem inocente. Só consegui me concentrar na minha própria liberdade. Quase desisti, imaginando que fosse impossível. Foi quando me dei conta de que ele só me deixaria ir embora se acreditasse que a ideia havia sido dele.

E eu sabia disso por causa do que fizera comigo quando pensou que eu pretendia abandoná-lo.

Comecei a me desvincular emocionalmente do meu casamento pouco antes do evento de gala da Alvin Ailey. Ainda era relativamente jovem e saudável. Não tinha desmoronado.

Quando Richard me confrontou na cozinha depois, olhou para meu pulso direito, marcado por sua mão forte. Foi como se ele não tivesse percebido que estava torcendo meu braço; como se outra pessoa fosse responsável pelo grito agudo que escapara dos meus lábios.

Ele nunca tinha me machucado antes. Pelo menos não fisicamente.

Às vezes parava à beira daquilo que eu reconhecia como o abismo. Registrei cada episódio no meu moleskine preto: no táxi, depois que beijei Nick na festa de despedida de solteira; quando um homem me pagou uma bebida no Sfoglia; na noite em que o questionei sobre o desaparecimento de Duke. Mas chegou ainda mais perto. Em uma ocasião, jogou no chão o porta-retratos com nossa foto de casamento, arrebentando o vidro, e fez uma acusação ridícula contra mim: que eu me insinuara para Eric, o instrutor de mergulho, durante nossa lua de mel. "Eu sei que ele passou no quarto depois", Richard gritou para mim, quando lembrei que ele tinha deixado meu braço roxo ao me ajudar a descer do barco. Pouco depois de uma consulta com a especialista em fertilidade, após perder um cliente, Richard bateu a porta do escritório com tanta força que derrubou um vaso.

Ele apertou meu braço com força demais em várias ocasiões. Uma vez, quando baixei os olhos enquanto me questionava sobre minha bebedeira, ele segurou meu queixo e puxou minha cabeça para cima, para me forçar a encará-lo.

Sempre foi capaz de conter sua fúria nesses momentos; trancava-se no quarto de hóspedes ou saía de casa e só voltava quando passasse.

Naquela noite depois do evento da Alvin Ailey, meu grito agudo pareceu deixá-lo desconcertado.

"Desculpa", ele disse ao me soltar, dando um passo para trás enquanto passava a mão no cabelo, respirando fundo. "Mas por que mentir para mim, caralho?"

"Tia Charlotte", eu murmurei de novo. "Juro que fui ao apartamento dela."

Eu não deveria ter dito isso. Mas fiquei com medo de que admitir que havia procurado alguém para me ajudar com nosso relacionamento fosse irritá-lo ainda mais — ou gerar perguntas que não estava preparada para responder.

A repetição da mentira fez alguma coisa explodir dentro dele. Richard perdeu a luta contra si mesmo.

O som de sua palma estalando no meu rosto foi como o de um tiro. Caí com toda a força sobre o piso de cerâmica. O choque superou a dor por um momento. Fiquei ali no chão, com o vestido maravilhoso que ele me dera todo amarrotado. Olhei para Richard com a mão no rosto. "O quê...? Como você teve coragem...?"

Ele estendeu a mão, e pensei que fosse me ajudar a ficar de pé, implorar meu perdão, explicar que sua intenção era dar um tapa na porta do armário atrás de mim.

Em vez disso, levantou-me pelos cabelos.

Fiquei na ponta dos pés, tentando me soltar, desesperada. Era como se meu couro cabeludo estivesse sendo arrancado. Lágrimas escorriam dos meus olhos. "Para, por favor", implorei.

Ele me soltou, mas me imprensou contra a beirada do balcão. Não estava mais me machucando. Mas eu sabia que aquele era o momento mais perigoso da noite. Da minha vida.

Seu rosto estava contorcido. Seus olhos escureceram. Mas a parte mais assustadora era sua voz. A única coisa nele que eu ainda reconhecia; a voz que me acalmara ao longo de tantas noites, que prometera me amar e me proteger.

263

"Não esqueça que, mesmo quando não estou presente, estou sempre com você."

Ele me encarou por um momento.

Então meu marido reapareceu. Richard deu um passo atrás. "É melhor você ir para a cama agora, Nellie."

Ele me levou o café da manhã no quarto no dia seguinte. Eu não tinha dormido.

"Obrigada." Mantive um tom de voz baixo e tranquilo. Estava morrendo de medo de irritá-lo de novo.

Seu olhar se voltou para meu pulso direito, que já estava roxo. Ele saiu do quarto e voltou com um saco de gelo. Sem dizer nada, posicionou-o sobre o hematoma.

"Vou chegar em casa mais cedo, querida. Compro o jantar no caminho."

Comi a granola e as frutas, obediente. Apesar de não ter ficado nenhuma marca no rosto, meu queixo doeu ao mastigar. Desci a escada e enxaguei a tigela, fazendo uma careta ao abrir sem pensar a porta da lava-louças com o braço machucado.

Arrumei a cama, tomando cuidado para não forçar o pulso ao prender a coberta nos cantos. Tomei um banho, sentindo uma dor aguda quando o jato da ducha atingiu meu couro cabeludo. Não ia conseguir passar xampu nem secar, então deixei assim. Quando abri a porta do closet, encontrei o vestido Alexander McQueen pendurado no primeiro cabide. Não me lembrava de tê-lo tirado; o restante da noite se transformara em um borrão na minha memória. Só me lembrava da sensação de querer sumir, tornando-me tão insignificante fisicamente quanto possível. Da minha vontade de ser invisível.

Passei pelo vestido e procurei camadas de roupas para me esconder: leggings, meias grossas, camiseta de manga comprida e cardigã. Na prateleira do alto, vislumbrei minhas malas. Fiquei olhando para elas.

Eu poderia ter juntado algumas coisas e ido embora. Ficado em um hotel ou no apartamento da minha tia. Poderia inclusive ter ligado para Sam, apesar de não termos nos falado mais. Mas eu sabia que me desvencilhar de Richard não seria assim tão fácil.

Quando ele saiu naquela manhã, ouvi os bipes de ativação do alarme e a batida da porta.

Mas o que ouvi de forma mais estridente foi o eco de suas palavras: *Estou sempre com você.*

A campainha tocou quando eu ainda estava olhando para as malas.

Estranhei. O som não me era familiar; eu quase nunca recebia visitas sem aviso prévio. Não havia por que atender à porta; devia ser só um entregador deixando uma encomenda.

Mas a campainha soou de novo, e logo depois o telefone começou a tocar. Quando atendi, ouvi a voz de Richard. "Amor, onde você está?" Ele parecia preocupado.

Olhei para o relógio no criado-mudo. De alguma forma, já eram onze horas. "Estou saindo do chuveiro." Escutei batidas na porta.

"É melhor atender a campainha."

Desliguei e desci a escada, sentindo um aperto no peito. Usei o braço bom para desativar o alarme e abrir a fechadura. Minhas mãos estavam trêmulas. Não fazia ideia do que encontraria do outro lado da porta, mas Richard tinha me dado uma ordem.

Estremeci quando o vento do inverno soprou no meu rosto. Havia um entregador lá, com uma prancheta eletrônica na mão e uma sacolinha preta. "Vanessa Thompson?"

Fiz que sim com a cabeça.

"Por favor, assine aqui." Ele estendeu a prancheta para mim. Foi difícil segurar a caneta. Escrevi meu nome com dificuldade. Quando ergui os olhos, vi que o entregador estava olhando para meu pulso. Os hematomas apareciam por baixo da manga do cardigã.

Ele recuperou a compostura rapidamente. "Isto é para você", disse, entregando a sacola.

"Levei um tombo jogando tênis."

Deu para ver o alívio nos olhos dele. Ele virou para a neve que se acumulava na rua, mas olhou outra vez para mim.

Fechei a porta às pressas.

Desamarrei a fita da sacola e vi uma caixinha lá dentro. Era uma pulseira de ouro bem grossa de uma grife caríssima, com pelo menos cinco centímetros de diâmetro.

Tirei-a de lá. Cobria perfeitamente os hematomas no meu pulso.

Mas, antes que uma oportunidade para usá-la tivesse aparecido, minha tia ligou avisando da morte da minha mãe.

Durante anos, permiti que o medo me dominasse. Mas, sentada naquele táxi, percebi outro sentimento vindo à tona: raiva. Era catártico liberar minha fúria contra Richard depois de ser alvo da dele por tanto tempo.

Quando era casada, sufoquei meus sentimentos. Afoguei tudo com álcool; fiquei em negação. Pisava em ovos ao redor das mudanças de humor do meu marido, torcendo para que, ao criar um ambiente agradável — dizendo e fazendo as coisas certas —, pudesse controlar o clima da casa, assim como o solzinho que colava com velcro no calendário da sala de aula.

Às vezes dava certo. Minha coleção de joias — a pulseira foi só o primeiro item que Richard mandou entregar depois de um "desentendimento", como ele chamava — é um lembrete das vezes em que não deu. Nem pensei em levá-las comigo quando fui embora. Mesmo se as vendesse, o dinheiro ia me parecer contaminado.

Durante meu casamento e até depois, as palavras de Richard ecoavam na minha mente, fazendo com que duvidasse o tempo todo de mim mesma, limitando minhas ações. Mas a frase de *Mulherzinhas* citada por tia Charlotte ficou na minha cabeça: *Não tenho medo de tempestades, porque estou aprendendo a navegar meu barco à vela.*

Fecho os olhos e respiro o ar de junho que entra pela janela aberta, eliminando os resquícios do cheiro de Richard.

Não basta eu ter escapado do meu marido. E sei que não vai ser suficiente impedir o casamento. Mesmo se Emma decidir largá-lo, ele vai encontrar outra jovem. Outra substituta.

O que preciso fazer é arrumar um jeito de detê-lo.

Onde ele deve estar? Vejo-o abraçando Emma, dizendo que lamenta que tenha se tornado alvo de sua ex. Ele arranca a carta das mãos dela e lê, para em seguida amassá-la. Talvez ela pense que minhas atitudes justificam a ira que vê nele. Mas espero ter conseguido convencê-la a reexaminar seu passado com Richard, a rever sua história com ele com outros olhos. Talvez esteja se recordando das vezes em que as reações dele foram meio exageradas. Quando seu desejo controlador se revelou de forma sutil.

Qual vai ser o próximo passo dele?

Uma retaliação contra mim.

Penso um pouco. Em seguida, abro os olhos e me inclino para a frente.

"Mudei de ideia", digo ao taxista que está me levando para o apartamento de tia Charlotte. "Preciso passar em um lugar antes." Pego o endereço no celular e passo para ele.

O táxi me deixa na frente da agência do Citibank na Midtown, onde Richard tem conta.

Quando me deixou aquele cheque, ele me falou para usá-lo para conseguir ajuda. E mencionou que tinha avisado o banco. Mas, entregando a foto de Duke e a carta para Emma, mostrei que não vou desaparecer silenciosamente.

Imagino que vá tentar sustar o pagamento do cheque. É assim que pretende começar a me punir; uma forma bastante fácil de sinalizar que não vai tolerar minha insubordinação.

Preciso descontar o cheque antes que ele tenha a chance de dizer ao banco que mudou de ideia.

Dois caixas estão livres: um jovem de camisa branca e gravata e uma mulher de meia-idade. Ele está mais perto, mas vou até o guichê dela, que me recebe com um sorriso simpático. O nome no crachá é BETTY.

Pego o cheque de Richard na carteira. "Quero sacar."

Betty assente, mas então vê o valor. Ela franze a testa. "Sacar?" Betty o examina de novo.

"Sim." Começo a bater o pé no chão, mas me interrompo. Tenho medo de que Richard telefone para o banco comigo ainda aqui.

"Quer sentar um pouco? Vou ter que chamar meu supervisor para essa operação."

Olho para a mão esquerda dela. Não está usando aliança.

Não é difícil se esquivar dos questionamentos depois de aprender certos truques. É só contar histórias divertidas e inteligentes que desviem a atenção do fato de que você não está revelando nada. É só evitar detalhes. Usar termos vagos. E mentir, mas apenas quando for totalmente necessário.

Eu me aproximo o máximo possível do guichê. "Olha... Betty", digo, como se tivesse lido o nome agora. "É o nome da minha mãe. Quer dizer, *era*. Ela morreu há pouco tempo." Essa mentira é necessária.

"Sinto muito." A expressão dela é de compaixão. Escolhi a pessoa certa.

"Vou ser bem sincera com você." Faço uma pausa. "Meu marido está se divorciando de mim."

"Sinto muito", ela repete.

"Pois é, eu também. Ele vai se casar de novo no verão." Abro um sorriso amarelo. "Enfim, esse cheque é dele, e preciso do dinheiro porque estou alugando um apartamento. A noivinha linda e jovem já está morando com ele." Enquanto falo, imagino Richard discando o número do banco no celular.

"É que a quantia é bem alta."

"Não para ele. Como você pode ver, nosso sobrenome é o mesmo." Enfio a mão na bolsa e entrego a ela minha carteira de motorista. "E ainda temos o mesmo endereço, apesar de eu ter saído de lá. Estou em um hotelzinho a alguns quarteirões daqui."

O endereço no cheque é da nossa casa em Westchester; qualquer nova-iorquino sabe que é um bairro rico.

Betty examina minha carteira de motorista e fica hesitante. A foto é de anos atrás, mais ou menos na época em que comecei a pensar em abandoná-lo. Meus olhos estavam radiantes e meu sorriso era sincero.

"Por favor, Betty. Você pode ligar para o gerente da agência da Park Avenue. Richard avisou que eu ia descontar esse cheque."

"Com licença um minutinho."

Fico à espera enquanto ela fala ao telefone. Eu me sinto zonza de tensão, imaginando se Richard não levou a melhor sobre mim outra vez.

Quando ela volta, não consigo ler a expressão em seu rosto. Ela digita algo no computador e enfim olha para mim. "Desculpe a demora. Está tudo certo. O gerente confirmou que o pagamento do cheque foi autorizado. E estou vendo que você e o sr. Thompson tinham uma conta conjunta aqui, que foi fechada há poucos meses."

"Obrigada", murmuro. Alguns minutos depois, ela volta com várias pilhas de dinheiro, que passa pela máquina de contagem de notas duas vezes, enquanto meu estômago se revira inteiro. A qualquer momento, imagino que alguém vá aparecer correndo para cancelar a operação. Mas ela passa o dinheiro pela abertura sob o vidro do guichê, junto com um envelope grande.

"Tenha um bom dia", eu digo.

"Boa sorte."

Fecho a bolsa e sinto o peso reconfortante das notas contra o corpo.

Eu mereço esse dinheiro. E, agora que perdi o emprego, vou precisar dele mais do que nunca, para ajudar minha tia.

Além disso, é extremamente satisfatório imaginar a reação de Richard quando o funcionário do banco disser que o dinheiro não está mais em sua conta.

Ele prejudicou meu equilíbrio mental durante anos; sempre que algo o desagradava, eu sofria as consequências. Mas claramente sentia o mesmo prazer quando fazia o papel de meu salvador e me consolava se eu estava chateada. Os diferentes lados do meu marido o transformavam em um enigma para mim. Eu não entendia muito bem por que ele precisava controlar o ambiente em que vivia com a mesma meticulosidade com que organizava suas meias e suas camisas.

Recobrei um pouco do poder que tirou de mim. Venci uma pequena batalha. Estou eufórica.

Imagino sua raiva como um tornado, arrasando tudo por onde passa, mas no momento estou fora de seu alcance.

Desço para a calçada e corro para a agência mais próxima do Chase. Deposito o dinheiro na minha nova conta-corrente, que abri depois que nos separamos. Agora estou pronta para voltar ao apartamento de tia Charlotte, mas não à segurança da minha cama; estou determinada a me livrar daquela mulher derrotada de uma vez por todas.

Estou energizada pela perspectiva do que vou fazer a seguir.

32

"Tenho vinte e seis anos. Estou apaixonada por Richard. Vamos nos casar em breve", murmuro ao olhar no espelho. *Mais batom*, penso, estendendo a mão para a caixa de maquiagens. "Trabalho aqui como assistente." Estou usando um vestido cor-de-rosa que comprei esta tarde na Ann Taylor. Não sou uma réplica exata, mas estou parecida o bastante, principalmente depois que coloco meu sutiã novo com enchimento.

Mas minha postura não está correta. Endireito os ombros e levanto o queixo. *Assim é melhor.*

"Meu nome é Emma", digo para o espelho. Abro um sorriso largo e confiante.

Todo mundo que a conhece bem não vai se deixar enganar. Mas só preciso passar pela equipe da limpeza.

Caso um dos colegas de Richard esteja trabalhando até mais tarde, vai ser o fim. E se por acaso Richard ainda estiver no prédio... Mas não posso pensar assim, ou não vou ter coragem de ir até lá.

"Meu nome é Emma", repito diversas vezes, até me sentir satisfeita com a voz rouca.

Vou até a porta do banheiro e abro uma fresta para espiar. O corredor está vazio e as luzes estão fracas; consigo ver as portas duplas que dão acesso à empresa de Richard. Sei que vão estar trancadas, como sempre ficam depois de anoitecer. São poucas as pessoas que têm a chave. As informações financeiras de centenas de clientes estão contidas nos computadores da firma. Tudo é protegido por senhas, e com certeza algum especialista em segurança seria acionado caso alguém tentasse entrar no sistema sem autorização.

Mas não estou atrás de registros eletrônicos. Só preciso de um simples documento que está na sala de Richard, que não tem importância para ninguém além dele na empresa.

Mesmo se Emma tiver lido a carta, mesmo se algumas dúvidas começassem a se formar em sua mente, sei que ela é uma jovem inteligente, com bom raciocínio lógico. Em quem vai acreditar no fim das contas — no noivo perfeito e bem-sucedido ou na ex-mulher louca?

Preciso de uma prova para convencê-la. E Emma foi a pessoa que revelou para mim como obtê-la.

Quando a abordei em frente ao prédio, disse para perguntar a Richard sobre as garrafas de Raveneau que me mandou buscar na adega de casa durante a festa. "Quem você acha que fez a encomenda?", ela perguntou antes de se afastar com o táxi.

Foi uma ideia brilhante da parte de Richard pedir a Emma, sua assistente, para fazer aquilo.

Fazia tempo que ele não tinha motivo nenhum para querer me punir. Eu vinha me comportando bem havia meses, acordando cedo junto com ele, exercitando-me de manhã, preparando jantares saudáveis. Tudo isso fazia Richard se sentir benevolente. Àquela altura do meu casamento, eu não tinha ilusões sobre o quanto meu marido poderia ser perigoso quando temia que meu amor por ele estivesse se esvaindo.

Então tratei de preparar o terreno para um castigo pesado, mudando meu cabelo alguns dias antes da festa. Primeiro, pedi para tingir de caramelo. A cabeleireira protestou, argumentando que as mulheres gastavam fortunas para reproduzir minha coloração natural. Quando terminei de escurecer, pedi para ela tirar cinco dedos, deixando na altura dos ombros.

No dia em que nos conhecemos, Richard me falou para nunca cortar os cabelos. Foi a primeira regra estabelecida por ele, disfarçada de elogio.

Sempre a obedeci.

Mas então conheci Emma. E sabia que precisava dar motivos para meu marido querer me largar, fossem quais fossem.

Quando Richard viu meus cabelos, ficou sem reação por uns instantes, então falou que seria uma mudança interessante para o inverno. Entendi que ele queria meu antigo corte de volta no verão. Depois dessa breve conversa, ele trabalhou até tarde todas as noites até a festa.

Richard pediu a Emma para encomendar o vinho como parte da estratégia que estava armando contra mim.

E agora eu podia usar a mesma coisa como parte da minha estratégia contra ele.

Hillary estava com Richard no bar improvisado na nossa sala de estar em Westchester naquela noite. O pessoal do bufê estava atrasado, e eu murmurava minhas desculpas por só ter brie e cheddar para servir.

"Amor? Você pode pegar algumas garrafas do Raveneau 2009 na adega?", Richard me pediu do outro lado da sala. "Comprei uma caixa na semana passada. Estão na prateleira do meio."

Desci para o porão em câmera lenta, adiando o momento em que precisaria dizer a Richard, na frente de todos os seus amigos e parceiros de negócios, aquilo que eu já sabia: que não havia Raveneau nenhum na nossa adega.

Mas não porque eu tinha bebido.

Todo mundo pensou isso, claro. E essa era a intenção de Richard. O padrão era: eu o desafiava tentando afirmar minha independência e ele me castigava por isso. As punições eram sempre proporcionais às supostas transgressões. Na noite do evento da Alvin Ailey, por exemplo, eu sabia que Richard dissera a Paul, um de seus sócios, que precisava me levar para casa por estar bêbada. Mas não era verdade; Richard estava irritado porque ele oferecera ajuda para me arrumar um emprego. E, mais que isso, meu marido sabia que eu tinha ido à cidade para um compromisso secreto.

Me envergonhar em público — fazer as outras pessoas me verem como alguém instável, ou, pior, fazer com que eu questionasse a mim mesma — era uma das formas mais comuns de Richard para me disciplinar. E com uma eficácia toda especial, em razão dos problemas enfrentados pela minha mãe.

"Querido, não tem Raveneau nenhum", falei quando voltei do porão.

"Mas eu coloquei uma caixa lá embaixo..." Richard se interrompeu. A perplexidade em seu rosto foi imediatamente substituída por uma expressão de vergonha.

Ele era um bom ator.

"Ah, eu me contento com qualquer vinho branco!", Hillary falou, exagerando na empolgação.

Emma estava do outro lado da sala. Usava um vestido preto bem simples, com um cinto que marcava a cintura fina. Os cabelos loiros compridos estavam enrolados nas pontas. Ela era perfeita, como nas minhas lembranças.

Eu precisava conseguir três coisas naquela noite: convencer todos os convidados de que a esposa de Richard era meio descontrolada. Convencer Emma de que Richard merecia coisa melhor. E, acima de tudo, convencer meu marido da mesma coisa.

A ansiedade era tanta que me deixava até zonza. Olhei para Emma para criar coragem. Então decidi encenar um pouco também.

Fiquei de braço dado com Richard. "Eu acompanho você", disse alegremente, torcendo para que Hillary não sentisse meus dedos gelados sobre sua roupa. "Quem disse que as loiras se divertem mais? Estou adorando ser morena. Vamos, Richard, abra uma garrafa para nós."

Despejei a primeira taça na pia da cozinha quando fui buscar mais guardanapos, e fiz questão de estar perto de Richard quando perguntei a Hillary se ela também precisava reabastecer a dela, que ainda estava pela metade. Vi seus olhos se voltarem para a minha, já vazia, antes de responder que não com a cabeça.

Um instante depois, Richard me deu um copo d'água. "Não é melhor ligar de novo para o pessoal do bufê, querida?"

Procurei o número e disquei apenas seis dígitos, afastando-me de Richard para que ele não percebesse que eu estava falando sozinha. Fiz um aceno depois de desligar e falei: "Eles já devem estar chegando". Em seguida dispensei o copo d'água.

Eu já estava supostamente na terceira taça de vinho quando o pessoal do serviço de bufê chegou.

Enquanto eles montavam a mesa, Richard fez um aceno de cabeça para o responsável, para que o seguisse até a cozinha. Fui atrás.

"O que aconteceu?", perguntei antes que Richard pudesse dizer alguma coisa. Não fiz nenhum esforço para baixar o tom de voz. "Era para vocês terem chegado uma hora atrás."

"Sinto muito, sra. Thompson." O homem olhou para a prancheta em sua mão. "Mas chegamos no horário combinado com a senhora."

"Não pode ser. A festa começou às sete e meia. Tenho certeza de que eu disse que precisavam chegar às sete."

Richard estava ao meu lado, pronto para despejar suas reclamações sobre o serviço prestado pela empresa.

O responsável pelo bufê virou para nós a prancheta e apontou para o horário marcado — oito — e para a minha assinatura no canto inferior da página.

"Mas..." Richard limpou a garganta. "Como assim?"

Minha resposta precisava ser perfeita. Eu tinha que transmitir tanto minha ineficiência como minha falta de preocupação com o estresse que causei.

"Ai, acho que a culpa foi minha, no fim das contas", falei simplesmente. "Bom, pelo menos agora eles já estão aqui."

"Como é que você...?" Richard engoliu o restante da frase. Soltou o ar bem devagar, mas a tensão não desapareceu de seu rosto.

Senti a bile subir até a garganta. Sabia que não ia conseguir manter a encenação por muito tempo, então corri para o lavabo. Joguei água fria no rosto e nos pulsos e esperei meus batimentos se normalizarem.

Saí do banheiro e dei uma boa olhada nos convidados.

Eu ainda não tinha feito tudo o que precisava.

Richard estava batendo papo com um sócio e um amigo com quem jogava golfe no clube, mas o arrepio que eu sentia na pele era um sinal de que seus olhos se voltavam para mim o tempo todo. Meu cabelo, minha bebedeira, minha reação à confusão com o serviço de bufê — eu estava agindo de maneira bem diferente da mulher que costumava planejar meticulosamente cada detalhe de uma festa durante semanas. Antes, passava horas revisando a lista de convidados com Richard, que dava detalhes sobre seus parceiros de negócios para facilitar as conversas e a interação entre as pessoas. Discutíamos a escolha dos arranjos de flores. Ele sempre me dizia para não pedir nada com camarão, caso algum convidado fosse alérgico, e eu garantia que providenciaria cabides suficientes para que nenhum casaco precisasse ficar estendido sobre a cama.

Agora estava na hora de cuidar de outro item da minha lista: conversar com Emma.

Um garçom passou por mim e me ofereceu um crostini de parmesão quentinho. Forcei um sorriso e aceitei, mas acabei enfiando em um guardanapo.

Fiquei parada por um instante, até o garçom chegar ao grupo onde estava Emma, então fui até lá.

"Você precisa experimentar um desses", falei, com uma risada forçada. "Precisa de bastante energia para trabalhar com Richard."

Emma franziu a testa por um instante, mas logo sua expressão se amenizou. "Ele trabalha muito mesmo. Mas eu não ligo."

Ela pegou um crostini e deu uma mordida. Vi Richard caminhar na nossa direção, mas George o abordou.

"Ah, não é só por causa das horas extras", falei. "Ele é bem peculiar, não acha?"

Emma assentiu e enfiou o restante do canapé na boca.

"Que bom que agora está todo mundo comendo. Mas eu sabia que o pessoal do bufê ia pelo menos fazer a gentileza de aparecer, considerando o preço que cobram." Falei alto o suficiente para que o homem de meia-idade que segurava a bandeja pudesse ouvir e, acima de tudo, para que Emma pensasse que o comentário desagradável fosse dirigido a ele. Senti minhas bochechas queimarem, mas torci para que ela pensasse que se devia ao excesso de vinho. Quando a encarei, vi o desdém estampado em seus olhos diante da minha falta de educação.

Richard terminou de falar com George e veio caminhando diretamente na nossa direção. Pouco antes de sua chegada, eu me virei para o outro lado.

Dê a eles só mais um motivo. Eu sabia que precisava ser naquele momento, ou perderia a coragem.

Atravessei a sala a passos lentos, e cada um parecia uma tortura. Minha pulsação reverberava nos ouvidos. Dava para sentir uma camada de suor frio se formar acima do lábio.

Todos os meus instintos me aconselhavam a parar e dar meia-volta. Mas me obriguei a seguir em frente, esquivando-me entre os rostos sorridentes. Alguém pôs a mão no meu braço, mas me desvencilhei sem nem ao menos ver quem era.

Tive que voltar meus pensamentos para Emma e Richard para conseguir continuar em frente.

Eu sabia que não teria outra chance de me aproximar dela tão cedo.

Peguei o iPod conectado aos alto-falantes da casa. Richard tinha criado uma playlist que alternava entre jazz e música clássica. Era aquele o som elegante que ressoava pela sala.

Abri o aplicativo do Spotify e selecionei uma lista de músicas disco dos anos setenta. Em seguida aumentei o volume.

"Vamos começar a festa!", gritei, jogando os braços para o alto. "Quem quer dançar?", insisti.

As conversas murmuradas cessaram. Os rostos se viraram todos de uma vez, como se fosse um gesto coreografado.

"Vamos, Richard!", gritei.

Até mesmo o pessoal do bufê olhou para mim. Percebi que Hillary desviou os olhos, e Emma me observou boquiaberta antes de virar para Richard. Ele veio andando com passos apressados na minha direção, e meu estômago se revirou.

"Você se esqueceu da regra da casa, querida", disse, com uma alegria forçada na voz, então baixou o volume. "Nada de Bee Gees antes das onze da noite!"

Uma risada de alívio se espalhou pela sala quando Richard colocou Bach para tocar. Ele me pegou pelo braço e me levou para o corredor. "Qual é o seu problema? Quanto você bebeu?" Ele estreitou os olhos, e nem precisei fingir o pânico na voz ao me desculpar.

"Eu não... só algumas tacinhas, mas... desculpa. Vou trocar para água agora mesmo."

Richard pegou minha taça de chardonnay que estava pela metade, e eu a soltei na hora.

O restante da noite, senti o olhar do meu marido sobre mim. Vi seus dedos apertando com força o copo de uísque. Tentei gravar a compaixão misturada com admiração no rosto de Emma enquanto ele amenizava meu vexame; assim pude suportar o restante da festa.

Eu havia conseguido concretizar tudo o que me propusera a fazer.

E tinha valido a pena, ainda que os hematomas tenham ficado na minha pele durante semanas.

Richard não me mandou uma joia para compensar o "desentendimento". Foi a confirmação de que ele não estava mais comprometido; seu foco começava a mudar.

"Estou apaixonada por Richard", digo uma última vez, olhando para o corredor vazio. "Tenho um motivo para estar aqui."

Não foi difícil entrar no prédio onde ficava o escritório dele. Alguns andares mais abaixo havia uma firma de contabilidade que atendia clientes de alta renda. Marquei um horário dizendo que era uma mulher solteira que havia recebido uma herança volumosa. Não era exatamente mentira. Afinal, eu ainda tinha na bolsa o recibo do saque do cheque de Richard. Fui atendida no último horário, às seis da tarde, e passei pelo controle de segurança com o adesivo de visitante preso ao vestido novo.

Depois da conversa com o contador, peguei o elevador até o andar de Richard e entrei às pressas no banheiro feminino. Fui direto para a última cabine. Por fora, eu já estava tão parecida com Emma quanto possível; meu novo batom, o vestido justo e os cabelos cacheados complementaram a transformação física. Rasguei o crachá de visitante em vários pedacinhos e escondi no fundo do lixo. Passei as horas seguintes treinando a voz dela, sua postura, suas maneiras. Algumas mulheres entram para usar o banheiro, mas não ficam muito tempo.

Agora são oito e meia. Finalmente vejo a equipe da faxina, composta de três pessoas, sair do elevador empurrando um carrinho cheio de materiais de limpeza. Eu me obrigo a esperar até que cheguem à porta da empresa de Richard.

Estou confiante.

"Olá!", digo ao me aproximar deles em passo acelerado.

Estou segura de mim.

"Que bom rever vocês."

Meu lugar é aqui.

Com certeza essa equipe cruzou com Emma nas noites em que ela ficou trabalhando até tarde com Richard. O homem que acabou de abrir as portas de vidro me lança um olhar hesitante.

"Meu chefe me pediu para pegar uma coisa na mesa dele." Aponto para a sala no canto, que conheço tão bem. "Só vou demorar um minutinho."

Passo por eles e entro, andando mais depressa que o normal. Uma mulher pega o espanador e vem atrás de mim, o que seria de esperar. Passo pelo antigo cubículo de Emma, onde agora há uma violeta em um vaso e uma caneca florida de chá. Então abro a porta do escritório de Richard.

"Deve estar bem aqui." Vou até a mesa e abro uma das gavetas pesadas, que está vazia a não ser por uma bolinha antiestresse, algumas barrinhas de proteína e uma caixa fechada de bolas de golfe.

"Ah, ele deve ter colocado em outro lugar", digo à faxineira. Sinto que ela fica mais atenta; está claramente um pouco apreensiva agora, chegando mais perto de mim. Consigo acompanhar seu processo mental. Deve estar pensando que tenho um motivo para estar aqui, caso contrário jamais teria passado pela segurança. Não quer arrumar encrenca com uma funcionária do escritório. Seu emprego poderia ser posto em risco.

Mas minha salvação está bem diante dos meus olhos: uma fotografia de Emma em um porta-retratos na mesa de Richard. Eu a apanhei e mostrei para a faxineira, sem chegar muito perto. "Sou eu." A mulher abre um sorriso aliviado, e fico contente por não perguntar por que alguém tem uma foto da assistente em cima da mesa.

Abro a segunda gaveta e encontro pastas, todas etiquetadas.

Encontro a do AmEx e folheio as faturas até encontrar a de fevereiro. O que estou procurando está bem no alto: um reembolso de três mil cento e cinquenta dólares da Sotheby's Wine.

A faxineira já está virada para a janela, espanando as persianas, mas ainda assim me seguro para não comemorar. Guardo o papel dentro da bolsa.

"Prontinho! Obrigada!"

Ela assente. Ao contornar a mesa para sair, estendo a mão e toco de leve a foto de Emma. Não consigo resistir. Viro o porta-retratos para a parede.

33

Na manhã seguinte, acordo revigorada como não me sentia em muitos anos. Dormi nove horas seguidas sem precisar recorrer ao álcool ou a comprimidos. Mais uma pequena vitória.

Ouço o barulho de tia Charlotte na cozinha quando me aproximo. Vou até ela e lhe dou um abraço apertado. Óleo de linhaça e lavanda; seu cheiro é reconfortante para mim, tanto quanto o de Richard é perturbador.

"Te amo."

Suas mãos seguram as minhas. "Eu também te amo, querida." Parece surpresa, como se tivesse detectado uma mudança em mim.

Já nos abraçamos dezenas de vezes desde que vim morar aqui. Tia Charlotte me tomou nos braços aos prantos quando o táxi me deixou na porta do prédio. Quando eu não conseguia dormir, atormentada pelas lembranças dos piores momentos do meu casamento, ela se levantava da cama e me embalava. Era como se quisesse absorver meu sofrimento. Para cada página em meu caderno descrevendo os estratagemas de Richard, havia um número igual recordando as ocasiões em que minha tia me impediu de afundar me dedicando seu amor sem pedir nada em troca.

Mas hoje quem está estendendo a mão sou eu. Compartilhando minha força.

Quando a solto, tia Charlotte pega o bule de café que acabou de passar. Tiro o chantili da geladeira e entrego a ela. Preciso de calorias, comida nutritiva para servir de combustível para minha força redescoberta. Quebro ovos na frigideira e misturo com tomate-cereja e cheddar. Ponho duas fatias de pão integral na torradeira.

"Andei fazendo umas pesquisas." Ela me olha, e sei que entende do que estou falando. "Você não vai passar por isso sozinha. Estou do seu lado. E vou continuar aqui."

Tia Charlotte despeja o chantili no café. "De jeito nenhum. Você ainda é jovem. Não vai ficar cuidando de uma velha."

"Não quero saber", digo em tom de brincadeira. "Você não vai se livrar de mim. Encontrei o maior especialista em degeneração de mácula em Nova York. Um dos principais médicos do país nessa área. Temos uma consulta marcada com ele em duas semanas." A secretária do consultório já me mandou por e-mail os formulários que vou ajudar tia Charlotte a preencher.

Ela treme um pouco, e o café quase transborda. Seu desconforto é palpável. Como uma artista que trabalha por conta própria, seu plano de saúde não deve ser dos melhores.

"Quando Richard veio aqui, ele me deu um cheque. Tenho bastante dinheiro agora." E mereço cada centavo. Antes que ela possa protestar, vou pegar uma caneca para mim. "Não posso entrar numa discussão antes de um café." Ela dá risada, e eu mudo de assunto. "Então, o que pretende fazer hoje?"

"Pensei em ir ao cemitério. Quero visitar Beau."

Em geral minha tia faz essa visita em seu aniversário de casamento, que é no outono. Mas entendo que esteja encarando as coisas de outra forma agora, fixando as imagens mais familiares na memória para revisitá-las quando perder a visão.

"Se quiser companhia, eu adoraria ir." Termino de mexer os ovos e acrescento sal e pimenta.

"Não tem que trabalhar?"

"Hoje não." Passo manteiga nas torradas e tiro os ovos da frigideira, dividindo-os em dois pratos. Sirvo tia Charlotte e tomo um gole do café para ganhar tempo. Não quero que ela fique preocupada, então invento uma história sobre dispensas em todos os departamentos da loja. "Explico melhor depois."

Plantamos gerânios perto da lápide — amarelos, vermelhos e brancos — enquanto relembramos nossas histórias favoritas com tio Beau. Tia

Charlotte conta como os dois se conheceram. Ele fingiu ser o cara do encontro às cegas que ela havia marcado em um café, e só revelou a verdade uma semana depois, quando saíram pela terceira vez. Já ouvi essa história muitas vezes, mas sempre dou risada quando ela chega à parte em que ele diz que ficou aliviado porque não precisava mais ser chamado de David. Eu digo que adorava o bloquinho que ele levava no bolso de trás da calça, com um lápis preso ao arame em espiral. Quando ia a Nova York com minha mãe, meu tio sempre me dava um e fingíamos que estávamos fazendo uma reportagem juntos. Ele me levava a uma pizzaria e, enquanto esperávamos, me dizia para registrar tudo — as cenas, os cheiros, as conversas — como uma repórter de verdade. Tio Beau não me tratava como criança. Levava a sério minhas observações e me dizia que eu tinha um olho bom para detalhes.

O sol do meio-dia está alto no céu, mas a sombra das árvores nos protege do calor. Nenhuma de nós está com pressa; é muito bom ficar sentada na grama macia, batendo papo. À distância vejo uma família se aproximar — a mãe, o pai e duas crianças. Uma das mininhas está montada nos ombros do pai, e a outra segura flores.

"Vocês eram ótimos com crianças. Nunca quiseram ter filhos?" Fiz essa pergunta para minha tia quando era mais nova. Mas agora estou falando como mulher — como uma igual.

"Para ser bem sincera, não. Minha vida já era bem movimentada, com a arte, acompanhando Beau em suas viagens a trabalho... Além disso, tive a sorte de poder passar bastante tempo com você."

"A sorte foi toda minha." Eu me inclinei para encostar a cabeça na dela.

"Sei o quanto você quis ter filhos. E lamento que não tenha dado certo."

"Tentamos por um bom tempo." Penso nos testes de gravidez, no Clomid, no enjoo e no cansaço que me causava, nos exames de sangue, nas consultas médicas... A cada mês, eu me sentia um fracasso. "Mas, depois de um tempo, comecei a pensar que não era para acontecer mesmo."

"Sério? Simples assim?"

Não. Não foi nem um pouco simples, penso.

Foi a dra. Hoffman quem finalmente sugeriu que Richard fizesse uma segunda análise de sêmen. "Ninguém sugeriu isso a ele?", ela perguntou quando me sentei em seu consultório impecável durante uma das minhas visitas anuais. "Qualquer exame médico está sujeito a erros. O padrão é repetir a análise depois de seis meses ou um ano. E não é comum que uma mulher jovem e saudável como você tenha tanta dificuldade assim."

Isso foi depois da morte da minha mãe; depois de Richard prometer que as coisas nunca mais ficariam ruins entre nós. Ele estava se esforçando para chegar em casa às sete quase todas as noites; tínhamos passado um fim de semana nas Bermudas e outro em Palm Beach, jogando golfe e tomando sol à beira da piscina. Reafirmei meu compromisso com meu casamento e, depois de seis meses, concordamos em voltar a tentar a engravidar. O emprego que Paul mencionara nunca se materializara, mas eu continuava como voluntária do Head Start. Havia convencido a mim mesma de que tinha uma parcela de culpa pela violência de Richard. Que marido ficaria contente em saber que sua mulher andava fazendo visitas secretas à cidade e depois mentia a respeito? Ele me falou que pensou que eu estivesse tendo um caso; concordei que jamais me machucaria se não houvesse uma suspeita tão grave. O tempo foi passando, e meu marido doce e atencioso me dava flores sem motivo e deixava bilhetinhos apaixonados no meu travesseiro. Era fácil acreditar que todo casamento tem seus momentos difíceis. Que ele jamais faria aquilo de novo.

Junto com os hematomas, sumiu a voz insistente que me pedia para largá-lo.

"Meu casamento era meio... desequilibrado", digo para minha tia no cemitério. "Comecei a ficar preocupada em trazer uma criança para um ambiente tão instável."

"Você parecia feliz no começo", tia Charlotte comenta, cautelosa. "E ele adorava você, estava na cara."

As duas coisas eram verdade, então assinto com a cabeça. "Às vezes isso não basta."

Quando contei para Richard o que a dra. Hoffman tinha explicado, ele concordou de imediato em fazer um novo exame. "Vou marcar para quinta no almoço. Acha que consegue passar todo esse tempo sem me atacar?" Pela primeira vez, disseram que precisávamos de dois dias de abstinência para um resultado confiável.

De última hora, resolvi acompanhar Richard no exame, já que ele sempre me acompanhava nas minhas consultas. Além disso, estava com o dia livre, e a ideia de passar a tarde na cidade e depois jantar era atraente. Ou pelo menos foram os motivos que dei a mim mesma.

Como não consegui falar no celular dele, liguei para a clínica. Eu me lembrava do nome porque da primeira vez, anos antes, ele fizera um trocadilho bobo a respeito.

"Ele acabou de ligar cancelando a coleta", a recepcionista contou.

"Ah, deve ter surgido algum compromisso no trabalho, então." Fiquei aliviada por ainda não estar a caminho da cidade. Imaginei que ele fosse no dia seguinte.

Naquela noite, quando o cumprimentei, ele me deu um abraço. "Minha equipe de nadadores ainda está em grande forma."

Nesse momento, foi como se o tempo tivesse parado. Fiquei tão atordoada que não consegui falar.

Recuei, mas ele me abraçou com mais força em seguida. "Não se preocupe, querida. Não vamos desistir. Vamos até o fim. Superaremos isso juntos."

Precisei reunir todas as minhas forças para encará-lo quando ele me soltou. "Obrigada."

Richard sorriu para mim com uma expressão gentil.

Você tem razão. Eu vou até o fim. Vou superar isso.

No dia seguinte, comprei meu moleskine preto.

Minha tia foi minha confidente durante a maior parte da minha vida, mas não quero aborrecê-la com isso. Pego na bolsa as garrafas de água que trouxe e entrego uma a ela antes de dar um gole na minha. Depois de um tempo, levantamos. Tia Charlotte passa os dedos pelas letras entalhadas que formam o nome de seu marido antes de ir embora.

"Com o tempo vai ficando mais fácil?"

"Sim e não. Eu queria ter passado mais tempo com ele. Mas agradeço pelos dezoito anos maravilhosos que vivemos juntos."

Dou o braço a ela e voltamos andando para casa, pelo caminho mais longo.

Fico pensando no que posso fazer por ela com o dinheiro de Richard. Sua cidade predileta é Veneza. Decido que, quando tudo terminar — depois que eu salvar Emma —, vamos viajar para a Itália.

Depois que chegamos em casa e tia Charlotte se fecha no ateliê para pintar, eu me sinto pronta para executar meu plano de fazer a fatura do AmEx chegar às mãos de Emma. Ela não trocou o número do celular que usava quando era assistente de Richard. Vou tirar uma foto do documento e mandar por mensagem. Mas preciso fazer isso quando Richard não estiver por perto, para que ela possa entender direitinho o que está vendo.

Era cedo demais quando tia Charlotte e eu saímos; eles podiam estar juntos ainda. Mas agora Richard deve estar no trabalho.

Pego a fatura na bolsa e desdobro. O AmEx é o cartão de crédito corporativo de Richard, que só ele usa. A maior parte dos itens da fatura de fevereiro é composta de almoços, táxis e custos associados a uma viagem a Chicago. Também vejo o pagamento do serviço de bufê da festa; eu assinei o contrato e especifiquei os serviços, mas, como era uma recepção de negócios, ele queria manter o pagamento nos arquivos. A cobrança de quatrocentos dólares da Petals in Westchester foi referente às flores.

O reembolso da Sotheby's está no alto da página, algumas linhas acima da conta do bufê.

Uso meu celular para tirar uma foto da página toda, deixando em evidência a data e o estorno dos vinhos. Em seguida envio para Emma, com uma mensagem de uma única linha:

Você fez a encomenda, mas quem cancelou?

Quando vi que a mensagem foi entregue, deixei o celular de lado. Não usei o pré-pago; não preciso mais esconder o que estou fazendo. Fico me perguntando o que a memória de Emma vai destacar daquela noite. Ela acredita que eu estava bêbada. Que Richard precisou intervir para evitar um vexame. Que eu bebi uma caixa inteira de vinhos em uma semana.

Caso se dê conta de que essas coisas não são verdade, vai começar a questionar outras?

Fico olhando para o celular, torcendo para que funcione.

34

A resposta de Emma chega na manhã seguinte, também na forma de uma mensagem de uma única linha:

Me encontra no meu apartamento às seis da tarde.

Fico olhando para aquelas palavras por alguns minutos. Não consigo acreditar; estou tentando falar com ela há tanto tempo e finalmente vai acontecer. Criei as dúvidas que precisava em sua mente. Fico me perguntando o que ela já sabe e o que vai me perguntar.

Uma euforia se espalha pelo meu corpo. Não sei por quanto tempo ela vai querer me ouvir, então anoto as questões que preciso esclarecer. Posso mencionar Duke, mas que prova tenho para apresentar? Escrevo apenas "problemas de fertilidade". Quero que ela pergunte a Richard por que não conseguimos engravidar. Com certeza ele vai mentir, mas vai sentir a pressão. Talvez ela também veja que ele está escondendo alguma coisa. "As visitas de surpresa", escrevo. Richard já apareceu de forma inesperada, mesmo quando ela não disse onde estaria? Mas não vai ser o bastante; para mim não foi. Vou precisar falar sobre as vezes em que ele me agrediu fisicamente.

Nunca compartilhei com ninguém o que estou prestes a revelar a Emma. Vou precisar controlar minhas emoções para não deixar que me dominem e acabar reforçando as suspeitas de que sou uma pessoa desequilibrada.

Se ela me ouvir com a mente aberta — se parecer receptiva ao que estou dizendo —, terei de explicar que desenvolvi de forma metódica um plano para me libertar. Que a envolvi nisso, mas sem saber que a coisa chegaria tão longe.

Vou implorar por seu perdão. Porém, mais importante que minha absolvição é a dela. Vou dizer que precisa abandonar Richard imediatamente, esta noite, antes que ele a enrede de vez.

Quando vi Emma pela última vez, tentei projetar a imagem que queria que ela visse: que somos versões intercambiáveis uma da outra. Agora desejo honestidade total. Tomo um banho e visto um jeans e uma camiseta de algodão. Não me preocupo muito com a maquiagem ou com o cabelo. Para amenizar a ansiedade, resolvo ir andando. Preciso sair às cinco horas. Não posso me atrasar.

Seja calma, racional, convincente, repito para mim mesma. Emma viu a encenação que eu fiz; ouviu o que Richard falou sobre mim; conhece minha reputação. Preciso reverter tudo o que ela acredita sobre mim.

Ainda estou ensaiando o que vou dizer quando meu celular toca e um número desconhecido aparece na tela. O código de área eu conheço bem: é da Flórida.

Meu corpo fica tenso. Afundo na cama e observo a tela enquanto o telefone toca uma segunda vez. Preciso atender.

"Vanessa Thompson?", um homem pergunta.

"Sim." Minha garganta está tão seca que mal consigo engolir.

"Aqui é Andy Woodward, da Furry Paws." O tom de voz dele é amigável e sincero. Nunca falei com Andy, mas comecei a fazer doações anônimas ao abrigo em nome de Maggie depois de sua morte. Depois que Richard e eu nos casamos, ele sugeriu aumentar substancialmente minha contribuição mensal para bancar a reforma do espaço. Como resultado, o nome de Maggie está em uma placa na porta. Richard sempre cuidou do contato com o abrigo; a sugestão foi dele, sob a justificativa de tornar a situação menos estressante para mim.

"Recebi uma ligação do seu ex-marido. Ele me disse que vocês decidiram que, diante de tudo o que aconteceu, não vai mais ser possível manter as doações."

Aí está meu castigo, percebo. Peguei o dinheiro de Richard, e é assim que ele resolveu se vingar. Existe um elemento simbólico nisso, um desequilíbrio na balança, que Richard deve estar adorando.

"Sim", digo quando percebo que o silêncio se estendeu por tempo demais. *Isso era por Maggie, não por mim*, penso, furiosa. "Lamento muito.

Se for o caso, ainda posso contribuir com uma pequena quantia todo mês. Não vai ser a mesma coisa, mas é melhor que nada."

"É muita generosidade da sua parte. Seu marido explicou o quanto lamenta a situação. Disse que ligaria pessoalmente para a família de Maggie para contar o que aconteceu. E me pediu para dar a notícia a você, para que não fique nada sem esclarecimento."

Por quais das minhas atitudes Richard está me castigando? Pela fotografia de Duke, pela carta para Emma ou por descontar o cheque?

Ou será que ele também sabe que mandei a fatura do cartão para Emma?

Andy não entende; ninguém mais entende. Richard deve ter sido simpaticíssimo na conversa. E o mesmo vai acontecer quando falar com a família de Maggie. Vai fazer questão de conversar pessoalmente com todos, inclusive Jason. Vai mencionar meu nome de solteira de forma muito natural e talvez mencione minha mudança para Nova York.

O que Jason vai fazer?

Fico esperando o pânico habitual se instalar.

Isso não acontece.

Fico surpresa ao me dar conta de que, depois que Richard me largou, nunca mais pensei em Jason.

"A família vai adorar ter a chance de encontrar vocês dois pessoalmente", explica Andy. "E tem as cartas que eles escrevem todos os anos, claro, que eu encaminho ao seu marido."

Minha cabeça se levanta de súbito. *Pense como Richard. Não perca o controle.* "Eu não... meu marido não me mostrou essas cartas, sabe?" De alguma forma, consigo manter um tom casual e a voz firme. "Fiquei muito abalada com a morte de Maggie, e ele deve ter achado que seria doloroso demais para mim. Mas gostaria de saber o que elas diziam."

"Sim, claro. Na maior parte das vezes eram e-mails, que eu só encaminhei. Lembro o conteúdo, mas não as palavras exatas. Eles sempre expressavam gratidão, e queriam encontrar vocês algum dia. Visitam o abrigo de tempos em tempos. Dizem que o que vocês fizeram significa muito para todos."

"Os pais dela vão ao abrigo? O irmão também? Jason?"

"Sim. Todos eles. E a mulher de Jason e os dois filhos. É uma linda família. Os pequenos cortaram a fita na inauguração depois da reforma."

Dou um passo para trás e quase derrubo o telefone.

Richard deve saber disso há anos; ele interceptou a correspondência. *Queria* que eu sentisse medo, que continuasse sendo uma menina assustada. Precisava fingir que era ele quem me protegia, por alguma depravação sua. Estimulou minha dependência; usou meu medo para me prender.

De todas as suas crueldades, talvez essa seja a pior.

Afundo na cama quando me dou conta. Então me pergunto o que mais ele pode ter feito para estimular minha ansiedade quando estávamos juntos.

"Eu gostaria de ligar para os pais e o irmão de Maggie", digo depois de um momento. "Pode me passar o contato deles?"

Richard deve estar fora de si; deveria ter previsto que Andy poderia mencionar os e-mails e as cartas para mim. Não parece estar pensando com clareza.

Nunca o desafiei tanto antes, nem de longe. Provavelmente está desesperado para me ferir, para me fazer parar. Para me apagar de sua vidinha perfeita.

Despeço-me de Andy e percebo que preciso ir ver Emma. São quase cinco horas. Mas de repente me sinto invadida pela preocupação de que Richard está me esperando na porta. É melhor não ir andando, no fim das contas. Vou de táxi, mas antes preciso pegar um em segurança.

Há uma segunda saída nos fundos do prédio, que dá para um beco estreito onde ficam as latas de lixo e os contêineres de reciclagem. Em qual porta Richard ia me esperar?

Ele sabe que sofro de um pouco de claustrofobia, que detesto me sentir acuada. O beco é estreito e em geral fica vazio, cercado de ambos os lados de prédios altos. É essa a rota que escolho.

Calço os tênis e espero até as cinco e meia. Desço de elevador e abro a porta da saída de incêndio. Ponho a cabeça para fora. O beco parece vazio, mas não consigo enxergar além das latas de lixo. Respiro fundo e me afasto da porta, correndo pela passagem.

Meu coração está explodindo. Fico à espera de que os braços dele apareçam a qualquer momento para me agarrar. Vou para a calçada mais à frente. Quando enfim chego lá, olho para todos os lados, ofegante.

Ele não está aqui; eu sentiria seu olhar predatório sobre mim.

Levanto o braço para os táxis que passam enquanto caminho na calçada. Não demoro muito para conseguir um, e o motorista consegue manobrar habilidosamente pelas ruas na hora do rush até o apartamento de Emma.

Quando chego à esquina de seu prédio, vejo que são quatro para as seis. Peço para o motorista manter o taxímetro ligado enquanto ensaio pela última vez o que preciso dizer. Então desço do carro, vou até a porta do prédio, toco no apartamento 5C e ouço a voz de Emma pelo interfone: "Vanessa?".

"Sim." Dou a inevitável última olhada para trás, mas não há ninguém aqui.

Subo de elevador.

Ela abre a porta e eu me aproximo. Está linda como sempre, mas parece preocupada, com a testa franzida. "Entra."

Quando passo pela porta, ela a fecha atrás de mim. Enfim estou a sós com Emma. Sinto um alívio tão grande que é quase uma euforia.

O apartamento é pequeno, um imóvel arrumadinho de um quarto, com algumas fotografias penduradas na parede e um vaso de rosas brancas em uma mesinha de canto. Ela permanece de pé.

"Obrigada por me receber."

Emma não responde.

"Faz tempo que eu queria falar com você."

Tem alguma coisa estranha. Ela não está olhando para mim, e sim por cima do ombro. Para a porta do quarto.

Com o canto do olho, vejo quando começa a abrir.

Eu me encolho no sofá, colocando as mãos diante do corpo para me proteger. *Não*, penso, desesperada. Quero fugir, mas não me movo, como acontece nos pesadelos. Só consigo ficar observando enquanto ele se aproxima.

"Oi, Vanessa."

Meus olhos se voltam para Emma. A expressão dela é inescrutável.

"Richard", murmuro. "O que... por que está aqui?"

"Minha noiva me falou que você mandou uma mensagem absurda sobre o reembolso de uns vinhos." Ele continua andando na minha direção, com passos fluidos e sem pressa. Então se detém ao lado de Emma.

Uma parte do terror desaparece do meu corpo. Não vai me machucar. Pelo menos não fisicamente, porque jamais faria isso diante de alguém. Só quer pôr um ponto-final na história me derrotando na frente de Emma.

Fico de pé e abro a boca, mas ele está no controle da situação. O fator surpresa contribui para isso.

"Quando Emma me ligou, expliquei para ela exatamente o que aconteceu." Richard está louco para diminuir a distância entre nós. Seus olhos apertados me dizem isso. "Como você bem sabe, percebi que o vinho tecnicamente não era um gasto da empresa, já que não seria todo consumido na festa. O mais ético a fazer seria estornar o pagamento no AmEx e cobrar no meu Visa. Eu me lembro de ter disso isso para você quando a Sotheby's entregou o Raveneau em casa e eu o guardei na adega."

"Isso é mentira." Eu me viro para Emma. "Ele não recebeu vinho nenhum. Ele é bom nisso, é capaz de explicar qualquer coisa!"

"Vanessa, ele me contou o que aconteceu assim que toquei no assunto. Não teve tempo de inventar história nenhuma. Não sei o que você está querendo."

"Não estou querendo nada. Só ajudar você!"

Richard suspira. "Isso é desgastante..."

Eu o interrompo. Estou aprendendo a prever suas linhas de ataque. "Liga para a operadora do cartão de crédito!", digo. "Liga para a Visa e confirma a cobrança com a Emma ouvindo. Vai levar trinta segundos, e podemos esclarecer tudo agora mesmo."

"Não, quem diz como vamos esclarecer tudo sou eu. Você está assediando minha noiva há meses. E foi avisada sobre o que ia acontecer se continuasse com isso. Lamento muito sua situação, mas Emma e eu vamos pedir uma ordem de restrição contra você. Não temos escolha."

"Me escuta", digo a Emma. Sei que só tenho mais uma chance de convencê-la. "Ele me fez pensar que estava louca. Deu um sumiço no meu cachorro, deixou o portão aberto, sei lá."

"Deus do céu", diz Richard. Seus lábios estão franzidos.

"Tentou me convencer de que não conseguimos ter filhos por culpa minha!", revelo.

Vejo os punhos de Richard se fechando e me encolho por instinto, mas continuo falando.

"E ele me atacou, Emma. Me bateu, me derrubou e quase me esganou. Pergunta sobre as joias que me dava para cobrir os machucados. Ele vai bater em você também! Vai destruir sua vida!"

Richard respira fundo e fecha os olhos com força.

Será que ela consegue perceber que ele está prestes a perder a cabeça?, eu me pergunto. *Será que já viu esse Richard desaparecer?* Mas talvez eu tenha falado demais. Ela pode ter acreditado em parte do que foi dito, mas como vincular acusações tão mirabolantes ao homem bem-sucedido e de reputação sólida ali ao seu lado?

"Vanessa, você tem problemas gravíssimos." Richard puxa Emma mais para perto de si. "Nunca mais vai chegar perto dela."

A ordem de restrição judicial significa que Richard vai ter um documento oficial afirmando que sou uma ameaça a eles. Caso haja um confronto com violência entre nós, as provas vão colaborar para a defesa dele. Richard sempre está no controle da percepção da nossa narrativa.

"Você precisa ir embora." Ele se aproxima e me pega pelo braço. Eu me encolho toda, mas seu toque é suave. Suprimiu a raiva por ora. "Vou ter que levar você lá para baixo?"

Sinto meus olhos se arregalarem ao ouvir as palavras. Faço que não com a cabeça em um gesto apressado e tento engolir a saliva, mas minha boca está seca.

Ele não faria nada na frente de Emma, garanto a mim mesma. Mas entendo o que está insinuando.

Quando passo por Emma, ela cruza os braços e vira a cara.

35

Eu queria ter mandado meu moleskine para Emma junto com o recibo de cancelamento dos vinhos. Talvez, se tivesse a oportunidade de folhear aquelas páginas, percebesse uma tendência que unificasse os acontecimentos dispersos.

Mas o caderno não existe mais.

Quando fiz a última anotação, meu diário continha páginas e páginas de recordações e, cada vez mais, registros dos meus temores. Depois da noite em que Richard me contou que havia feito o espermograma e eu jurei que iria até o fim para descobrir o que de fato estava acontecendo, ficou impossível ignorar minha intuição. Meu caderno servia como uma espécie de tribunal, com minhas palavras fornecendo argumentos para ambos os lados em cada questão. *Talvez Richard tenha feito o teste em outra clínica*, escrevi. *Mas por que faria isso, quando já tinha horário marcado na primeira?* Eu me debruçava na cama do quarto de hóspedes, com a luz fraca do abajur do criado-mudo iluminando minha escrita enquanto eu tentava esclarecer outras situações confusas, que remontavam ao início do nosso casamento. *Por que ele falou que meu carneiro à vindaloo estava uma delícia, mas deixou mais da metade no prato e me matriculou em uma aula de culinária depois? Foi um gesto atencioso? Ele estava tentando mandar um recado sutil sobre a qualidade do prato? Ou foi um castigo pela minha revelação no consultório da dra. Hoffman de que eu havia engravidado na faculdade?* E algumas páginas antes disso: *Por que ele apareceu sem aviso e sem ser convidado na minha festa de despedida de solteira? Foi motivado pelo amor ou pelo instinto controlador?*

À medida que os questionamentos se acumulavam, ficou impossível continuar negando: alguém no nosso relacionamento era seriamente perturbado e, se não era Richard, então era eu. Ambas as possibilidades eram assustadoras.

Eu estava certa de que ele tinha sentido uma mudança entre nós. Foi inevitável me afastar — dele e de todos. Abandonei o trabalho voluntário. Quase nunca ia à cidade. Minhas amigas do Gibson e da escola tinham seguido em frente com suas vidas. Até tia Charlotte estava longe, em Paris. Eu estava sozinha como nunca.

Expliquei a Richard que estava deprimida porque não conseguia engravidar. Mas aquilo na verdade se revelou uma bênção.

Refugiei-me no álcool, mas nunca quando ele estava por perto, porque então precisava estar alerta. Quando Richard notou a quantidade de vinho consumida por mim durante o dia e me pediu para parar de beber, concordei com ele. Mas a única diferença nos meus hábitos foi que comecei a dirigir alguns quilômetros para comprar meu chardonnay. Escondia as garrafas na garagem, e nas minhas caminhadas matutinas deixava as provas espalhadas pelos contêineres de lixo reciclável das casas vizinhas.

O vinho me deixava sonolenta, e eu cochilava quase todas as tardes, para acordar sóbria quando Richard chegava do trabalho. Buscava conforto nos carboidratos, e em pouco tempo passei a vestir apenas leggings e camisetas compridas e folgadas. Não foi necessário o diagnóstico de um psiquiatra para eu me dar conta de que estava tentando adicionar camadas de proteção ao meu corpo. Tentando me tornar menos atraente ao meu marido tão apegado às aparências e à boa forma.

Richard nunca mencionou de maneira direta meu ganho de peso. Eu tinha emagrecido e engordado várias vezes ao longo do casamento. Quando estava mais cheinha, ele começava a pedir peixe assado para o jantar, ou dispensava o pão e pedia a salada com molho à parte se saíamos para comer. Eu seguia seu exemplo, envergonhada com minha falta de disciplina. Na noite do jantar de aniversário no clube, com tia Charlotte, eu estava tensa, mas não porque o garçom tinha se enganado com meu pedido. Minhas roupas não me serviam mais.

Meu marido não fez nenhum comentário a respeito.

Mas, na semana anterior ao jantar, comprou uma balança de alta precisão novinha e deixou no banheiro.

* * *

Certa noite acordei na nossa casa em Westchester com uma saudade desesperadora de Sam. Na tarde anterior, tinha lembrado que era aniversário dela. Fiquei me perguntando como seria a comemoração. Não sabia nem se ela ainda trabalhava na escola e morava no nosso antigo apartamento, ou se de repente estava até casada. Virei para olhar no relógio e vi que eram quase três da manhã. Não me incomodei, porque eu quase nunca conseguia dormir a noite inteira. Richard parecia uma estátua ao meu lado. Outras mulheres viviam reclamando que os maridos roncavam ou roubavam as cobertas durante a noite, mas a imobilidade de Richard nunca me permitia saber se estava em um sono profundo ou prestes a acordar. Fiquei deitada por um tempo, ouvindo sua respiração estável, e então escapuli de debaixo das cobertas. Andei em passos leves até a porta e dei uma olhada para trás. Na escuridão era impossível saber se meus movimentos o haviam acordado e se seus olhos estavam abertos.

Fechei a porta silenciosamente e fui para o quarto de hóspedes. Eu punha a culpa de nossa briga em Sam, mas àquela altura estava reavaliando tudo. Tínhamos nos afastado de vez depois daquele jantar. Sam me convidou para o bota-fora de Marnie, que estava voltando para San Francisco, mas Richard e eu já tínhamos confirmado presença em um jantar na casa de Hillary e George. Quando cheguei à festa, já perto do fim e acompanhada de Richard, vi a decepção estampada no rosto da minha amiga. Ficamos menos de uma hora lá. Ele ficou de pé em um canto o tempo todo, com o telefone na mão. E bocejando. Eu sabia que tinha uma reunião bem cedo na manhã seguinte, então tratei de me despedir. Algumas semanas depois, liguei para Sam para combinarmos de sair para beber alguma coisa.

"Richard não vai, né?"

"Não se preocupa, Sam, ele faz tanta questão da sua companhia quanto você da dele", retruquei.

A discussão foi ficando feia, e foi a última vez que conversamos.

Quando entrei no quarto de hóspedes e peguei o caderninho embaixo do colchão, perguntei-me se não estava tão magoada e incomodada porque Sam sabia de algo que eu não me permitia admitir — que Richard não era o marido perfeito. Que nosso casamento só parecia bom superficialmente. *O príncipe. Bom demais para ser verdade. Vestida para uma reunião de pais.* Ela inclusive me chamava de Nellie em um tom que parecia mais um deboche do que uma brincadeira entre amigas.

Levantei o colchão com a mão direita e estendi o braço esquerdo, tateando a superfície do boxe. Mas não consegui encontrar meu moleskine.

Soltei o colchão e acendi o abajur. Fiquei de joelhos para levantar ainda mais o colchão. O caderno não estava lá. Procurei embaixo da cama, arranquei o edredom e então o lençol.

Minhas mãos pararam de se mover quando senti uma energia estática percorrer minha pele. Antes mesmo de Richard abrir a boca eu soube que ele estava ali.

"É isso que você está procurando, Nellie?"

Fiquei de pé devagar e me virei.

Meu marido estava parado na porta, de samba-canção e camiseta, com meu caderno na mão. "Você não escreveu nada esta semana. Pelo jeito anda ocupada. Foi ao mercado na terça logo depois que eu saí para trabalhar, e ontem foi comprar vinho em Katonah. Que sorrateira, hein?"

Ele sabia tudo o que eu andava fazendo.

Richard levantou o caderno. "Acha que não está conseguindo engravidar por minha causa? Acha que o problema sou eu?"

Ele sabia tudo o que eu andava pensando.

Richard se aproximou de mim. Eu me encolhi, mas ele só pegou algo no criado-mudo ao meu lado. Uma caneta.

"Você se esqueceu de um detalhe, Nellie. Deixou isto aqui. E eu vi um dia desses." Sua voz estava diferente, mais aguda do que nunca, com uma cadência quase brincalhona. "Onde tem uma caneta, deve ter papel por perto." Richard folheou as páginas. "Puta que pariu, isso é loucura." Suas frases saíam cada vez mais aceleradas. "Duke! Carneiro à vindaloo! Sua foto virada para a parede! O alarme!" A cada acusação, ele arrancava uma página. "A foto do casamento dos meus pais! Fuçar no depósito! Questionar o enfeite do bolo dos meus pais! Ir à cidade às escondidas para falar do nosso casamento com uma desconhecida! Você é louca. Pior que sua mãe!"

Só percebi que estava recuando quando bati as pernas no criado-mudo.

"Você era só uma garçonete patética que não conseguia nem andar na rua sem achar que ia ser atacada a qualquer momento." Ele passou as mãos pelo cabelo, que tinha se desarrumado com a agitação. Sua camiseta estava amarrotada, e a barba por fazer era visível em seu maxilar. "Sua putinha ingrata. Quantas mulheres por aí não fariam tudo para ter um homem como eu? Morar em uma casa como esta, passar férias na Europa, andar de Mercedes?"

Todo o sangue pareceu deixar meu cérebro; fiquei atordoada de medo. "Você tem razão, fez muito bem para mim", falei em tom de súplica. "Não leu as outras páginas? Escrevi sobre como foi generoso por pagar a reforma do abrigo de animais. Sobre como me ajudou quando minha mãe morreu. Sobre o quanto te amo."

Eu não estava conseguindo chegar nele; Richard não parecia nem estar me enxergando ali. "Limpa essa sujeira", ele ordenou.

Caí de joelhos e comecei a juntar as páginas.

"Rasga tudo."

Eu estava aos prantos, mas obedeci, pegando algumas folhas e tentando rasgar ao meio. Mas minhas mãos estavam trêmulas, e as pilhas de papel eram grossas demais para eu conseguir rasgar.

"Porra, como você é incompetente."

Senti a atmosfera ficar carregada; a pressão era palpável.

"Por favor, Richard", solucei. "Desculpa... Por favor..."

O primeiro pontapé me acertou nas costelas. Foi uma dor explosiva. Me encolhi toda e colei os joelhos no peito.

"Quer me largar, é?", ele gritou quando me chutou outra vez.

Richard montou em cima de mim, forçando-me a deitar de costas, e imobilizou meus braços com os joelhos, que apoiou sobre meus cotovelos.

"Desculpa. Desculpa. Desculpa." Tentei me debater para me desvencilhar, mas ele estava sentado em cima da minha barriga, mantendo-me presa ao chão.

Suas mãos se fecharam em torno do meu pescoço. "Era para você me amar para sempre."

Fiquei sem fôlego, tentando espernear para me livrar de seu peso, mas ele era forte demais. Minha visão começou a ficar borrada. Consegui soltar uma das mãos e arranhar seu rosto, cada vez mais zonza.

"Era para você me salvar." Sua voz soava mais suave e triste a essa altura.

Foram as últimas palavras que ouvi antes de apagar. Quando voltei a mim, estava deitada no chão. As páginas do meu diário tinham desaparecido.

Richard também.

Minha garganta estava dolorida e desesperadoramente seca. Fiquei deitada no chão um tempão. Não sabia onde Richard estava. Rolei de lado e abracei os joelhos, trêmula sob a camisola fina. Depois de um tempo estendi o braço e puxei o edredom para me cobrir. O medo me imobilizava; não conseguia sair do quarto.

Então senti o cheiro de café fresco.

Ouvi os passos de Richard subindo as escadas. Não havia onde me esconder. Eu não tinha como fugir; ia encontrá-lo no caminho da porta da casa.

Richard entrou no quarto sem pressa, com uma caneca na mão.

"Desculpa", eu me apressei em dizer. Minha voz estava rouca. "Não sabia que... Eu estava bebendo muito, e sem conseguir dormir. Não conseguia pensar direito..."

Ele se limitou a me encarar. Era perfeitamente capaz de me matar. Precisava convencê-lo a não fazer aquilo.

"Eu não ia largar você", menti. "Não sei por que escrevi aquelas coisas. Você me faz tão bem."

Richard tomou um gole do café, com os olhos cravados em mim por cima da caneca.

"Às vezes tenho medo de acabar como minha mãe. Preciso de ajuda."

"Claro que você não ia me abandonar. Sei disso." Ele havia recobrado a compostura. Eu tinha encontrado as palavras certas. "Admito que perdi a cabeça, mas você me provocou", Richard falou, como se tivesse apenas falado algumas coisas desagradáveis durante uma discussão. "Você anda mentindo para mim. Me enganando. Não é mais a Nellie com quem me casei." Ele fez uma pausa, dando um tapinha na cama. Hesitante, sentei na beirada do colchão, ainda com o edredom enrolado ao corpo, como um escudo. Richard se acomodou ao meu lado, e senti a cama ceder sob seu peso, jogando-me para mais perto dele.

"Pensando a respeito, percebi que em parte a culpa é minha. Eu deveria ter reconhecido os sinais de alerta. Só ajudei a alimentar sua depressão. Você precisa de estrutura. Uma rotina. De agora em diante vai acordar junto comigo. Vamos nos exercitar juntos. Depois vamos tomar um café da manhã com mais proteína. Você vai sair todos os dias. Vai voltar a fazer parte de alguns comitês do clube. Você costumava se esforçar na cozinha. Quero que volte a fazer isso."

"Sim, claro."

"Estou comprometido com nosso casamento, Nellie. Nunca mais duvide disso."

Fiz um aceno com a cabeça, apesar da dor no pescoço.

Ele saiu para trabalhar uma hora depois, me dizendo que ligaria quando chegasse ao escritório e ordenando que atendesse. Fiz exatamente como esperava. Consegui tomar apenas um iogurte no café da manhã, mas pelo menos era uma proteína. O outono estava começando, então saí para uma caminhada ao ar livre, com o toque do celular no volume máximo. Pus uma blusa de gola alta para cobrir as marcas vermelhas que em breve virariam hematomas e em seguida fui ao mercado, onde comprei filé-mignon e aspargos para servir no jantar.

Estava na fila do caixa quando ouvi alguém dizer: "Senhora?". Percebi que a operadora estava esperando que eu pagasse minhas compras. Ergui os olhos da sacola para onde estava olhando fixamente, perguntando-me se ele já sabia o que eu estava comprando para o jantar. De alguma forma Richard sempre sabia quando eu saía de casa; descobriu sobre minha ida em segredo à cidade, sobre a loja de bebidas, sobre as coisas que fazia na rua.

Mesmo quando não estou presente, estou sempre com você.

Olhei para a mulher no caixa ao lado, que acalmava uma criança birrenta que queria sair do carrinho. Notei a câmera de segurança perto da porta. Vi a pilha de cestinhos vermelhos com alças reluzentes de metal, as revistas de fofocas, os doces em embalagens chamativas.

Não fazia ideia de como meu marido poderia estar de olho em mim o tempo todo, mas sua vigilância constante não era mais segredo. Eu não podia me desviar das regras do nosso casamento, que haviam se tornado mais rígidas. E jamais poderia tentar abandoná-lo.

Ele saberia.

E impediria.

E atacaria.

Poderia até me matar.

Uma ou duas semanas depois, ergui os olhos da mesa do café da manhã e vi Richard pegar um pedaço do bacon de peru que eu tinha preparado junto com os ovos mexidos. O rosto dele ainda estava ligeiramente vermelho por causa do exercício matinal. A xícara de café expresso estava fumegante; o *Wall Street Journal* estava dobrado ao lado do prato.

Ele deu uma mordida no bacon. "Está perfeito."

"Obrigada."

"Quais são seus planos para hoje?"

"Vou tomar um banho e depois dar uma passada no clube para ajudar na distribuição dos livros arrecadados. Temos um monte de coisa para organizar."

Richard assentiu. "Boa ideia." Ele limpou os dedos no guardanapo e abriu o jornal. "E não esquece que o almoço de comemoração da aposentadoria da Diane é na sexta-feira. Você pode comprar um cartão bem bonito e pôr as passagens do cruzeiro dentro?"

"Claro."

Ele baixou a cabeça para ver os números do mercado de ações.

Eu me levantei e limpei a mesa. Enchi a lava-louça e passei um pano nas bancadas. Enquanto passava a esponja sobre a superfície de granito, Richard se aproximou por trás de mim e me abraçou pela cintura, então me deu um beijo no pescoço.

"Te amo", murmurou.

"Eu também te amo."

Meu marido vestiu o paletó, pegou a maleta e saiu pela porta da frente. Fui atrás, para vê-lo entrar em sua Mercedes.

Era tudo como Richard desejava. Quando ele voltasse para casa à noite, o jantar estaria pronto. Eu estaria com um vestido bonito. E ia distraí-lo contando uma história divertida sobre o que Mindy dissera no clube.

Richard virou para me ver pela janela antes de entrar no carro.

"Tchau!", eu gritei, acenando.

Ele abriu um sorriso largo e sincero, exalando contentamento.

Nesse momento me dei conta de uma coisa. Foi como ver um raio de sol atravessar as nuvens cinzentas e pesadas que vinham me sufocando.

Só havia uma maneira de me livrar do meu marido.

Eu precisava fazer parecer que a ideia tinha sido dele.

36

Estou atualizando meu currículo no laptop quando o celular toca.

O nome dela surge na tela. Hesito antes de atender. Com medo de que seja outra armadilha de Richard.

"Você tinha razão", diz a voz rouca que passei a conhecer tão bem.

Permaneço em silêncio.

"Sobre a fatura do cartão." Fico com medo de que, se eu me manifestar, Emma mude de ideia, pare de falar e desligue. "Liguei para a Visa. Não teve nenhuma cobrança da Sotheby's. Richard nunca recebeu aquela caixa de Raveneau."

Mal consigo acreditar no que acabei de ouvir. Uma parte de mim ainda teme que ele esteja por trás disso, mas o tom de voz de Emma está diferente. Ela não parece mais sentir repulsa de mim.

"A cara que você fez quando ele falou que ia te acompanhar até a porta do prédio... foi isso que me convenceu a verificar a história. Achei que estivesse com ciúme, que quisesse Richard de volta. Mas não é isso, né?"

"Não."

"Você tem medo dele", Emma disse de forma abrupta. "Ele te bateu mesmo? E tentou esganar você? Não acredito que o Richard faria isso, mas..."

"Onde você está? E ele?"

"Estou em casa. Richard está em Chicago a trabalho."

Ainda bem que ela não está no apartamento dele. O dela provavelmente é seguro. Mas seu celular pode não ser. "Precisamos conversar pessoalmente."

Dessa vez, em um lugar público, penso.

"Que tal o Starbucks da..."

"Não, você precisa manter sua rotina. Quais são seus planos para hoje?"

"Tenho aula de ioga à tarde. E depois vou pegar meu vestido de noiva."

No estúdio de ioga não vamos conseguir conversar. "Onde fica a loja de vestidos?"

Emma me passa o endereço e o horário marcado. Digo que a encontro lá.

O que ela não sabe é que vou chegar mais cedo, para garantir que não se trata de outra emboscada.

"Que noiva perfeita", comenta Brenda, a dona da butique.

Os olhos de Emma encontram os meus pelo espelho diante da plataforma elevada. Ela está com um vestido de seda creme. Não sorri, mas Brenda está tão ocupada com o caimento da roupa que nem nota a expressão de preocupação da cliente.

"Acho que não precisa de nenhum outro ajuste", Brenda continua. "Vou mandar passar, e amanhã vai estar na sua casa."

"Na verdade, estamos com tempo", eu digo. "Podemos esperar e levar agora." A seção de provas está vazia, e em um dos cantos há várias poltronas para esperar. É um lugar reservado. E seguro.

"Querem uma taça de champanhe?"

"Adoraríamos", respondo, e Emma assente com a cabeça.

Desvio o olhar enquanto ela tira o vestido. Mesmo assim, vejo seu reflexo — a pele lisa e a lingerie de renda cor-de-rosa — em vários dos espelhos dispostos pelo local. É um momento estranhamente íntimo.

Brenda pega o vestido e pendura com cuidado em um cabide, e fico ansiosa esperando que se retire. Antes mesmo que Emma termine de abotoar a camisa, vou para as poltronas. A loja é o único lugar em que Richard não pode aparecer de forma inesperada. É praticamente proibido que um homem veja o vestido da noiva antes da cerimônia.

"Pensei que você fosse louca", Emma me diz. "Quando trabalhava com Richard, eu o ouvia ao telefone, perguntando o que tinha comido no café e se tinha saído para tomar um ar. Via os e-mails perguntando

302

onde você estava. Dizendo que ele tinha ligado quatro vezes, sem sucesso. Ele parecia sempre tão preocupado."

"Imagino."

Ficamos em silêncio quando Brenda reaparece com duas taças de champanhe. "Mais uma vez, meus parabéns." Fico com medo de que ela resolva ficar para bater papo, mas Brenda pede licença e se retira para verificar o trabalho no vestido.

"Pensei que soubesse tudo a seu respeito", Emma me diz de forma abrupta quando Brenda sai. Ela me encara com cautela, e noto uma familiaridade inesperada em seus olhos azuis e redondos. Antes que eu possa identificar de onde vem a sensação, Emma continua: "Você tinha uma vida perfeita com um cara ótimo. Não precisava nem trabalhar, só ficar à toa em uma casa chiquérrima paga por ele. Achava que você não merecia nada daquilo".

Eu a deixo continuar.

Ela inclina a cabeça. É quase como se estivesse me vendo pela primeira vez. "Você não é o que eu imaginava. Pensei que a conhecia muito bem. Ficava me perguntando como se sentia por saber que seu marido estava apaixonado por outra. Isso tirava meu sono à noite."

"Não foi culpa sua." Ela nem imagina o quanto isso é verdade.

O celular toca na bolsa de Emma. Ela interrompe o movimento com a taça quase nos lábios. Ficamos olhando para o ponto de onde veio o ruído.

Ela pega o celular. "Richard me mandou uma mensagem. Acabou de chegar ao hotel em Chicago. Perguntou o que estou fazendo e disse que está com saudade."

"Responde dizendo que também está e que o ama."

Ela ergue uma sobrancelha, mas faz o que pedi.

"Agora me dá o telefone." Bato com o dedo na tela e mostro para Emma. "O aparelho está rastreando você." Aponto para a tela. "Foi Richard quem comprou, certo? A conta está no nome dele. Com isso pode acessar a localização do aparelho — *sua* localização — quando quiser."

Ele fez a mesma coisa comigo quando ficamos noivos. Descobri naquele dia no mercado, quando me perguntei se Richard já sabia o que eu serviria no jantar. Fora assim que ele descobrira minha visita secreta à cidade e à loja de bebidas.

303

Richard também era o responsável pelas ligações misteriosas que passei a receber depois que nos conhecemos. Às vezes fazia aquilo como um castigo, como durante nossa lua de mel, quando achou que eu estivesse dando em cima do instrutor de mergulho. Em outras ocasiões devia ser para mexer com meu equilíbrio mental; para me desestabilizar e ser o responsável por me tranquilizar depois. Mas essa parte eu não conto para Emma.

Emma está olhando para o celular. "Então ele finge que não sabe o que estou fazendo, apesar de saber?" Ela dá um gole na bebida. "Que coisa mais doentia."

"Entendo que é difícil de acreditar." Só eu sei o quanto isso é um eufemismo perto da verdade.

"Sabe no que fiquei pensando o tempo todo? Richard apareceu no meu apartamento logo depois de você passar aquela carta por baixo da porta. Ele rasgou o papel na hora, mas fiquei pensando em uma coisa que você escreveu: 'uma parte de você já sabe quem ele é'." Os olhos de Emma perdem o foco, e imagino que ela esteja relembrando o momento em que começou a encarar o noivo de outra forma. "Richard queria... era como se ele quisesse *aniquilar* a carta. Continuou rasgando em pedaços cada vez menores, depois enfiou tudo no bolso. E a cara dele... nem reconheci."

Ela fica um tempão revivendo a lembrança, mas então se interrompe e vira para mim. "Posso perguntar uma coisa?"

"Claro."

"Depois daquela festa na sua casa, ele apareceu com um arranhão feio no rosto. Quando perguntei o que tinha acontecido, falou que tinha levado um arranhão do gato de um vizinho quando tentou pegá-lo no colo."

Richard poderia ter coberto o arranhão com um curativo, ou inventado uma desculpa melhor. Mas as conclusões de todos seriam tiradas a partir da minha conduta na festa; era mais uma prova da minha instabilidade, da minha volatilidade.

Emma fica imóvel. "Tive gato a vida toda", ela diz. "Sei que é um tipo de arranhão diferente."

Assinto.

Em seguida, respiro fundo e pisco algumas vezes. "Foi quando tentei me defender dele."

A princípio, Emma não reage. Talvez perceba instintivamente que, se demonstrar alguma compaixão, vou cair em prantos. Ela apenas me olha, e então vira a cabeça para o outro lado.

"Não acredito que entendi tudo errado", diz por fim. "Pensei que fosse você que... Ele volta amanhã. Combinamos que vou dormir na casa dele. E Maureen vai vir para cá. Vamos nos encontrar no apartamento para ela ver o vestido... e depois provar bolos de casamento."

Sua tagarelice é o único sinal de nervosismo, de que nossa conversa a deixou abalada.

Maureen é uma complicação a mais. Mas não é surpresa para mim que Richard e Emma a tenham incluído nos preparativos do casamento; eu me lembro que também quis fazer o mesmo. Além do colar que dei para ela, perguntei se ela achava que Richard gostaria mais de fotos em preto e branco ou em cores no álbum que lhe daria de presente. Ele ligava para a irmã e a colocava no viva-voz para discutirmos as opções de pratos para o jantar.

Ponho o braço sobre os ombros de Emma. No início seu corpo fica tenso, mas ela relaxa por um breve momento antes de se afastar. Deve estar lutando contra um turbilhão de sentimentos.

Salve Emma. Salve Emma.

Fecho os olhos e me lembro da garota que não consegui salvar. "Não precisa ter medo. Vou ajudar você."

Quando chegamos ao apartamento de Emma, ela estende o vestido sobre o encosto do sofá.

"Quer alguma coisa para beber?"

Mal encostei no champanhe; quero que meus pensamentos continuem bem claros, para descobrir como desvencilhar Emma de Richard de maneira segura. "Uma água cairia bem."

Ela mexe em algumas coisas na cozinha conjugada enquanto começa a tagarelar nervosamente outra vez. "Gelada? Sei que o apartamento está meio bagunçado. Eu estava indo à lavanderia quando tive um impulso de verificar a fatura do Visa. Ele me incluiu nessa conta depois que ficamos noivos, então só precisei ligar para o número no verso do cartão. Tem uva e amêndoas se quiser beliscar alguma coisa... Eu costumava revisar as faturas do AmEx como parte do trabalho, mas uma ou outra vez ele disse que faria aquilo pessoalmente. Foi por isso que não vi a notificação do cancelamento." Emma sacode a cabeça.

Eu a escuto distraidamente enquanto olho ao redor. Sei que está procurando formas de amenizar o impacto de tudo o que descobriu sobre Richard. O champanhe bebido às pressas, a fala frenética — conheço bem demais esses sinais.

Enquanto Emma despeja cubos de gelo no copo, observo a pequena sala de estar. Um sofá, uma mesa de canto, rosas ligeiramente murchas. Não há nada sobre a mesinha. Então me dou conta do que estou procurando.

"Você tem telefone fixo?"

"Quê?" Ela faz que não com a cabeça quando me entrega o copo d'água. "Não, por quê?"

Fico aliviada, mas respondo apenas: "Só para saber a melhor forma de manter contato".

Ainda não vou contar tudo para Emma. Pode acabar surtando se perceber a gravidade da situação.

Não tenho por que contar que Richard tinha arrumado um jeito de ouvir as ligações que eu fazia do telefone de casa.

Só tive esse estalo quando vi um padrão surgir nas páginas do meu diário.

Depois que o alarme antifurto da nossa casa em Westchester disparou e fui me esconder no closet, a princípio me tranquilizei com a informação de que as câmeras posicionadas na porta da frente e dos fundos não mostravam nenhum sinal da aproximação de alguém. Mas então me dei conta de que fora Richard quem vira as imagens. Ninguém mais verificou o que havia sido gravado.

E, imediatamente antes que a sirene tocasse, eu estava ao telefone com Sam. Tinha feito uma brincadeira sobre levar uns caras para casa depois da noitada. Foi Richard quem disparou o alarme. Para me punir.

Ele se alimentava do meu medo; isso fortalecia sua sensação de poder. Isso explica as ligações anônimas misteriosas que começaram logo depois do noivado, a sessão de mergulho com a esposa claustrofóbica, os pedidos para acionar o alarme. Ele gostava de me consolar, dizer que ia me manter segura.

Dou um longo gole na água. "A que horas Richard chega amanhã?"

"No fim da tarde." Emma olha para o vestido. "Preciso pendurar isso."

Eu a acompanho até o quarto e a vejo pendurar o cabide na porta do closet. A peça parece flutuar. Não consigo desviar o olhar.

A noiva que ia usar aquele vestido lindíssimo não existe mais. A peça vai continuar sem uso no dia do casamento.

Emma ajeita o cabide, acariciando o vestido de leve antes de fechar a porta.

"Ele parecia tão maravilhoso." Sua voz parece surpresa. "Como um homem assim pode ser tão brutal?"

Lembro-me do meu vestido de casamento, guardado em uma caixa especial no meu antigo closet em Westchester, a fim de preservá-lo para a filha que nunca tive.

Engulo em seco antes de falar. "Algumas coisas no Richard eram maravilhosas *mesmo*. Foi por isso que ficamos casados por tanto tempo."

"Por que não o largou?"

"Eu queria. Tinha motivos de sobra. E vários outros para não ser capaz de fazer isso."

Emma assente com a cabeça.

"Eu precisava que o Richard me abandonasse."

"Mas como você sabia que isso ia acontecer?"

Olho bem no fundo de seus olhos. Preciso confessar. Emma já teve o coração partido hoje, mas merece saber a verdade. Sem isso, vai ficar presa em uma falsa realidade, e eu sei muito bem o quanto isso pode ser destrutivo.

"Tem mais uma coisa." Volto para a sala, e ela me acompanha. Aponto para o sofá. "A gente pode se sentar?"

Ela se acomoda com as costas eretas na ponta de uma almofada, como se estivesse se preparando para o que está por vir.

Abro o jogo e conto tudo: a festa de fim de ano em que a vi pela primeira vez. A festa em nossa casa em que fingi estar bêbada. A noite em que simulei uma indisposição e sugeri que Richard a levasse à Filarmônica. A viagem a trabalho da qual sugeri que os dois voltassem só no dia seguinte.

Quando termino, Emma está segurando a cabeça entre as mãos.

"Como é que você teve coragem de fazer isso comigo?", ela grita. Em seguida fica de pé e me encara. "Eu sempre soube. Você tem sérios problemas!"

"Sinto muito."

"Sabe quantas noites eu passei em claro, preocupada com o meu papel no fim do seu casamento?"

Ela não disse que se sentia culpada, mas seria natural; tenho certeza de que sua relação com Richard começou quando ainda estávamos casados. Agora as lembranças de Emma estão duplamente contaminadas. Ela deve se sentir usada por mim. Talvez ache que Richard e eu nos merecemos.

"Nunca imaginei que a coisa fosse chegar tão longe... Não achava que ele fosse te pedir em casamento. Para mim, era só um caso."

"*Só* um caso?", Emma grita. Seu rosto fica vermelho de raiva; o tom passional de sua voz me surpreende. "Tipo uma transa sem consequências? Esse tipo de caso destrói a vida das pessoas. Você não parou para pensar no quanto eu estava sofrendo?"

Sinto-me atingida por suas palavras, mas alguma coisa se acende dentro de mim e me vejo impelida a reagir.

"*Sei* que esse tipo de caso destrói a vida das pessoas!", grito de volta, lembrando que passei semanas de cama depois de descobrir que fui enganada por Daniel, depois de ver sua esposa de rosto cansado. Aconteceu quase quinze anos atrás, mas as lembranças do triciclo amarelo e da corda cor-de-rosa atrás do carvalho no gramado ainda estão bem vívidas na minha mente. Eu me lembro de como a caneta tremia na minha mão quando assinei o formulário para o aborto.

"Fui enganada por um homem casado quando estava na faculdade", continuo, falando um pouco mais baixo. É a primeira vez que revelo esse detalhe da minha história para alguém. A dor me atinge com toda a força, como se eu fosse uma jovem desiludida de vinte e um anos de novo. "Pensei que ele me amasse. Nunca me contou sobre a esposa. Às vezes acho que minha vida poderia ter sido diferente se eu tivesse ficado sabendo antes."

Emma atravessa a sala e abre a porta.

"Fora." Seu tom de voz, porém, não parece mais tão indignado. Seus lábios estão trêmulos, e os olhos, cheios de lágrimas.

"Só me deixa falar uma última coisa", peço. "Liga para o Richard hoje à noite e diz que não vai seguir em frente com o casamento. Diz que recebeu outra visita minha e que foi a gota d'água."

Ela não esboça nenhuma reação, então continuo falando enquanto me encaminho para a porta. "Pede para ele anunciar para todo mundo que o noivado está cancelado; essa parte é muito importante", enfatizo. "Ele não vai punir você se continuar no controle da narrativa. Assim vai ter a dignidade preservada."

Paro diante dela para que minhas palavras fiquem bem claras. "Diz que você não está conseguindo lidar com uma ex-mulher psicopata. Promete que vai fazer isso. Você vai ficar bem."

Emma não diz nada. Mas pelo menos está olhando para mim, ainda que com uma expressão fria e desconfiada. Seus olhos percorrem meu rosto e meu corpo algumas vezes.

"Como é que vou saber que você está dizendo a verdade?"

"Não precisa saber. Por favor, vai para a casa de alguma amiga. Deixa seu celular aqui, para ele não conseguir encontrar você. A raiva do Richard passa rápido. Só se protege."

Saio e escuto a porta se fechar atrás de mim.

Sigo pelo corredor, olhando para o tapete azul-escuro sob meus pés. Emma deve estar reavaliando tudo o que contei. Provavelmente não sabe em quem confiar.

Caso não siga à risca o roteiro que passei, Richard pode descontar sua raiva nela, principalmente se não conseguir me encontrar. Ou, pior, pode convencê-la a mudar de ideia e seguir em frente com o casamento.

Talvez eu não devesse ter revelado meu papel em tudo isso. A segurança dela deveria estar acima da minha necessidade de me desvencilhar da culpa, de ser escrupulosamente sincera. Sua percepção errada da situação ia deixá-la menos vulnerável.

Qual vai ser o próximo passo de Richard?

Tenho vinte e quatro horas até o retorno dele. E nenhuma ideia do que fazer.

Saio andando lentamente pelo corredor. Reluto em deixá-la. Quando estou prestes a entrar no elevador, ouço a porta se abrir. Olho para trás e vejo Emma.

"Você está me pedindo para dizer a Richard que vou desistir do casamento por sua causa."

Assinto. "Sim. Pode pôr toda a culpa em mim."

Ela franze a testa, inclina a cabeça e me olha de cima a baixo outra vez.

"É a solução mais segura", digo.

"Para mim até pode ser. Mas não para você."

37

"Estava morrendo de saudade de você, querida", diz Richard.

Ao ouvir o amor e a ternura em sua voz, sinto um aperto no peito.

Meu ex-marido está a poucos metros de mim. Voltou de Chicago algumas horas atrás e passou em seu prédio para vestir uma camisa polo e uma calça jeans antes de vir para cá, para o apartamento de Emma.

Estou agachada, olhando pelo buraco da fechadura do closet do quarto. É o único lugar que me fornece ao mesmo tempo proteção e uma boa visão do cômodo.

Emma está sentada na beirada da cama, de moletom e camiseta. Sobre o criado-mudo, há uma embalagem de descongestionante nasal, uma caixa de lenço de papel e uma xícara de chá. Fui eu quem pensei nesses detalhes.

"Trouxe canja de galinha e um suco de laranja fresquinho da Eli's. E umas cápsulas de zinco. Meu personal trainer diz que é bom para combater esses resfriados de verão."

"Obrigada." A voz de Emma soa bem fraca. É bastante convincente.

"Quer que eu pegue uma blusa para você?"

Minhas entranhas se reviram quando Richard domina meu campo de visão, escondendo o restante do quarto. Está vindo na direção do meu esconderijo.

"Na verdade, estou com calor. Pode me trazer uma toalha molhada para colocar na testa?"

Não ensaiamos essa fala; Emma improvisa bem.

Volto a respirar depois que ele dá meia-volta e se encaminha para o banheiro.

Eu me mexo de leve; fiquei ajoelhada um bom tempo, e minhas pernas estão doendo.

Emma não me olhou nos olhos nem uma vez. Ainda está em choque pela minha revelação; não parece confiar em mim completamente. Dá para entender por quê.

Você não vai mais orquestrar minha vida, ela me disse ontem, enquanto eu estava no corredor, perto do elevador do prédio. *Não vou terminar tudo com Richard pelo telefone só porque você mandou. Sou eu quem decide quando meu casamento vai ser cancelado.*

Mas pelo menos permitiu que eu ficasse por perto, com o celular na mão. De olho nele. Para protegê-la.

Nós duas previmos que Richard ia fazer questão de aparecer quando Emma dissesse que estava doente. Um mal-estar inventado podia resolver uma porção de problemas. Explicaria, por exemplo, por que ela não foi à ioga. E por que não quer dormir no apartamento dele ou até beijá-lo, muito menos fazer sexo. Eu queria poupá-la daquilo.

"Aqui está, querida", Richard diz, voltando.

Eu o vejo se debruçando sobre a cama, então suas costas me impedem de acompanhar seus movimentos. Eu o imagino segurando a compressa molhada na testa de Emma e passando a mão em seu cabelo. Olhando-a com amor.

Meus joelhos parecem ter sido esfregados contra o piso de madeira. Minhas coxas estão queimando; estou louca para ficar de pé e sacudir as pernas. Mas Richard poderia ouvir.

"Não queria que você me visse assim. Estou um caco."

Se eu não soubesse a verdade, acreditaria que ela não tinha segundas intenções.

"Mesmo doente, você é a mulher mais linda do mundo."

Ainda conheço Richard muito bem. Ele está sendo absolutamente sincero. Se Emma dissesse que estava com vontade de tomar um sorbet de morango ou aquecer os pés com meias de cashmere, ele percorreria Manhattan inteira em busca dos produtos da melhor qualidade. Dormiria no chão ao lado dela se a fizesse se sentir melhor. É parte da natureza do meu ex, e a coisa mais difícil de arrancar do meu coração. No momento, assim como seu perfil pelo buraco da fechadura, isso é tudo o que consigo ver.

Fecho os olhos com força.

Abro imediatamente depois. Já aprendi sobre o perigo de não querer olhar as coisas importantes.

Se Emma não cumprisse as expectativas de Richard — e o fracasso em alguma medida era inevitável —, haveria consequências. Se ela não fosse a esposa das suas fantasias, ele bateria nela, depois lhe daria joias para compensar. Se não proporcionasse uma família ou não criasse o tipo de lar desejado, ele atacaria sistematicamente sua percepção de realidade até torná-la irreconhecível. E, pior, ia afastá-la das coisas e das pessoas que ela mais amava.

"Vou avisar a Maureen que vamos precisar cancelar o compromisso amanhã", Richard diz a Emma.

Perfeito, penso. Assim teremos mais algum tempo para descobrir a melhor maneira de salvá-la.

Mas, em vez de concordar, ela diz: "Não, eu vou melhorar, só preciso descansar".

"Como quiser, meu amor, mas a principal preocupação tem que ser você."

Apesar da porta fechada, consigo sentir o poder do carisma dele.

Eu esperava que Emma pudesse começar a se distanciar de Richard hoje mesmo. Mas, depois de apenas alguns minutos na presença dele, parece fraquejar.

Pelo buraco da fechadura, vejo que os dois estão de mãos dadas. O polegar dele acaricia de leve seu pulso.

Sinto vontade de pular para fora do armário e arrastá-la para longe; ele a está fazendo desistir. Emma está sendo atraída de volta para ele.

"Além disso, Maureen precisa vir aqui para ver meu vestido." Ele está pendurado a poucos centímetros à minha esquerda; Emma o escondeu aqui para que Richard não visse. "E temos um monte de coisas divertidas para fazer. Ou está pensando que vou deixar vocês provarem os bolos sem mim?", ela continua, com um tom brincalhão.

É exatamente o contrário do que deveria estar acontecendo. Essa Emma é outra mulher em relação àquela que vinte e quatro horas atrás me perguntou, neste mesmo quarto, como Richard podia ser tão maravilhoso e ao mesmo tempo tão brutal.

Não consigo manter a posição por mais tempo. Com um movimento lento silencioso, levanto o joelho direito do chão e piso. Repito o processo com a perna esquerda. Dolorosamente, vou me levantando centímetro a centímetro. Os vestidos e as camisas me envolvem, tecidos sedosos deslizam pelo meu rosto.

Um cabide estala contra a barra de metal. Seu som é delicado e preciso como o de um sino de vento emitindo uma única nota do lado de fora da janela.

"O que foi isso?", Richard pergunta.

Não estou enxergando nada.

Seu cheiro cítrico me envolve ou é minha imaginação? Respiro de leve. Meu coração dispara. Fico morrendo de medo de desmaiar e despencar sobre a porta do closet.

"É só essa cama velha rangendo." Ouço Emma se mexendo e, milagrosamente, a cama range. "Mal posso esperar para poder dormir só na sua."

Mais uma vez, fico abismada com a velocidade com que ela arruma um subterfúgio.

Então Emma diz: "Mas tem uma coisa que eu queria falar".

"O quê, querida?"

Ela hesita.

Eu me abaixo para olhar pelo buraco da fechadura de novo. Fico me perguntando por que ela está desviando o rumo da conversa. Sabe que Richard é perspicaz; não quer que ele vá embora logo, antes de descobrir que não está doente de verdade?

"Vanessa me ligou ontem de novo."

Meus olhos se arregalam, e preciso me segurar para não soltar um suspiro de susto. Não acredito que ela armou para mim de novo.

Richard solta um palavrão e dá um chute na parede ao lado da cômoda de Emma. Consigo sentir a vibração do impacto nas tábuas do piso. Vejo os punhos dele se fechando e se abrindo.

Ele fica olhando para a parede por alguns momentos, em seguida se vira para Emma.

"Desculpa, amor." Sua voz fica tensa. "Qual foi a merda que ela disse dessa vez?"

Emma escolheu acreditar em Richard. A encenação que estava fazendo era para mim. Posso chamar a polícia, mas e se disserem que eu invadi o apartamento?

As roupas de Emma estão me sufocando. Não tem espaço no closet minúsculo. Estou presa. Sinto a claustrofobia tomar conta e minha garganta se fechar.

"Não, Richard, não foi nada disso. Ela se desculpou. Disse que vai me deixar em paz."

Minha cabeça está atordoada. Emma se afastou tanto do roteiro que não consigo sequer imaginar suas intenções.

"Ela já disse isso antes." Consigo ouvir a respiração pesada de Richard. "Mas continua ligando, aparecendo no escritório, escrevendo cartas. Não vai parar. É louca..."

"Querido, está tudo bem. Eu acredito nela. Dessa vez pareceu diferente."

Minhas pernas parecem a ponto de se liquefazer. Não faço ideia do motivo por que Emma está fazendo isso.

Richard solta um suspiro. "Não vamos falar dela. E espero que nunca mais precisemos. Quer mais alguma coisa?"

"Só preciso dormir. E não quero que você fique doente, então melhor ir embora. Te amo."

"Venho pegar você e Maureen às duas amanhã. Também te amo."

Fico no closet até Emma abrir a porta, alguns minutos depois. "Ele já foi."

Faço uma careta, dobrando e estendendo as pernas. Tenho vontade de perguntar sobre a mudança de rumo inesperada na conversa, mas seu rosto está tão sem expressão que sei que ela só quer que eu vá embora logo.

"Posso ficar mais um pouco?"

Emma hesita, mas assente. "Vamos lá para a sala." Percebo os olhares de cautela que ela lança para mim.

"O que vamos fazer agora?"

Emma franze a testa. Percebo que o uso do plural a incomoda. "Eu me viro." Ela dá de ombros.

Emma não entende. Não parece perceber a urgência da necessidade de cancelar o casamento. Se Richard consegue exercer tamanha influência em uma única visita, o que vai acontecer quando ele der pedaços de bolo na sua boca, abraçá-la pela cintura, fizer promessas de felicidade?

"Você viu o chute que Richard deu na parede", digo, elevando o tom de voz. "Ainda não entendeu o que ele é?"

A questão aqui é ainda maior que Emma. Mesmo se Richard abrir mão dela — o que não sei se vai acontecer —, e quanto às diversas formas que tem para me atingir? E quanto à mulher antes de nós duas, a ex de cabelos escuros que não quis nem ao menos ficar com o presente da Tiffany's? Com certeza ele a machucou também.

Meu ex é uma criatura movida por hábitos, um homem comandado pela rotina. Qualquer que fosse a belíssima joia contida naquela sacola azul, era um pedido de desculpas; uma tentativa de literalmente encobrir algo desagradável.

Emma não sabe que pretendo salvar todas as mulheres que correm o risco de se tornar esposas de Richard no futuro.

"Você precisa pôr um fim em tudo logo. Quanto mais tempo passar, pior vai ser..."

"Eu já disse que me viro."

Ela vai até a porta e a abre. Saio com passos relutantes.

"Tchau", Emma diz. Fico com a impressão de que não quer me ver nunca mais.

Mas não tem como evitar.

Porque agora sei que preciso elaborar um plano. Uma semente de ideia foi plantada em mim enquanto observava a raiva explosiva de Richard à menção do meu nome, do meu suposto telefonema. Tudo vai tomando forma na minha mente enquanto atravesso o corredor de tapete azul, seguindo o caminho que Richard percorreu poucos minutos atrás.

Emma pensa que Maureen vai visitá-la para ver o vestido de noiva amanhã, e que depois vão experimentar diferentes sabores de bolos com Richard.

Ela não faz ideia do que vai acontecer de fato.

38

A apólice do meu novo seguro de vida é cuspida pela impressora.

Grampeio tudo e coloco em um envelope de papel pardo. Precisei escolher um plano que cubra não só morte por causas naturais, mas também acidentais.

Coloco o documento sobre a mesa, junto com um bilhete para tia Charlotte. Foi a coisa mais difícil que precisei escrever na vida. Deixei informações sobre minha conta bancária, com o saldo recém-engordado, para facilitar seu acesso ao dinheiro. Ela é a única beneficiária do seguro de vida.

Ainda restam três horas.

Pego minha lista de afazeres e marco essa tarefa como cumprida. Meu quarto está limpo, com a cama arrumada. Todos os meus pertences estão no guarda-roupa.

Cumpri mais dois afazeres mais cedo: liguei para os pais de Maggie e para Jason.

A princípio ele não reconheceu meu nome. Precisou de um tempo para se lembrar de quem se tratava. Fiquei andando de um lado para o outro enquanto ele fazia a conexão mental, perguntando-me se nossos encontros anteriores haviam deixado algum rancor.

Mas ele só me agradeceu imensamente pelas doações ao abrigo de animais e me contou o que tinha feito desde o fim da faculdade. Casara com a namorada daquela época. "Ela continuou do meu lado", ele falou, com a voz embargada de emoção. "Fiquei com muita raiva de todo mundo, mas principalmente de mim mesmo, por não ter feito nada para ajudar minha irmã. Quando fui preso por dirigir bêbado, tive que me internar para me tratar... enfim, ela foi meu porto seguro. Nunca desistiu de mim. Casamos no ano seguinte."

A esposa de Jason era professora primária. Formada no mesmo ano que eu. Por isso ele tinha ido à cerimônia no auditório Piaget. Para vê-la.

Meus sentimentos de culpa e ansiedade produziram uma mentira. O centro da história nunca fui eu.

Era impossível deixar de sentir tristeza pela mulher que deixou que esse medo moldasse tantas escolhas de sua vida.

Ainda sinto muito medo, porém agora não me deixo restringir por isso.

Só faltam alguns itens da minha lista de afazeres.

Abro o laptop e limpo o histórico do navegador, eliminando as evidências das minhas pesquisas recentes. Faço isso duas vezes, para garantir que minha busca por passagens aéreas e pequenos hotéis não apareça para quem usar meu computador.

Emma não entende Richard tão bem quanto eu. Não imagina do que ele é capaz. É impossível prever no que pode se transformar em seus piores momentos.

Ele vai seguir em frente se eu não impedir. Só que com mais cautela. Vai encontrar uma forma de distorcer a realidade, criando uma nova imagem, mais atraente e convincente.

Estendo minha roupa sobre a cama e tomo um banho longo e quente, tentando dissipar a tensão nos músculos. Ponho o roupão de banho e limpo o espelho embaçado sobre a pia.

Restam duas horas e meia.

Primeiro o cabelo. Penteio para trás as mechas ainda molhadas e prendo em um coque. Com cuidado, aplico a maquiagem e escolho os brincos de diamantes que Richard me deu no nosso segundo aniversário de casamento. Ponho meu relógio Cartier no pulso. É fundamental poder monitorar cada segundo.

O vestido que escolhi é o mesmo que usei quando fomos às Bermudas. Branco, acinturado e clássico. Poderia até servir como vestido de noiva em uma cerimônia mais simples, na praia. É uma das roupas que ele me devolveu algumas semanas atrás.

Não escolhi a peça por seu histórico ou suas possibilidades, e sim porque tem bolsos.

Restam duas horas.

Visto um par de rasteirinhas e recolho tudo de que vou precisar.

Rasgo minha lista em diversos pedaços, jogo no vaso e dou descarga. Observo enquanto o papel se desfaz e a tinta desaparece.

Há uma última coisa que preciso fazer antes de ir. O item mais difícil da lista. Vai exigir todas as minhas forças, além de toda a experiência de atriz que acumulei ao longo da vida.

Encontro tia Charlotte no quarto que ela usa como ateliê.

As telas estão empilhadas de três em três pelo cômodo. Respingos de tinta de cores vivas cobrem o piso de madeira. Por um instante, eu me rendo à beleza do lugar: céus azuis, estrelas piscando, o horizonte no momento efêmero anterior à alvorada. Uma rapsódia de flores silvestres. A madeira desgastada da velha mesa. Uma ponte sobre o Sena. A curvatura do rosto de uma mulher, a pele clarinha enrugada pela idade. Conheço bem esse rosto; é dela.

Tia Charlotte parece perdida na paisagem que está criando. Suas pinceladas são menos precisas que no passado; seu estilo é menos rígido.

Quero mantê-la assim na minha memória.

Depois de alguns instantes, ela ergue os olhos e me diz: "Ah, eu não vi você, querida".

"Não queria incomodar", digo baixinho. "Vou sair um pouco, mas deixei seu almoço na geladeira."

"Você está bonita. Aonde vai?"

"A uma entrevista de emprego. Não quero falar antes de ir para não dar azar, mas à noite conversamos."

Meus olhos pousam em uma tela do outro lado do quarto: um varal do lado de fora de uma construção sobre um canal de Veneza, com camisas, calças e saias oscilando com a brisa que quase consigo sentir.

"Você precisa me prometer uma coisa antes de eu sair."

"Está mandona hoje, hein?", tia Charlotte brinca.

"Sério, é importante. Promete que vai para a Itália até o fim do verão?"

O sorriso desaparece dos lábios de tia Charlotte. "Aconteceu alguma coisa?"

Sinto um desejo desesperador de atravessar o quarto e abraçá-la, mas acho que, se fizer isso, não vou conseguir sair.

Está tudo na minha carta, afinal:

Lembra o dia em que me ensinou que a luz do sol contém todas as cores do arco-íris? Você era meu raio de sol. Me ensinou como encontrar o arco-íris... Por favor, vá para a Itália por nós. Você vai estar sempre comigo.

Faço que não com a cabeça. "É que eu estava pensando em fazer essa viagem com você. Mas, se conseguir o emprego, vai ter que ir sozinha. Só isso."

"Não vamos pensar nisso agora. Se concentra na entrevista. Quando é?"

Olho no relógio. "Daqui a uma hora e meia."

"Boa sorte."

Mando um beijo para ela, que, na minha imaginação, pousa em seu rosto macio.

39

Pela segunda vez na vida, estou de vestido branco diante de um tapete azul, diante de Richard.

A porta do elevador se fecha atrás dele, que permanece imóvel.

Sinto a intensidade de seu olhar em minha direção. Estou atiçando sua raiva de forma deliberada há dias, cutucando-a para arrancá-la do lugar onde ele se esforça para mantê-la escondida. É exatamente o oposto do que aprendi a fazer durante meu casamento.

"Está surpreso, querido? Sou eu, Nellie."

São exatamente duas horas. Emma está a poucos passos de mim, na sala de estar de seu apartamento, com Maureen. Nenhuma das duas sabe da minha presença aqui; eu me infiltrei no prédio uma hora atrás, seguindo um homem uniformizado carregando uma caixa retangular comprida. Sabia exatamente a que horas ele chegaria, porque tinha feito eu mesma a encomenda de uma dúzia de rosas brancas para Emma.

"Pensei que estivesse viajando", ele diz.

"Mudei de ideia. Queria ter mais uma conversa com sua noiva."

Estou segurando diferentes objetos dentro dos meus bolsos. Qual vou sacar primeiro depende da reação dele. Richard dá um passo sobre o tapete. É quase impossível conter o impulso de recuar. Apesar do calor do verão, seu terno escuro, sua camisa branca e sua gravata de seda dourada parecem impecáveis e elegantes. Ele ainda não está descontrolado, não da maneira como preciso que esteja.

"Sério? E o que pretende dizer a ela?" Sua voz sai perigosamente baixa.

"Vou começar com isto aqui." Mostro um pedaço de papel. "É a fatura do seu Visa, mostrando que não encomendou Raveneau nenhum."

Ele está longe demais para ler as letras miúdas e perceber que a fatura na verdade é minha.

Preciso continuar pressionando, antes que peça para ver. Sorrio para Richard, apesar do estômago revirado. "Também vou explicar que você está rastreando o telefone dela." Mantenho um tom de voz baixo e constante. "Assim como fez comigo."

Quase consigo sentir o corpo dele ficar tenso. "Você passou dos limites, Vanessa." Mais um passo comedido. "É com a minha noiva que está mexendo. Depois de tudo o que me fez, agora está tentando arruinar meu futuro casamento também?"

Com o canto do olho, meço a distância até a porta do apartamento de Emma. Meu corpo fica tenso.

"Você mentiu sobre Duke. Sei o que você fez com ele, e vou contar para Emma." Isso não é verdade — nunca descobri o que aconteceu com meu amado cachorro, apesar de não acreditar que Richard o tenha machucado —, mas a acusação atinge em cheio. Vejo o rosto dele se contorcer de raiva.

"E você também mentiu sobre o espermograma." Minha boca está tão seca que fica difícil articular as palavras. Dou um passo para trás, na direção da porta de Emma. "Ainda bem que não conseguiu me engravidar. Você não merece ter filhos. Eu tirava fotos depois que me atacava. Juntei provas. Pensou que não tivesse inteligência para isso, né?"

Escolhi de forma meticulosa as palavras que sabia que incitariam meu ex-marido.

Está dando certo.

"Emma vai largar você quando eu contar tudo." Não consigo mais controlar minha voz. Mas a verdade que ela transmite é inegável. "Assim como sua ex anterior." Respiro fundo e me preparo para minhas últimas palavras. "Eu queria abandonar você também. Nunca fui sua doce Nellie. Não queria continuar casada."

Sua fúria vem em uma explosão.

Era isso que eu esperava.

Mas calculei mal a rapidez com que perderia todo o controle, e esqueci como ele era veloz.

Richard me alcança depois de eu correr uns poucos passos na direção da porta de Emma.

322

As mãos dele se fecham sobre minha garganta, cortando meu suprimento de oxigênio.

Pensei que teria tempo de gritar. De bater na porta e chamar Emma e Maureen, para que testemunhassem a transformação de Richard. Ele jamais teria como se safar com uma explicação qualquer; seria a evidência física que não poderia ser encontrada em um caderno, em uma gaveta de arquivo, em um depósito. Era do que eu precisava para salvar todas nós — eu, Emma e as mulheres que Richard conhecesse no futuro.

Eu estava contando com que Richard interrompesse o ataque quando Maureen e Emma aparecessem — ou pelo menos que elas conseguissem detê-lo. No momento não há motivo nenhum para segurar a necessidade que sente de me aniquilar.

Minha traqueia parece estar sendo esmagada. A dor é agoniante. Meus joelhos fraquejam.

Meu braço esquerdo se estende em vão na direção da porta de Emma, mas sei que não adianta. Ela está em seu vestido de noiva, dando voltinhas para mostrá-lo à futura cunhada. Ignora totalmente o que está acontecendo do outro lado da parede.

O ataque de Richard é quase silencioso; um som gorgolejante escapa da minha garganta, mas não é alto o bastante para alertar outro morador.

Ele me empurra contra a parede. Seu hálito quente roça meu rosto. Vejo a cicatriz sobre seu olho quando chega mais perto.

Uma tontura me domina.

Tento tirar o spray de pimenta do bolso, mas Richard bate minha cabeça na parede e acabo deixando-o cair. Ele fica sobre o tapete.

Meu campo de visão está encolhendo; a borda escura vai tomando conta de tudo. Em gestos frenéticos, chuto suas canelas, mas meus golpes não produzem efeito.

Meus pulmões estão em chamas. Preciso desesperadamente respirar.

Seus olhos se fixam nos meus. Cravo as unhas na lateral de seu corpo, e minha mão encontra alguma coisa dura no bolso do paletó. Eu a tiro de lá.

Salve todas.

Reúno minhas últimas forças e bato com o objeto em seu rosto.

Richard dá um berro.

Um jorro de sangue vivo escorre do machucado na têmpora.

Meus membros ficam pesados, e meu corpo começa a relaxar. Uma tranquilidade que não sentia em anos — ou talvez nunca tenha sentido — me domina. Meus joelhos cedem.

Estou me entregando à escuridão quando a pressão desaparece de repente. Desabo e respiro fundo. Tusso violentamente, sentindo que estou prestes a vomitar.

"Vanessa", uma mulher grita do que me parece ser uma longa distância.

Estou estirada sobre o tapete, com uma das pernas presas debaixo do corpo, mas me sinto como se estivesse flutuando.

"Vanessa!"

Emma. Só consigo rolar para o lado, revelando os pedaços de porcelana partida. Vejo os cacos de uma estatueta — uma noiva loira de sorriso sereno com seu noivo elegante. O enfeite do nosso bolo.

E ao lado está Richard, de joelhos, com uma expressão indecifrável e sangue escorrendo pelo rosto, manchando sua camisa branca.

Respiro dolorosamente uma vez, depois outra. Toda a ameaça se apagou no corpo do meu ex-marido. Seus cabelos estão caídos sobre os olhos. Ele fica imóvel.

O oxigênio volta a circular, fortalecendo um pouco meu corpo, apesar de minha garganta estar tão inchada e sensível que não consigo engolir. Consigo me arrastar e sentar, apoiada contra a parede do corredor.

Emma vem correndo até mim. Está descalça e, como eu, usando um vestido branco. O de noiva. "Ouvi um grito... saí para ver e aí... O que aconteceu?"

Não consigo falar. Só consigo puxar o ar em lufadas profundas e desesperadas.

Vejo os olhos delas se voltarem para meu pescoço. "Vou chamar uma ambulância."

Richard não reage diante de nada disso, nem com o suspiro de susto que Maureen solta quando aparece de repente na porta.

"O que está acontecendo?" Ela fica me encarando — a mulher que considera louca, a ex-mulher desgarrada de seu irmão. Depois se volta para Richard, o homem que ajudou a criar e que ama incondicionalmente. Ela vai até ele e põe a mão em suas costas. "Richard?"

Ele leva a mão à testa e depois olha para a mancha vermelha na palma. Parece estranhamente distante, como se estivesse em choque.

Fico assim quando vejo sangue. Foi uma das primeiras coisas que ele me falou. De repente me dou conta de que, apesar das múltiplas agressões, Richard nunca me fez sangrar.

Maureen corre para o apartamento e volta com um rolo de papel-toalha. Ela se ajoelha ao lado dele e começa a comprimir o ferimento. "O que está acontecendo?" A voz dela sai estridente. "Vanessa, o que está fazendo aqui? O que fez com ele?"

"Ele me atacou." Minha voz sai rouca, e cada sílaba faz parecer que os cacos de porcelana estão arranhando minha garganta.

Preciso finalmente poder dizer essas palavras.

Faço uma careta ao me preparar para falar mais alto. "Ele me esganou. Quase me matou. Assim como fazia quando estávamos casados."

Maureen respira fundo. "Ele não faria isso... não, não..."

Então ela fica em silêncio. Ainda sacode negativamente a cabeça, mas seus ombros despencam, seu rosto assume uma expressão desolada. Tenho certeza de que, mesmo antes de ver as marcas de dedo no meu pescoço, acredita em mim.

Maureen recobra a compostura. Ela afasta o papel-toalha do rosto de Richard e examina o ferimento. Quando volta a falar, é com um tom severo, mas atencioso.

"Não foi nada de mais. Não deve nem precisar de pontos."

Mais uma vez, Richard não esboça reação.

"Vou cuidar de tudo, Richard." Maureen recolhe os cacos de porcelana, coloca-os sobre uma mão e abraça o irmão, colocando a cabeça perto dele. Mal consigo ouvir os murmúrios que ela emite a seguir: "Sempre cuidei de você, Richard. Nunca deixei que nada de mal acontecesse. Não precisa se preocupar. Estou aqui. Vou dar um jeito em tudo".

As palavras são inacreditáveis. O que me deixa mais perplexa, porém, é o estranho sentimento com que são ditas. Maureen não parece furiosa nem triste nem confusa.

Sua voz transmite algo que a princípio não consigo identificar, porque não faz o menor sentido.

Mas por fim entendo o que é: satisfação.

40

A construção diante de mim poderia ser uma mansão colonial, com suas colunas grandiosas e sua varanda que dá a volta completa na casa, com uma fileira de cadeiras de balanço. Para entrar, tenho que passar por um portão vigiado por um segurança e mostrar um documento com foto. Ele revista a sacola de pano que estou carregando. Ergue as sobrancelhas quando vê o que tem dentro, mas faz um aceno de cabeça e permite minha entrada.

Alguns dos pacientes do New Springs Hospital estão fazendo jardinagem ou jogando cartas na varanda. Não o vejo entre eles.

Richard está nesta instituição para tratamento de saúde mental para uma internação de vinte e oito dias. Ele é submetido a sessões diárias de terapia. É parte do acordo que fez para não ser preso pela agressão contra mim.

Enquanto subo os degraus de madeira da entrada, uma mulher de corpo magro e atlético se levanta do sofá. Não consigo identificá-la de imediato, porque o sol da tarde bate nos meus olhos.

Quando ela chega mais perto, vejo que é Maureen. "Não sabia que viria hoje." Não deveria ser surpresa; ela é a única pessoa com quem Richard pode contar.

"Venho todos os dias. Tirei uma licença do trabalho."

Olho ao redor. "Onde ele está?"

Um dos terapeutas tinha me passado o recado de Richard: ele queria me ver. A princípio hesitei. Depois percebi que também precisava daquilo.

"Descansando. Queria falar com você primeiro." Maureen aponta para um par de cadeiras de balanço. "Podemos sentar?"

Ela cruza as pernas sem pressa e alisa o terninho bege de linho. Claramente quer alguma coisa. Fico esperando que revele o que é. Sua postura é rígida e seu rosto não demonstra nenhuma compaixão.

"Me sinto péssima por causa do que aconteceu entre vocês." Noto que Maureen olha de relance para a mancha amarela no meu pescoço. Mas há uma desconexão entre suas palavras e a energia com que as pronuncia. Sua postura é rígida e não há qualquer sinal de simpatia em seu rosto.

Ela não gosta de mim. Nunca gostou, apesar de no início eu ter torcido para que nos tornássemos próximas.

"Sei que para você a culpa é toda dele. Mas não é tão simples assim. Meu irmão passou por maus bocados, Vanessa. Mais do que é capaz de imaginar."

Pisco algumas vezes, surpresa. Ela não pode estar retratando Richard como vítima.

"Ele me *atacou*", digo, quase aos berros. "Quase me matou."

Maureen não se deixa abalar pela minha explosão; simplesmente limpa a garganta e recomeça. "Quando nossos pais morreram..."

"No acidente de carro."

Ela franze a testa, como se meu comentário a tivesse irritado. Como se tivesse planejado um monólogo, não uma conversa.

"Sim. Papai perdeu o controle da perua. Bateu no guard rail e capotou. Os dois morreram na hora. Richard não se lembra de muita coisa, mas a polícia disse que pelas marcas de pneus o carro devia estar em alta velocidade."

Jogo a cabeça para trás. "Richard não lembra... então ele estava no carro?"

"Sim, sim", Maureen responde, impaciente. "É isso que estou tentando contar."

Fico perplexa; Richard escondeu de mim muito mais do que eu esperava.

"Foi horrível para ele." As palavras de Maureen saem apressadas, como se ela quisesse passar por cima dos detalhes para chegar à parte que considera mais importante da história. "Richard bateu a cabeça e ficou preso no banco de trás. A lataria do carro estava deformada, e ele não conseguia sair. Demorou um tempão para outro carro passar e chamarem a ambulância. Richard teve uma concussão e precisou levar pontos, mas poderia ter sido muito pior."

A *cicatriz acima do olho*, penso. Aquela que ele dizia que havia sido causada por um acidente de bicicleta.

Imagino Richard como um adolescente — um menino, na verdade — atordoado e com dor por causa da batida. Gritando pela mãe. Sem conseguir acordar os pais. Tentando abrir a porta do veículo capotado. Batendo nas janelas com os punhos fechados e gritando. E o sangue. Devia haver muito sangue.

"Meu pai tinha um temperamento difícil e, quando se irritava, pisava fundo. Acho que estava discutindo com minha mãe antes do acidente." A fala de Maureen está mais lenta agora. Ela sacode a cabeça. "Graças a Deus, eu sempre falava para Richard usar cinto. E ele escutava o que eu dizia."

"Eu não fazia ideia", solto por fim.

Maureen vira para mim; é como se eu a tivesse arrancado de um devaneio. "Sim, Richard não fala sobre o acidente com ninguém além de mim. O que eu quero que você saiba é que não era só quando dirigia que meu pai perdia a cabeça. Ele tinha um relacionamento abusivo com minha mãe."

Respiro fundo.

Meu pai nem sempre tratava minha mãe bem, Richard me dissera depois do funeral da minha própria mãe, enquanto eu tremia na banheira.

Lembro-me da fotografia dos pais que Richard escondeu no depósito. Fico me perguntando se ele não precisava literalmente enterrá-la para reprimir as memórias da infância, para conseguir criar a história mais palatável que costuma contar.

Uma sombra se aproxima de mim. Instintivamente, olho ao redor. "Desculpe interromper", uma enfermeira de uniforme azul diz com um sorriso. "Você pediu para avisar quando seu irmão acordasse."

Maureen assente. "Pode pedir para ele descer, Angie?" Ela vira para mim. "Acho melhor vocês conversarem aqui, e não no quarto."

Observamos a enfermeira se afastar. Quando ela some de vista, a voz de Maureen assume um tom mais determinado. Suas palavras são duras: "Escuta só, Vanessa, Richard está bem fragilizado no momento. Você pode finalmente deixar meu irmão em paz?"

"Foi ele quem pediu para eu vir aqui."

"Richard não sabe muito bem o que quer. Duas semanas atrás, achava que queria casar com Emma. Pensava que ela era perfeita" — Maureen solta um risinho de deboche —, "e eles quase não se conheciam. Foi o que aconteceu com você também. Richard sempre quis que sua vida parecesse ser de determinado jeito, como o casal de noivos idealizado do enfeite de bolo que comprou pros meus pais anos atrás."

Penso na data incoerente estampada na base da estatueta. "Foi Richard quem comprou aquilo pros seus pais?"

"Estou vendo que ele não contou isso também. Foi um presente no aniversário de casamento deles. Richard planejou um jantar especial, achando que podiam se apaixonar de novo depois de uma noite maravilhosa. Mas então aconteceu o acidente. Ele nunca conseguiu dar o presente. Era oco por dentro, sabe? O enfeite. Foi o que pensei quando o vi espatifado no corredor naquele dia... Acho que ele estava levando para mostrar na confeitaria aonde íamos. Mas Richard não tem nada que casar. E cabe a mim garantir que isso não aconteça."

Ela de repente abre um sorriso — genuíno e sincero —, que me deixa extremamente incomodada.

Mas não é para mim. É para o irmão dela, que está se aproximando.

Maureen levanta. "Vou deixar vocês uns minutinhos a sós."

Estou sentada ao lado do homem que ao mesmo tempo é e não é mais um mistério para mim.

Richard está de calça jeans e camisa de algodão, com a barba por fazer. Apesar de ter dormido até tarde, parece cansado, e sua pele não está com uma coloração saudável. Ele não é mais o homem que me encantava e que depois me aterrorizava.

Parece um cara qualquer agora, um tanto derrotado, para quem eu não olharia duas vezes se o visse esperando um ônibus na rua ou comprando um café.

Ele prejudicou meu equilíbrio mental durante anos. Tentou obliterar minha personalidade.

Também me segurava pela cintura quando descíamos uma ladeira de trenó no Central Park. Comprava sorvete de passas ao rum no aniversário da morte do meu pai e me deixava bilhetinhos sem nenhum motivo.

Ele esperava que eu o salvasse de si mesmo.

Quando Richard enfim começa a falar, diz o que eu quero ouvir há tanto tempo.

"Desculpa, Vanessa."

Ele já se desculpou comigo antes, mas desta vez suas palavras soam diferentes.

Enfim, sinceras.

"Existe alguma possibilidade de você me dar mais uma chance? Estou melhorando. Podemos recomeçar."

Olho para o jardim e para o gramado verdejante. Imaginei uma cena muito parecida quando Richard me mostrou nossa casa em Westchester: nós dois sentados lado a lado em uma varanda, décadas depois de casados. Unidos pelas lembranças que tínhamos construído juntos, adicionando nossos detalhes favoritos a cada recordação, até criar uma narrativa conjunta.

Pensei que ficaria furiosa quando o visse. Mas só consigo sentir pena.

Como uma resposta à sua pergunta, entrego a Richard minha sacola de pano. Ele pega o primeiro item, uma caixa de joias preta. Ele abre. Dentro estão minhas alianças de noivado e casamento.

"Eu queria devolver." Passei muito tempo voltada para o passado. Está na hora de seguir em frente de verdade.

"Podemos adotar uma criança. Fazer com que tudo saia perfeito dessa vez."

Ele enxuga os olhos. Nunca o vi chorar.

Maureen se aproxima em um instante. Ela pega a sacola e as alianças da mão de Richard. "Vanessa, está na hora de você ir. Vou te acompanhar até a saída."

Levanto. Não porque ela mandou, mas porque estou pronta para ir. "Adeus, Richard."

Maureen desce comigo até o estacionamento.

Eu a sigo a passos lentos.

"Pode fazer o que quiser com o álbum de casamento", digo apontando para a sacola. "Foi meu presente para Richard, então é dele por direito."

"Eu lembro. Terry fez um ótimo trabalho. Foi uma sorte ele conseguir ter encaixado vocês naquele dia, no fim das contas."

Detenho o passo. Nunca contei para ninguém que estivemos prestes a perder o fotógrafo da cerimônia.

Nosso casamento aconteceu há quase uma década; nem eu me lembraria do nome do fotógrafo assim de supetão.

Enquanto encaro Maureen, lembro que foi uma mulher que ligou para cancelar nossa sessão de fotos. Ela sabia qual fotógrafo tínhamos contratado; sugeriu que eu incluísse imagens em preto e branco quando mandei por e-mail um link para o site de Terry e pedi opiniões sobre o presente de Richard.

Seus olhos azuis ficam parecidíssimos com os dele neste momento. É impossível especular o que passa por sua cabeça.

Eu me lembro das visitas de Maureen em todos os feriados, dos aniversários que ela passava com o irmão, dedicada a atividades que sabia que eu não gostava, e do fato de que nunca se casou nem teve filhos. Não consigo me recordar de ter dito o nome de uma única amiga.

"Pode deixar que eu cuido do álbum." Ela para na entrada do estacionamento e encosta no meu braço. "Tchau."

Sinto um toque frio e liso como metal contra minha pele.

Quando olho para baixo, vejo que colocou minhas alianças no anelar da mão direita.

Ela percebe que estou olhando. "É por segurança."

41

"Obrigada por me receber hoje", digo a Kate quando me acomodo no lugar de sempre no sofá.

Apesar dos meses que passei sem vir — desde que me separei —, a sala permanece exatamente a mesma, com revistas dispostas em leque sobre a mesinha de centro e alguns globos de neve no parapeito da janela. Diante de mim, há um aquário enorme, com peixes-palhaço em tons de branco e laranja e um tetra neon passando por um túnel de pedra.

Kate tampouco mudou. Seus olhos são grandes e compreensivos. Os cabelos escuros e compridos ficam atrás dos ombros.

Richard soube na primeira vez que fui à cidade sem ele saber para falar com Kate. Fiquei um bom tempo sem voltar. Para conseguir, avisei com antecedência que ia visitar tia Charlotte. Deixei meu celular no apartamento dela e andei trinta quadras até o consultório.

"Estou divorciada", começo.

Kate abre um leve sorriso. Ela sempre toma muito cuidado para não me deixar perceber o que pensa, mas, apesar de termos feito apenas umas poucas sessões, aprendi a ler suas reações.

"Ele me trocou por outra mulher."

O sorriso desaparece do rosto de Kate.

"Mas não está mais com ela", acrescento às pressas. "Richard meio que teve um colapso... tentou me machucar, mas dessa vez eu tinha testemunhas. Ele está se tratando."

Observo Kate enquanto ela processa tudo isso.

"Certo", ela diz por fim. "Então ele... deixou de ser uma ameaça para você?"

"Isso."

Kate inclina a cabeça. "Ele trocou você por outra mulher?"

Dessa vez sou eu que abro um leve sorriso. "Era a substituta perfeita. Foi isso que pensei quando pus os olhos nela... Mas agora está em segurança também."

"Richard sempre gostou de tudo perfeito mesmo." Kate se recosta na poltrona, apoia a perna direita sobre a esquerda e massageia o tornozelo, distraída.

Na primeira vez em que conversamos, ela se limitou a me fazer algumas perguntas. Mas seus questionamentos me ajudaram a desfazer o nó de pensamentos que bloqueava minha mente. *Por que acha que Richard está tentando prejudicar seu equilíbrio mental? Qual seria a motivação dele para isso?*

Na segunda vez em que fui falar com ela, Kate pegou a caixa de lenços de papel na mesinha entre nós mesmo sem eu estar chorando.

Ela estendeu o braço para que eu pegasse um, e meu olhar se voltou para o bracelete grosso que usava no pulso.

Kate se manteve imóvel, deixando-me observar à vontade.

Ver aquele tipo de acessório em seu braço não me pegou de surpresa. Afinal, coletar informações foi um dos motivos para eu ter procurado a ex de Richard, a mulher de cabelos escuros com quem ele se relacionou antes de mim.

Não foi difícil encontrá-la; Kate ainda morava na cidade, e seu número estava na lista telefônica. Tomei muito cuidado. Jamais escrevi seu nome no moleskine. Quando Richard descobriu que eu estava indo escondido à cidade, só falei que era para me consultar com uma terapeuta.

Mas Kate foi ainda mais cautelosa.

Ela me ouviu com toda a atenção, mas não parecia nem um pouco disposta a revelar o que aconteceu nos anos em que passou com ele.

Acho que descobri o motivo na minha terceira sessão.

Durante os encontros anteriores, Kate abria caminho para que eu entrasse no apartamento fazendo um gesto para a sala de estar. Quando se levantava para sinalizar que o tempo estava esgotado, pedia que eu fosse à frente e me acompanhava até a porta.

Na terceira visita, porém, quando perguntei se deveria simplesmente abandonar Richard e ir morar com tia Charlotte, Kate se levantou de forma abrupta e me ofereceu um chá.

333

Fiz que sim com a cabeça, confusa.

Ela foi até a cozinha, e eu a segui.

Kate arrastava o pé direito pelo chão; ela compensava a falta de mobilidade fazendo um jogo de corpo para impulsionar a passada seguinte. Alguma coisa tinha acontecido com sua perna, que ela massageava algumas vezes durante as sessões. Algo que a deixara com um claudicar pronunciado.

Depois que fez o chá, ela disse apenas: "O que você estava dizendo mesmo?".

Fiz que não com a cabeça quando ela me ofereceu uma xícara. Sabia que minhas mãos estavam trêmulas demais para segurá-la.

Observei o colar de platina elaboradíssimo que ela usava, o bracelete grosso no pulso, o anel de esmeralda no dedo. Peças lindas e caras, que não combinavam com suas roupas simples.

"Eu estava dizendo... que não tenho como largar Richard." Minhas palavras saíram sufocadas.

Fui embora pouco depois, com um medo repentino de que Richard estivesse tentando falar comigo no celular. Foi a última vez que falei com ela.

"Fiz um boletim de ocorrência. E Maureen se comprometeu a cuidar de Richard", digo.

Kate fecha os olhos por um instante. "Isso é bom."

"Sua perna..."

Quando Kate volta a falar, sua voz não expressa nenhuma emoção. "Caí da escada." Depois de um instante de hesitação, seu olhar se volta para o aquário. "Richard e eu tivemos uma discussão naquela noite, porque me atrasei para um evento importante." Seu tom está bem mais suave agora. "Depois que chegamos em casa e ele foi para a cama... eu fui embora do apartamento com uma mala." Ela engole em seco e começa a massagear a panturrilha. "Peguei a escada em vez do elevador porque não queria que ninguém ouvisse a movimentação. Mas Richard... ele não estava dormindo."

Seu rosto desmorona por um momento, mas ela se recompõe. "Nunca mais vi a cara dele."

"Sinto muito. Agora você está segura também."

Kate assente com a cabeça.

Instantes depois, ela diz: "Fique bem, Vanessa".

Ela se levanta e me conduz até a porta.

Ouço a fechadura ser trancada atrás de mim. Então minha cabeça se volta de maneira súbita para o apartamento, e uma conexão surge no meu cérebro quando me lembro de uma visão que tive muito tempo antes.

A mulher de capa de chuva em frente à escola, vigiando enquanto eu esvaziava a sala de aula. Quando fui até a janela, ela virou para ir embora com um movimento um tanto peculiar.

Como se mancasse.

42

Acordo com a luz do sol entrando pelas frestas da persiana e aquecendo meu corpo na cama do quarto de hóspedes de tia Charlotte.

O meu quarto, penso, abrindo as pernas e os braços e ocupando a cama inteira. Então estendo o braço esquerdo e desligo o despertador antes de tocar.

Algumas noites o sono não vem, quando repasso tudo o que aconteceu e tento juntar as peças que continuam sendo um mistério para mim.

Porém não tenho mais medo do momento em que vai amanhecer.

Levanto e visto o roupão. No caminho do banheiro para tomar um banho rápido, passo pela escrivaninha, onde está o itinerário da viagem de Veneza a Florença. Vamos embarcar daqui a dez dias. Ainda é verão, e as aulas na escola onde vou trabalhar, em South Bronx, só começam em setembro.

Uma hora depois, saio do prédio para o ar quente da rua. Não estou com pressa, então caminho devagar pela calçada, tomando o cuidado de não estragar o jogo de amarelinha que alguma criança desenhou. Nova York fica sempre mais tranquila em agosto; o ritmo da cidade parece mais suave. Passo por um grupo de turistas fotografando a paisagem. Um homem de idade está sentado nos degraus da frente de um prédio com fachada de tijolos, lendo o jornal. Um ambulante enche seus baldes de papoulas, girassóis, lírios e margaridas. Decido comprar algumas flores no caminho de volta.

Entro em um café e olho ao redor do salão.

"Mesa para um?", uma garçonete pergunta ao passar por mim com alguns cardápios na mão.

Faço que não com a cabeça. "Vim encontrar uma pessoa."

Eu a vejo em um canto, levando uma caneca branca aos lábios. A aliança de ouro brilha em sua mão esquerda. Dou uma boa olhada nela.

Uma parte de mim está ansiosa para ir correndo até lá. A outra parte gostaria de ter mais tempo para se preparar.

Então ela ergue a cabeça, e nossos olhares se cruzam.

Vou em sua direção com passos largos, e ela se levanta às pressas. Com certa hesitação, estende as mãos para um abraço.

Quando nos afastamos, enxugamos os olhos em um gesto quase simultâneo. Depois caímos na risada.

Eu me sento à sua frente.

"Que bom ver você, Sam." Abro um sorriso ao ver seu colar de contas de cores alegres.

"Senti sua falta, Vanessa."

Também senti falta de mim, penso.

Em vez de dizer isso, remexo dentro da bolsa.

E tiro de lá meu colar de contas de cores vivas.

Epílogo

Vanessa caminha pela calçada, com os cabelos loiros soltos sobre os ombros e os braços balançando livremente ao lado do corpo. A rua está mais tranquila que o normal nestes últimos dias de verão, mas um ônibus parado me esconde no meu ponto de observação. Tem alguns adolescentes na esquina, observando as manobras de um skatista. Ela passa por lá e para em uma barraca de flores, então se inclina e pega um punhado generoso de papoulas em um balde branco. Depois abre um sorriso quando o vendedor entrega o troco e segue rumo ao apartamento.

Nesse meio-tempo, meus olhos não desgrudam dela.

Antes, quando a observava, eu tentava adivinhar seu estado emocional. "Conhece teu inimigo", escreveu Sun Tzu em *A arte da guerra*. Li esse livro na faculdade, e a frase reverberou em mim de forma profunda.

Vanessa jamais desconfiou que eu fosse uma ameaça. Só viu o que eu queria que ela visse; aceitou a ilusão que criei.

Ela me vê apenas como Emma Sutton, a mulher inocente que caiu na armadilha que armou para se desvencilhar do marido. Ainda fico surpresa com sua confissão de ter orquestrado meu caso com Richard; pensei que fosse eu que a estivesse enredando em uma trama.

Pelo jeito, fomos conspiradoras simultâneas.

Vanessa não faz ideia de quem eu sou de verdade. Ninguém nem imagina.

Eu poderia ir embora agora e ela jamais saberia a verdade. Parece totalmente recuperada de tudo o que aconteceu. Talvez seja até melhor não saber.

Olho para a fotografia que estou segurando. Os cantos estão desgastados por causa do tempo e do manuseio constante.

É uma imagem de uma família aparentemente feliz: um pai, uma mãe, um menino com covinhas e uma pré-adolescente de aparelho. A foto foi tirada anos atrás, quando eu tinha doze anos e ainda morava na Flórida. Alguns meses antes de nossa família se desintegrar.

Eram mais de dez horas, e eu deveria estar na cama — já tinha passado do meu horário de dormir. Ouvi a campainha tocar, e minha mãe gritou: "Eu atendo".

Meu pai estava no escritório, provavelmente corrigindo trabalhos. Era o que ele costumava fazer à noite.

Ouvi algumas vozes, e depois meu pai descendo com passos apressados.

"Vanessa!", ele gritou. Sua voz pareceu tão tensa que me fez sair do quarto. Minhas meias deslizaram silenciosamente pelo carpete quando passei na frente do quarto do meu irmão, cheguei ao alto da escada e me abaixei. Dava para ver tudo o que estava acontecendo diante da porta. Eu era uma espectadora escondida nas sombras.

Vi minha mãe cruzar os braços e olhar feio para meu pai. Vi meu pai falar e gesticular. Vi minha gata tricolor se esfregar nas pernas da minha mãe, como se quisesse acalmá-la.

Depois que fechou a porta, minha mãe virou para meu pai.

Nunca vou me esquecer da expressão dela.

"Foi ela que deu em cima de mim", meu pai garantiu, arregalando os olhos azuis e redondos como os meus. "Aparecia na minha sala fora do horário, com um monte de dúvidas. Tentei me desvencilhar, mas ela insistiu... Não foi nada de mais, eu juro."

Mas não era bem assim. Tanto que, um mês depois, meu pai saiu de casa.

Minha mãe pôs a culpa nele, mas também na aluna bonita que o seduziu. Ela mencionava o nome "Vanessa" durante as brigas, contorcendo os lábios, como se as três sílabas amargassem sua boca; esse virou o símbolo de tudo o que havia de errado entre os dois.

Eu a culpei também.

Depois de me formar na faculdade, fui visitar Nova York. Havia feito uma investigação sobre ela, claro; seu nome era Vanessa Thompson agora. O meu sobrenome também havia mudado. Depois da separação, minha mãe voltou a usar o nome de solteira, Sutton. Mudei o meu também assim que pude.

Vanessa morava em um casarão, em um bairro residencial caríssimo. Era casada com um homem bonito. Levava uma vida de rainha, que não merecia. Queria vê-la mais de perto, mas não conseguia encontrar uma maneira de me aproximar. Ela quase não saía. Não havia como nossos caminhos se cruzarem naturalmente.

Quase adiei minha volta para casa. Mas então me dei conta de uma coisa.

Eu poderia me aproximar do marido dela.

Não foi difícil descobrir onde Richard trabalhava. Logo fiquei sabendo que ele saía para um expresso duplo no café da esquina todos os dias por volta das três. Era uma criatura orientada pelos hábitos. Peguei meu laptop e montei acampamento em uma mesa. Quando ele apareceu, trocamos olhares.

Eu estava acostumada ao assédio dos homens, mas daquela vez a interessada era eu. Assim como imaginava que havia acontecido em seu caso com meu pai.

Abri o sorriso mais radiante possível. "Oi. Meu nome é Emma."

Já esperava que ele fosse querer dormir comigo; é isso que os homens costumavam querer. Teria sido o suficiente, mesmo que fosse só por uma noite; em algum momento, a mulher dele descobriria. Eu iria me certificar pessoalmente daquilo.

A simetria da situação me pareceu correta. Parecia que a justiça estava sendo feita.

Mas, em vez de me levar para a cama, ele sugeriu que eu me candidatasse a uma vaga de assistente em sua empresa.

Dois meses depois, fui contratada como substituta de Diane.

E, após alguns meses, substituí a mulher dele.

Olho mais uma vez para a foto na minha mão.

Eu estava muito enganada em relação a tudo.

341

Em relação ao meu pai.

Fui enganada por um homem casado quando estava na faculdade, Vanessa me contou no dia em que fui provar meu vestido de noiva. *Pensei que ele me amasse. Nunca me contou sobre a esposa.*

Eu estava enganada em relação a Richard.

Se casar com Richard, você vai se arrepender, ela me avisou quando me abordou na frente do meu prédio. E mais tarde, com Richard ao meu lado, tentou me alertar de novo, apesar de estar visivelmente assustada. *Ele vai te machucar.*

Penso na maneira como Richard me puxou para junto de si, abraçando-me, depois que Vanessa disse essas palavras. Pareceu um gesto protetor. Mas as pontas de seus dedos se cravaram na minha pele, deixando marcas roxas. Acho que ele nem percebeu o que estava fazendo; sua atenção estava voltada para Vanessa naquele momento. No dia seguinte, quando a encontrei na loja, tomei cuidado para que não visse.

Acima de tudo, eu estava enganada em relação a Vanessa.

É justo que ela saiba que estava enganada em relação a mim também.

Saio do meu ponto de observação e atravesso a rua para abordá-la.

Vanessa vira para mim antes mesmo de eu a chamar; deve ter sentido minha presença.

"Emma! O que está fazendo aqui?"

Ela foi sincera comigo, em uma situação que não era nada fácil. Se não tivesse lutado tanto para me salvar, eu estaria casada com Richard. Mas Vanessa não parou por aí. Arriscou a vida para desmascará-lo e impedi-lo de fazer outra vítima.

"Eu queria me desculpar."

Ela franze a testa e espera que eu me explique.

"Preciso mostrar uma foto para você." Entrego a fotografia a ela. "Essa era minha família."

Vanessa fica olhando para a imagem enquanto conto minha história, começando por aquela noite de outubro muito tempo atrás, quando eu deveria estar dormindo.

Ela levanta a cabeça de forma súbita e observa meu rosto. "Seus olhos." O tom de voz dela é tranquilo e comedido. "Eu sabia que já tinha visto em algum lugar."

"Achei que você merecia saber."

Vanessa me devolve a foto. "Bem que estranhei. Você pareceu ter se materializado do nada. Quando pesquisei a seu respeito na internet, não encontrei nada mais antigo. Só descobri seu endereço e telefone."

"Você preferia não saber quem eu era?"

Ela fica pensativa por um instante.

Em seguida balança negativamente a cabeça. "A verdade é o único caminho para seguir em frente."

E então, como não resta mais nada a dizer, faço um sinal para um táxi que se aproxima.

Entro no carro e me viro para olhar pela janela de trás.

Eu levanto a mão.

Vanessa fica me olhando por um instante. Em seguida ergue a mão espalmada, imitando meu gesto.

Ela se vira e se afasta de mim no momento exato em que o táxi arranca, e a distância entre nós vai crescendo a cada respiração.

Agradecimentos

Nosso agradecimento eterno a nossa editora Jennifer Enderlin, da St. Martin's Press, cuja mente brilhante tanto aprimorou este livro, e cuja energia, visão e sabedoria sem paralelos o ajudaram a alçar voos mais altos do que jamais sonhamos.

Temos sorte de contar com uma equipe editorial fantástica para nos apoiar, da qual fazem parte Katie Bassel, Caitlin Dareff, Rachel Diebel, Marta Fleming, Olga Grlic, Tracey Guest, Jordan Hanley, Brant Janeway, Kim Ludlam, Erica Martirano, Kerry Nordling, Gisela Ramos, Sally Richardson, Lisa Senz, Michael Storrings e Laura Wilson.

Muito obrigada a nossa agente incrível, inteligente e generosa Victoria Sanders, e a sua notável equipe: Bernadette Baker-Baughman, Jessica Spivey e Diane Dickensheid, da Victoria Sanders & Associates.

Agradecemos demais a Benee Knauer por suas primeiras sugestões de edição de texto e principalmente por nos ensinar o verdadeiro significado da expressão "tensão palpável".

Muito obrigada a nossos editores internacionais, em especial a Wayne Brooks, da Pan Macmillan UK, nossa companhia dos sonhos para o jantar. Nossa mais sincera gratidão a Shari Smiley, do Gotham Group.

Simplificando, este livro não existiria sem Sarah Pekkanen, minha inspiradora, talentosa e engraçadíssima coautora, além de amiga querida. Obrigada por ser minha cúmplice nesta jornada maravilhosa.

Nos meus vinte anos como editora, aprendi um bocado com os autores com quem trabalhei, em especial Jennifer Weiner e sua agente, Joanna

Pulcini. Gostaria de agradecer a meus antigos colegas da Simon & Schuster, principalmente minha mentora na Atria Books, Judith Curr; ao sublime Peter Borland; e à mais talentosa jovem editora do mercado, Sarah Cantin.

Desde o ensino fundamental até a pós-graduação, tive a sorte de ter professores que acreditaram em mim, entre os quais destaco Susan Wolman e Sam Freedman, na Escola de Pós-Graduação em jornalismo da Columbia.

Sou profundamente grata a nossas primeiras leitoras, Marla Goodman, Alison Strong, Rebecca Oshins e Marlene Nosenchuk.

Tenho a sorte de contar com muitas amigas — dentro e fora do mercado editorial — que torcem por mim mesmo de longe. Obrigada a Carrie Abramson (e seu marido Leigh, nosso consultor quando o assunto é vinhos), Gillian Blake, Andrea Clark, Meghan Daum (cujo poema dedicado a mim inspirou o de Sam), Dorian Fuhrman, Karen Gordon, Cara McCaffrey, Liate Stehlik, Laura van Straaten, Elisabeth Weed e Theresa Zoro.

Agradeço a Danny Thompson e Ellen Katz Westrich por cuidarem da minha saúde física e psicológica.

E à minha família:

Bill, Carol, Billy, Debbie e Victoria Hendricks; Patty, Christopher e Nicholas Allocca; Julie Fontaine e Raya e Ronen Kessel.

Robert Kessel, que sempre me motiva a romper obstáculos.

Mark e Elaine Kessel, por me transmitir seu amor pelos livros, por serem meus primeiros leitores e por me dizerem para "ir com tudo".

Rocky, por me fazer companhia.

E minha gratidão especial a Paige e Alex, que incentivaram a mamãe a perseguir o sonho da infância dela.

E por fim John, meu verdadeiro norte, que não só me disse que eu era capaz como seguiu de mãos dadas comigo por todo o caminho.

Greer

Dez anos atrás, Greer Hendricks se tornou minha editora. Depois virou uma amiga querida. Agora é minha parceira de escrita. Nossa colaboração criativa tem sido de uma felicidade singular, e me sinto extremamente grata pelo apoio, o desafio e a inspiração que representa para mim. Estou ansiosa para ver o que os próximos dez anos nos reservam.

Meus agradecimentos a todos os membros da família Smith por sua ajuda ao longo do processo: a Amy e Chris pelo incentivo, pelas risadas e pelo vinho; a Liz por sua leitura do original; e a Perry pelos conselhos.

Agradeço a Kathy Nolan por compartilhar seus conhecimentos sobre tudo, desde marketing até sites; a Rachel Baker, Joe Dangerfield e Cathy Hines por sempre me apoiar; à Street Team e aos meus amigos e leitores do Facebook, que divulgam notícias dos meus livros de forma divertida e criativa; e à animada e solícita comunidade de autores da qual faço parte.

Sou grata a Sharon Sellers por me manter forte o suficiente para superar cada obstáculo, e à sempre sábia e bem-humorada Sarah Cantin. Também agradeço a Glenn Reynolds, além de Jud Ashman e à equipe do Gaithersburg Book Festival.

Bella, uma cadela maravilhosa, ficou sentada pacientemente ao meu lado enquanto eu escrevia.

Todo amor ao incomparável time da Pekkanen: Nana Lynn, Johnny, Robert, Saadia, Sophia, Ben, Tammi e Billy.

E sempre e acima de tudo agradeço aos meus filhos: Jackson, Will e Dylan.

Sarah

TIPOGRAFIA Adriane por Marconi Lima
DIAGRAMAÇÃO Osmane Garcia Filho
PAPEL Pólen Soft, Suzano Papel e Celulose
IMPRESSÃO RR Donnelley, março de 2018

A marca FSC® é a garantia de que a madeira utilizada na fabricação do papel deste livro provém de florestas que foram gerenciadas de maneira ambientalmente correta, socialmente justa e economicamente viável, além de outras fontes de origem controlada.